O rei da vodca

Linda Himelstein

O rei da vodca

A saga da família Smirnov e a construção de um império

Tradução:
Ana Beatriz Duarte

ZAHAR

Para minha família, a melhor que há

Título original:
The King of Vodka
(The Story of Pyotr Smirnov and the Upheaval of an Empire)

Tradução autorizada da primeira edição americana,
publicada em 2009 por Harper, um selo de HarperCollins Publishers,
de Nova York, Estados Unidos

Jorge Zahar Editor Ltda.
rua México 31 sobreloja | 20031-144 Rio de Janeiro, RJ
tel (21) 2108-0808 | fax (21) 2108-0800
editora@zahar.com.br | www.zahar.com.br

Grafia atualizada respeitando o novo Acordo Ortográfico da Língua Portuguesa

Preparação: Edmundo Barreiros | Revisão: Claudia Ajuz, Tamara Sender, André Marinho
Indexação: Nelly Praça | Capa: Rafael Nobre | Imagem da capa: © Fedor Yakolevich Alekseev

CIP-Brasil. Catalogação na fonte
Sindicato Nacional dos Editores de Livros, RJ

Himelstein, Linda
H551r O rei da vodca: A saga da família Smirnov e a construção de um império/Linda Himelstein; tradução Ana Beatriz Duarte. – Rio de Janeiro: Zahar, 2010.

Tradução de: The king of vodka: the story of Pyotr Smirnov and the upheaval of an empire
Inclui bibliografia e índice
ISBN 978-85-378-0318-9

1. Smirnov, P.A. (Petr Arsen'evich). 2. Smirnov (Firma). 3. Destiladores – Rússia – Biografia. 4. Vodca – Indústria – Rússia – História. I. Título.

CDD: 641.25
10-3707 CDU: 641.87:663.551.5:633.1

Sumário

PARTE II

Lista de personagens

Principais personagens da família

Piotr Arsênievich Smirnov – *O rei da vodca*

Mariya Nikolaiévna Smirnova – *Terceira mulher de Smirnov*

Arsêni Smirnov – *Pai de Smirnov*

Grigori Smirnov – *Tio de Smirnov*

Ivan Smirnov – *Tio de Smirnov*

Piotr Pietróvich Smirnov – *Filho mais velho de Smirnov*

Nikolai Pietróvich Smirnov – *Segundo filho de Smirnov*

Vladimir Pietróvich Smirnov – *Terceiro filho de Smirnov*

Sergei Pietróvich Smirnov – *Quarto filho de Smirnov*

Aleksei Pietróvich Smirnov – *Filho mais novo de Smirnov*

Aleksandra Petrovna Smirnova – *Filha mais nova de Smirnov*

Personagens secundários da família ou relacionados a eles

Matryona Smirnova – *Mãe de Smirnov*

Benedikt Smirnov – *Tio de Smirnov*

Eugenya Ilinichna Smirnova – *Mulher de Piotr Pietróvich*

Aleksandra Pávlovna Smirnova – *Segunda mulher de Vladimir Pietróvich e mãe de seu filho*

Tatiana Smirnova-Maksheyeva – *Terceira mulher de Vladimir e memorialista*

Valentina Piontkovskaya – *Atriz de opereta e companheira de Vladimir*

Martemyan Borisovski – *Amante e, mais tarde, marido de Aleksandra Smirnova*

Konstantin Pietróvich Bakhrushin – *Genro de Smirnov*

Arsêni Pietróvich Smirnov – *Neto de Smirnov, filho de Piotr*

Vladimir Vladimírovich Smirnov – *Neto de Smirnov, filho de Vladimir*

Nikolai Benediktóvich Smirnov – *Primo de Smirnov e diretor da fábrica de vodca*

Oleg Smirnov – *Neto de Smirnov da parte de Sergei*

Boris Smirnov – *Tataraneto de Smirnov, da parte de Aleksei*

Produtores de vodca rivais de Smirnov

Aleksandr Shtriter

Kamill Deprés

M.A. Popov

Nikolai Shustov

Emile Rouget

Keller & Co.

Elementos centrais da burocracia russa

Czar Alexandre II – *Conhecido como o "czar libertador"*

Czar Alexandre III – *Proponente do monopólio da vodca*

Czar Nicolau II – *Último czar russo*

Sergei Witte – *Ministro das Finanças (1892–1903)*

Ivan Vishnegradski – *Ministro das Finanças (1887–1892)*

Revolucionários

Vladimir Lênin – *Líder do Partido Bolchevique*

Leon Trótski – *Segundo homem de Lênin e comandante do Exército Vermelho*

Josef Stálin – *Futuro líder da União Soviética*

Principais nomes da literatura

Lev Tolstoi – *Defensor declarado da temperança*

Anton Tchekhov – *Crítico de Smirnov e de outros fabricantes de vodca*

Máximo Gorki – *Cronista da Revolução Russa*

Fiódor Dostoievski – *Crítico do consumo de álcool e dos comerciantes*

Aleksandr Ostrovski – *Dramaturgo, crítico declarado dos comerciantes*

O homem vem do pó e ao pó voltará.
Nesse meio-tempo, é bom tomar um gole de vodca.

ANTIGO PROVÉRBIO RUSSO

Nota da autora

O registro desta narrativa histórica se baseia em exaustiva pesquisa realizada durante mais de quatro anos nos Estados Unidos e na Rússia. A informação foi compilada de mais de 500 documentos encontrados em arquivos, aproximadamente 250 artigos de jornais e outros periódicos, mais de 900 livros e entrevistas com uma dúzia ou mais de especialistas de destaque em suas áreas. Em algumas situações, fontes primárias não foram encontradas, estavam incompletas ou em conflito com outras fontes. Nesses casos, os documentos existentes e o contexto histórico forneceram dados para a reconstituição mais provável da situação. Em outras ocasiões, tampouco foram localizadas provas que corroborassem recordações ou pontos de vista pessoais. Por exemplo, algumas das muitas lembranças de Vladimir Smirnov, registradas por sua terceira mulher, não puderam ser verificadas. Notas ao longo do livro alertam o leitor, na medida do possível, para tais circunstâncias.

As citações são bastante abrangentes, mas não incluem referências a fatos amplamente difundidos ou reconhecidos. A menos que haja referência em contrário, os documentos russos foram traduzidos para o inglês por Tatiana Glezer. Os nomes foram transliterados de modo a manter um ar russo, mas também torná-los fáceis à leitura. Também digno de nota é o fato de que até 31 de janeiro de 1918, a Rússia seguia o calendário juliano. Portanto, todas as datas anteriores a esse marco não estão de acordo com o calendário gregoriano. Finalmente, a conversão de rublos do século XIX e do início do século XX em valores atuais provou-se um desafio particularmente intimidante. Para fazer esse cálculo, desenvolveu-se um elaborado processo de três etapas com a ajuda de Sofia Alekseievna Salomatina, coordenadora do Centro de História Econômica da Universidade do Estado de Moscou, e de uma obra indispensável de Samuel Williamson intitulada *Six Ways to Compute the Relative Value of a US Dollar Amount, 1774 to Present.*

Prólogo: Adeus

O CHEIRO DE LAMA E PEDRA MOLHADA pairava no ar. Moscou tivera um período incomum de calor. Já era fim de novembro, mas dentes-de-leão e margaridas irrompiam da terra, alimentados por uma constante garoa perfumada. Os poucos flocos de neve que haviam caído desapareceram rapidamente, deixando reluzentes os parelelepípedos do chão. Enquanto aqueles dias com ares de primavera se prolongavam, parecia que o inverno jamais chegaria.

Mas, finalmente, ele chegou. Em dezembro de 1898, o frio acometeu Moscou como um exército invasor. A neve começava a cair antes mesmo de o dia nascer e continuava assim, sem parar. Logo, uma grossa camada branca cobria a cidade. Trenós, carruagens de madeira que deslizavam pela cidade sobre trilhos metálicos, substituíram os desajeitados veículos sobre rodas na paisagem da cidade. Em apenas um dia, a temperatura caiu mais quinze graus, deixando a então segunda maior cidade da Rússia em um estado típico da estação: cinzenta e gélida.

Naquele dia de dezembro, pouca coisa além do clima estava como de hábito, sobretudo na esquina da rua Pyatnitskaya, logo depois da Ponte de Ferro, um caminho que levava diretamente à Praça Vermelha e ao Kremlin. Desde as oito horas da manhã, multidões se dirigiam ao local, um conhecido centro de convergência da classe mercantil bem-sucedida de Moscou. Homens de negócios abastados chegavam com mulheres elegantes; funcionários do governo e líderes religiosos importantes deixaram para trás outros assuntos urgentes para estar lá. Trabalhadores e camponeses compareceram em bandos, ocupando também a rua que levava à igreja de São João Batista. A multidão era tal que mal se podia andar. Os bondes puxados a cavalo, que normalmente passavam sacolejando pela rua Pyatnitskaya, foram forçados a parar, pois grandes filas de carruagens fúnebres cercavam o quarteirão.[1]

Às nove horas, o sino soou, chamando a atenção da massa. Todos os olhos se voltaram para um majestoso veículo fúnebre equipado com um dossel de rico brocado prateado.[2] Estava estacionado diante da mais estupenda residência do quarteirão, uma mansão de três andares que era testemunho da beleza arquitetônica que surgia por toda a Rússia. Só o tamanho da casa – com 31 janelas voltadas para a rua – seria suficiente para fazer parar mesmo o mais refinado transeunte. Mas a edificação também se parecia um pouco com um museu. A fachada externa era decorada por entalhes de flores, folhas, leões e águias de duas cabeças. Uma sacada de ferro ornava a extremidade do terceiro andar junto de um magnífico pórtico trabalhado. Na entrada principal, uma elaborada arcada de ferro marcava o majestoso acesso para a casa. Olhando para o ângulo formado na esquina, desde o outro lado do rio Moscou, ela lembrava um pequeno navio de luxo a caminho do mar.

As pesadas portas de madeira se abriram e o arquidiácono da igreja de São João Batista apareceu, recitando orações em voz baixa. Um grupo que carregava uma tampa de caixão decorada com uma grinalda de flores naturais formou uma fila atrás dele. Em seguida, veio um coro cantando a oração do Santo Deus, seguido de uma dúzia de trabalhadores. Cada um carregava uma almofada com medalhas sagradas e condecorações recebidas pelo falecido ao longo de sua vida extraordinária. Outros anciãos e dignatários da igreja, incluindo dez padres com vestes cintilantes, vinham atrás. Finalmente, surgiu um caixão envolto em um suntuoso tecido de brocado dourado e veludo cor de framboesa.

Era o segundo dia de dezembro, e o eloquente tributo não era para nenhum czar, alto ministro ou líder militar. O homem dentro do grande caixão de carvalho era Piotr Arsênievich Smirnov, possivelmente o mais famoso fabricante de vodca do mundo.

Tal espetáculo em homenagem a um homem como Smirnov seria inconcebível em 1831, quando ele nasceu na casa da família em Kayurovo, uma aldeia agrícola cerca de 270 quilômetros ao norte de Moscou. Seus pais eram pobres, mal sabiam ler e, o mais importante, eram servos, faziam parte da subclasse legalmente prisioneira. Eram essencialmente escravos. Pertenciam aos donos das terras em que viviam e trabalhavam. Tudo o que ganhavam era dividido com os senhores, que tinham controle sobre o que faziam, aonde iam e como sobreviviam.

O passado plebeu, conjugado com a notoriedade que Smirnov alcançou no fim da vida como grande fabricante de bebidas, não era algo que normalmente abrisse caminho para a fama. Além disso, na última década de sua vida, o alcoolismo vinha devastando a sociedade, e os apelos pelo controle da produção de bebidas aumentavam rapidamente. Ainda assim, quando Smirnov morreu, aos 67 anos, de parada cardíaca, os jornais trataram o evento como uma tragédia nacional. As notícias o descreveram como "distinto", "exemplar" e "um gigante da indústria russa". Sua morte dividiu a primeira página com os acontecimentos mais importantes do dia: a intenção dos Estados Unidos de vender as Filipinas e o controverso e escandaloso caso Dreyfus. Alfred Dreyfus, um oficial de artilharia judeu, cumpria pena na ilha do Diabo por haver supostamente passado segredos militares aos alemães. Mas seus defensores – entre os quais o escritor Émile Zola, que publicou a célebre carta intitulada "J'accuse" – conseguiram demonstrar que os antissemitas tinham armado uma cilada para ele. Dez meses após a morte de Smirnov, Dreyfus foi perdoado e mais tarde se tornou cavaleiro da Legião de Honra francesa.

De certo modo, Smirnov se parecia muito com Dreyfus: dois enjeitados nascidos em posições que não haviam construído nem escolhido. Dreyfus, um judeu; Smirnov, um servo – ainda assim, nenhum dos dois deixou que a desvantagem dos rótulos ditasse suas escolhas de vida. Smirnov teve que superar tanto o baixíssimo status social quanto a educação muito humilde e rudimentar. Afastada e provinciana, a vida rural provavelmente reservou a um jovem servo como Smirnov tarefas como ajudar a mãe a cuidar dos irmãos mais novos, auxiliar no trabalho com os animais e a plantação, colher frutas e cogumelos selvagens. Mesmo se quisesse, Smirnov não poderia ir à escola, porque não havia nenhuma em sua aldeia. Quando se aventurava a sair de casa, enfrentava uma viagem perigosa, particularmente à noite. Smirnov devia levar consigo bastões metálicos para batê-los em árvores ou uns contra os outros a fim de espantar os lobos selvagens famintos que espreitavam de perto. O jovem Piotr certamente estava melhor em casa cuidando das necessidades mais imediatas da família.[3]

O jovem Smirnov, sempre obediente, fazia o que lhe mandassem. Mas a atitude aparentemente silenciosa e reservada devia esconder uma pessoa inquieta, frenética por dentro, um cavalo de corrida pronto para a largada. Não era como se soubesse aonde chegaria. Ao contrário, era alguém que fazia de onde estivesse o lugar certo para se estar. Devorava o ambiente que o cercava, transformando eventos e detalhes aparentemente irrelevantes em encontros determinantes para sua vida. Foi assim que chegou à vodca.

Na Rússia, a vodca fazia parte do dia a dia tanto quanto a comida e o frio do inverno. Acredita-se que, por volta do ano 1500, monges destilavam a bebida em monastérios, retiros isolados no alto de montanhas onde experimentos químicos e descobertas científicas eram realizados rotineiramente. Excedentes de grãos tornavam a produção relativamente fácil – e barata. Os monges usavam alambiques primitivos, produzindo uma bebida de tom azul-esverdeado, causado por traços de sulfato de cobre dos tanques de fermentação, e odor pútrido.[4] Naquele tempo, não se consumia vodca simplesmente por prazer; era um produto medicinal. Podia agir como poderoso desinfetante de ferimentos ou como morno bálsamo reconfortante para massagear o peito e as costas. É claro que sua utilização rapidamente se transformou, e a vodca se tornou a bebida preferida dos russos quando os métodos de destilação melhoraram e os aditivos medicinais foram substituídos por aromas doces e temperos saborosos.

Quase do dia para a noite, a vodca, cujo nome vem de *voda*, que significa "água" em russo, tornou-se ponto focal em vários rituais. Uma prática conhecida como "molhar a negociação" a usava para unir membros de comunidades a fim de erguer uma igreja, fazer a colheita ou construir uma ponte. Um trabalho bem-feito significava vodca à vontade para todos. Beber vodca também era o passatempo preferido de Pedro o Grande, que instituiu o "gole punitivo" durante seu reinado, entre 1682 e 1725. Quem chegasse atrasado a uma reunião era supostamente forçado a pagar uma multa ou a tomar uma grande caneca de vodca. Com o passar dos anos, a bebida passou a ser usada como pagamento no lugar de dinheiro, como suborno, ou ainda para encorajar os soldados na frente de batalha. A chamada "bebida da vida" era dada até mesmo a mulheres em trabalho de parto e a recém-nascidos, quando outros remédios não conseguiam acalmá-los. O governo czarista, que mantinha forte controle sobre a economia da vodca, aprovou e estimulou tais práticas. O consumo elevado era uma forma fácil de encher os cofres do Estado.

Quando Smirnov entrou para o ramo, a bebida já era um hábito nacional estabelecido. Mais do que isso, era um grande negócio, que havia ultrapassado o sal como maior fonte de receita do governo. Os impostos sobre a vodca cobriam um terço das despesas básicas do Estado e ainda geravam o bastante para pagar toda a defesa do país em tempos de paz.[5]

Piotr Smirnov percebeu o quanto a vodca poderia ser poderosa. Seu tio Grigori administrava hotéis e bares em Uglich,[6] uma cidade mais conhecida por ter sido o lar do filho de Ivan o Terrível, no século XVI. Grigori também dirigia uma cervejaria e pelo menos uma adega.[7] Quando menino, Smirnov trabalhou para ele. Lavava louça, esfregava o chão, servia mesas e cuidava do bar. Deve ter observado como os homens bebiam, como as línguas se soltavam e as feições ficavam mais suaves assim que a bebida passava pelos lábios. Ele deve ter percebido então como o mero ato de beber, de engolir, trazia um prazer raro na árdua vida de um camponês russo. E certamente compreendeu que vodca significava dinheiro – um bom dinheiro. Os bares, as estalagens e o negócio do vinho tinham feito de Grigori, originalmente um servo, rico o bastante para comprar a liberdade. Ele tornou-se um homem de negócios bem-sucedido e admirado em sua comunidade, e o jovem Smirnov também desejou aquilo para si – e ainda mais.

Na verdade, Piotr talvez tivesse preferido uma vocação mais claramente digna, menos controversa. Foi um cristão ortodoxo devoto por toda a vida e supostamente se confessava desde os sete anos de idade. Foi colecionador de ícones religiosos e representante de duas catedrais da corte do Kremlin, posições muito respeitadas.[8] Quanto à bebida, pessoalmente não ligava muito para ela. Bebia o mínimo, quase exclusivamente para provar suas próprias invenções, participar de alguma celebração ou não ofender um convidado que estivesse bebendo. Chegava a desprezar bêbados barulhentos que entornavam o pouco dinheiro que tinham e se tornavam incômodos.

Mas esses sentimentos foram silenciosamente postos de lado. Smirnov era, acima de tudo, um oportunista e um capitalista. A bebida era o que conhecia, e ele tirou o melhor proveito disso. Quando Piotr Smirnov morreu, era o maior produtor de vodca do país, dono de uma empresa avaliada em 20 milhões de rublos (o que equivaleria hoje a aproximadamente 265 milhões de dólares).[9] Também era um dos maiores varejistas do ramo na Rússia – o fornecedor do czar e da corte imperial –, e suas garrafas podiam ser vistas nas mesas da realeza desde a Suécia até a Espanha. Sua fortuna pessoal, composta de duas enormes residências, duas casas de veraneio, uma fábrica e várias lojas, armazéns e adegas, chegava a 10 milhões de rublos (aproximadamente 132,7 milhões de dólares). Era um dos homens mais ricos de toda a Rússia.[10] Em 1886, chegou a receber uma das distinções mais difíceis de alcançar, o título de cidadão honorário hereditário, uma realização extraordinária para um ex-servo e uma honraria concedida apenas aos cidadãos mais merecedores.

Por certo foi uma vida inesperada, construída sobre pura determinação e uma inquebrantável noção de objetivo. Smirnov, um homem alto e vistoso, de presença imponente, nunca foi de se contentar com a monotonia que domina a vida da maioria das pessoas. Bastava dizer que algo não podia ser feito e ele o faria duas vezes só para ter razão. Era uma qualidade que inspirava medo em alguns e admiração em outros. Não importa como isso afetasse as pessoas a seu redor, todos sabiam que estavam na presença de um homem que não se deixaria deter por qualquer obstáculo.

Talvez por isso tanta gente tenha aparecido naquele amargo dia de dezembro para assistir, no frio, ao cortejo fúnebre. A multidão solene vestida de preto seguiu a lenta procissão, fazendo ruídos ao pisotear a neve que acabara de cair. A igreja de São João Batista, um dos locais de culto mais antigos da Rússia, nunca esteve tão bonita. O campanário em três níveis se elevava acima dos demais prédios daquele trecho da rua Pyatnitskaya e serviu de ponto de referência aos que passaram por lá naquele dia. Plantas tropicais e flores de cores vibrantes emolduravam os dois lados da igreja; uma passagem diante da entrada foi revestida de tecido negro. No comando da cerimônia estava o mais graduado membro do clero russo, o prelado metropolitano Vladimir, que presidia eventos oficiais para os czares. O simples fato de ele estar lá não deixava dúvidas sobre a importância da morte de Smirnov. Velas iluminavam o caminho até a plataforma erguida na igreja, onde jazia o corpo. Coroas de flores de prata de lei decoravam o caixão. Em uma delas, a de seus três filhos mais velhos, lia-se: "Ao inesquecível pai, de seus filhos que o amam de coração, Piotr, Nikolai e Vladimir Smirnov." Outra, da mulher, dizia: "A um marido querido e inesquecível, de sua mulher que o ama."[11] Outras coroas de amigos, funcionários e admiradores também se empilhavam sobre o caixão.

O frio tinha chegado sorrateiramente à igreja, mas aqueles que conseguiram passar pela porta nem notaram. O calor dos corpos e da respiração aquecia o ambiente, especialmente depois que as vozes do coral ficaram mais altas. A liturgia durou duas horas inteiras, seguidas de mais uma hora da cerimônia do enterro.

A longa viagem ao local do descanso final de Smirnov começou quando o caixão foi carregado em uma carreta luxuosamente decorada. Três carroças repletas de coroas vieram atrás, seguidas imediatamente pelo carro fúnebre. Então, umas 400 carruagens fizeram fila para percorrer os seis quilômetros até o cemitério. Os plebeus foram a pé, passando pela Ponte de Ferro, depois pelo Kremlin e pela Praça Vermelha. Quando chegaram a seu destino, eram três da tarde. A luz do dia duraria apenas mais 28 minutos.

O corpo de Smirnov baixou à terra pouco antes de escurecer. Foi coberto de pedras e terra fresca. Uma simples cruz de metal foi erigida, e estava acabado. Ou não? Smirnov não era homem de deixar seu destino final entregue ao acaso. Havia pedido por escrito que orações fossem feitas em pelo menos 40 igrejas durante 40 dias após sua morte. Acreditava, seguindo a doutrina ortodoxa russa, que esse era o tempo necessário para determinar se sua alma estaria destinada ao céu ou ao inferno. Havia instruído os seus a rezarem para que ele tivesse os pecados perdoados e pudesse encontrar um lugar no paraíso.

Smirnov teria medo do que a vida após a morte lhe reservara? Não é difícil imaginar. Mais de uma década antes de morrer, o estigma relacionado ao álcool – e ao alcoolismo – tornou-se mais intenso. O tema era debatido havia muitos anos. Algumas entidades a favor da temperança foram fundadas. Escritores retrataram em seus livros beberrões imundos, sempre almas perdidas e fracas que inspiravam piedade e causavam destruição. Fiódor Dostoievski, por exemplo, cujo próprio pai fora um bêbado cruel, escreveu apaixonadamente sobre os perigos do alcoolismo: "O consumo de bebidas alcoólicas brutaliza o homem e o transforma em um selvagem, endurece-o, desvia-o de pensamentos bons, embota toda a boa propaganda e, acima de tudo, enfraquece sua vontade e, no geral, retira-lhe qualquer tipo de humanidade."[12] Esses discursos eloquentes eram certamente provocativos, mas não inspiravam qualquer reação nem davam a ninguém motivo suficiente para enfrentar um governo viciado na torrente anual de dinheiro trazido pela vodca.

No auge da popularidade de Smirnov, nos anos 1880, o movimento de combate ao álcool começou a progredir lentamente na Rússia. Surgiram novas organizações que pregavam a sobriedade. Livros descreviam os efeitos prejudiciais do álcool. Escritores, médicos e o clero adotaram a causa. Além da informação básica sobre saúde, líderes da temperança também tinham como argumento a seu favor o lado triste da indústria da vodca. Naquela época, havia centenas de destiladores desonestos e donos de taberna corruptos na Rússia. Pouco ligavam para a qualidade de sua lavagem suja e amarga, geralmente diluída em água, limão ou sândalo. Houve casos até de envenenamento de bebedores azarados.

Tudo que importava para esses produtores degenerados era a quantidade. O principal objetivo era juntar tantos rublos quanto possível. Atacavam uns aos outros e enfrentavam grandes produtores como Smirnov, Popov e Shustov. Vendiam vodca adulterada, incluindo a de Smirnov. Alguns rivais chegavam a contratar cientistas para testar a vodca feita por grandes destiladores e então a declaravam estragada ou impura.

O estoico Smirnov se enfureceu. Tinha passado a vida cultivando uma imagem de respeito e moralidade acima de qualquer suspeita. Contra-atacou com anúncios de página inteira que defendiam sua vodca e atacavam seus críticos. Criou rolhas personalizadas na esperança de derrubar os rivais. As batalhas e as medidas defensivas de Smirnov atraíram a atenção de muitos observadores, mas, para o famoso dramaturgo Anton Tchekhov, tudo isso era repugnante, um exemplo do que havia de pior na Rússia. Muito antes de escrever *Tio Vânia* e *O jardim das cerejeiras*, Tchekhov, médico por formação, escreveu uma crônica em 1885 sobre o que chamou de "guerra" entre produtores de vodca. Descreveu os vendedores do "sangue do diabo", os vis fabricantes de vodca que, um dia, previa, iriam se destruir mutuamente. Em sua coluna na revista *Estilhaços*, de São Petersburgo, Tchekhov apontou Smirnov como um dos principais vilões. "Cada inimigo, tentando mostrar que a vodca dos concorrentes não tem valor, lança torpedos sobre os demais, arrasa-os e os exaspera com política. Vale qualquer coisa para jogar pimenta nos olhos do inimigo adormecido … Com toda a probabilidade, a guerra terminará com os fabricantes trocando tapas e processos judiciais. As aranhas em luta comem umas às outras, de modo que, no fim, sobram apenas as pernas."[13]

Essas ataques verbais públicos exerceram grande pressão sobre o governo do czar, que finalmente reconheceu que algo tinha que ser feito. Em 1886, uma lei foi aprovada tornando criminosos os empregadores que persistissem com a popular prática de substituir os salários por vodca ou outro produto. Todos os trabalhadores tinham que receber em dinheiro. Os bares foram banidos. As leis, entretanto, pouco adiantaram para tornar mais sóbria a população – ou os locais de trabalho. Mas serviram para alentar cruzadas antiálcool, a mais célebre das quais foi a do conde Lev Nikolaievich Tolstoi.

Quando jovem, Tolstoi havia sido um bêbado de primeira, a despeito de sua natureza um tanto atrapalhada e reservada. Passou quase todo o início da idade adulta no coração de uma guerra que não fazia o menor sentido para ele. Então, ocultava suas dúvidas sob uma montanha de cigarros, mulheres à toa e jogatina. Nunca foi um bebedor inveterado, mas achava que tomar uns goles o ajudava a enfrentar situações em que, de outra maneira, jamais ousaria se meter. Depois de uma crise religiosa que sucedeu o grande sucesso de *Anna Kariênina*, Tolstoi revelou com horror suas transgressões em *Confissão*, um tomo moralista publicado pela primeira vez em 1879. "Matei pessoas na guerra; desafiei outras para duelos a fim de matá-las; joguei cartas; devorei os frutos do trabalho dos camponeses e os puni; forniquei e enganei. Mentiras, roubos, promiscuidades de todos os tipos, embriaguez, violência, assassinato – não há um único crime que eu não tenha cometido."[14]

Agora Tolstoi se dedicava a pregar a abstinência. Sua reputação fez com que atingisse um grande número de pessoas. Durante três décadas, escreveu regularmente sobre os perigos do álcool, que considerava a raiz de todo mal. Em uma comédia de 1886 intitulada *O primeiro destilador*, por exemplo, Tolstoi inventou um novo drinque feito com vodca. Os ingredientes: sangue de raposa, de lobo e de porco. Também fundou uma editora para disseminar literatura moralista e convocou o famoso artista Ilya Repin, seu amigo, para ilustrar alguns de seus textos. Em 1887, criou a Liga Contra a Embriaguez, uma entidade popular de defesa da temperança.

Certa manhã do mesmo ano, Tolstoi reuniu as pessoas de sua aldeia, Yasnaya Polyana. Uma mesa e um banco foram colocados em frente à casa comunitária, perto de sua propriedade. Tolstoi puxou um pedaço de papel do bolso e o colocou sobre a mesa, ao lado de um frasco de tinta e uma pena. Então falou apaixonadamente sobre as pragas do tabaco e da vodca e, finalmente, rogou que cada homem presente assinasse o papel, uma garantia de que não beberiam mais. Depois que o fizeram – muitos sob as súplicas da mulher e dos filhos –, Tolstoi lhes pediu que cavassem uma vala, e esta foi rapidamente preenchida com cigarros, potes de tabaco, cachimbos e caixas de charutos.[15]

Sem dúvida, Smirnov sabia da campanha de alto nível conduzida por Tolstoi, e provavelmente se ressentia de ver o trabalho de sua vida inteira caracterizado como amoral e anticristão. Afinal de contas, via-se de modo exatamente oposto. Ascendera de um homem de recursos modestos a um respeitado figurão do mundo dos negócios, o orgulhoso patriarca de um império que dava emprego a cinco mil russos e gerava milhões de rublos para o tesouro do czar.[16] Além disso tudo, acreditava ter convertido a vodca em uma espécie de arte. Importava-se profundamente com a qualidade e a pureza de suas fórmulas imaculadas e afirmava que seus ingredientes eram os melhores, e suas vodcas, as de maior excelência.

No fim, a vodca realmente acabou levando a culpa. Alexandre III já não podia mais ignorar o problema do alcoolismo em seu país. Em 1895, três anos antes da morte de Smirnov, o czar estabeleceu o monopólio estatal da vodca a fim de controlar a quantidade e assegurar a qualidade do álcool vendido ao público. Depois disso, somente lojas do governo poderiam vender a bebida, um duro golpe para fabricantes independentes como Smirnov. Sua empresa conseguiu se manter rentável, trocando grande parte da produção pela de outros itens e por bebidas como vinho e conhaque. Mas a produção despencou para uma fração do que havia sido antes do monopólio. As 200 carretas puxadas a cavalo não levavam mais os tonéis da ferrovia até os armazéns. A fábrica já não podia produzir sua bebida mais famosa, o Vinho de Mesa nº 21 (vodca), e uma série de outras receitas originais.

À medida que surgiam sinais de um ambiente empresarial mais traiçoeiro, a saúde de Smirnov ficava mais precária. Ele começou a se preparar para a morte. Seu objetivo era fazer um testamento que não pudesse ser contestado. Não queria qualquer tipo de ambiguidade sobre seu desejo. De fato, havia motivo para se preocupar. Tivera três mulheres durante a vida, apenas uma das quais estava viva, e dez filhos que sobreviveram. Sua família funcionava como uma roda: Smirnov era o ponto central que mantinha os raios conectados, sempre a uma distância razoável, manuseável. Como tantos outros nascidos em berço de ouro, alguns dos filhos eram indiferentes a trabalho, responsabilidade e moralidade. Dois deles, Nikolai e Vladimir, eram notórios playboys. Jogavam excessivamente e gastavam dinheiro com indiferença, para o delírio dos donos das lojas mais grã-finas de Moscou.

O filho mais velho de Smirnov, Piotr, era mais ligado aos negócios. Mas suas ideias para a administração do império da vodca deviam ser bem diferentes das dos irmãos e da madrasta, a terceira mulher de Smirnov, Mariya Nikolaiévna Smirnova. Bela e bem-educada, Mariya, 27 anos mais nova que o marido, interessava-se pouco pelo futuro dos filhos mais velhos de Smirnov, que já eram adultos.[17] Mantinha o foco sobretudo em Vladimir e em seus dois filhos mais novos, Sergei e Aleksei, que tinham respectivamente 13 e nove anos quando o pai morreu. Os cismas na família provavelmente preocupavam Smirnov, que acreditava que, sem sua presença para mantê-la unida, ela podia se desintegrar, derrubando consigo seu legado e seu império.

Nos dias seguintes ao funeral de Smirnov, esse medo parecia prestes a se tornar realidade. Começaram a fermentar as brigas sobre como gerenciar a empresa, quem deveria assumi-la e como distribuir os não poucos recursos deixados por Smirnov. As cinco filhas dele não tomaram parte na discussão, já que a cada uma coube o valor fixo de 30 mil rublos (quase 400 mil dólares). O restante dos bens deveria ser dividido igualmente entre Mariya e os meninos.[18]

Piotr Arsênievich Smirnov estava morto. Uma calmaria envolveu Moscou no fim daquela fria quarta-feira de 1898. Após a cerimônia fúnebre, mais de mil pessoas entre as mais pobres que haviam comparecido ao funeral foram agraciadas com um jantar gratuito oferecido pelos Smirnov e seus amigos. Foi um gesto grandioso, um civismo que logo seria substituído por inveja, raiva, ressentimento e, finalmente, o caos.

Parte I

1. Boas-vindas

Carroças arrastando corpos ressequidos sacolejavam pelas ruas imundas. Braços pendiam das laterais das caçambas de madeira como capim crescido. Havia vítimas – jovens e velhos, ricos e pobres – estiradas como uma fileira de dominós derrubados, uma após a outra. Ao passar, vindos de suas aldeias, vilarejos e cidades até o solo recém-revirado das florestas, os pedestres observavam com preocupação, os rostos cobertos com pedaços de pano. O fedor estava pior agora com o verão a pleno vapor. O cólera havia chegado à Rússia.

A doença surgira em 1823, desembarcando na região mais meridional do país. A princípio, parecera pouco mais que um transtorno isolado. Circularam notícias de casos esporádicos, mas ninguém, nem o czar Nicolau I, ficou muito alarmado. Médicos foram a campo e coletaram informações sobre infectados e mortos. Depois disso... nada. Por seis anos, a Rússia permanecera livre do cólera. Foi apenas no verão de 1830 que governo e população finalmente reconheceram estar à beira de uma calamidade nacional.

A doença rapidamente penetrou por toda a Rússia, consumindo o país como um tubarão devora sua presa, dilacerando-a aos poucos. Cidadãos caíam doentes aos montes depois de beber água contaminada pela bactéria do cólera ou ao entrar em contato com esgoto não tratado. Sofriam de um sem-número de indisposições intestinais e fortes cólicas, que, em geral, levavam ao enfraquecimento por desidratação, ao colapso circulatório e, então, à morte. O surto retornara em julho a Astrakhan, um importante centro mercantil à beira-mar no sul da Rússia, próximo ao mar Cáspio. Em seis semanas, quase 3 mil habitantes morreram, cerca de 8% da população da cidade.[1] O horror a aglomerações se instalou dentro das fronteiras do país à medida que o cólera rumava para o norte, acompanhando vagamente o curso do rio Volga.

O czar agiu com rapidez, impondo quarentenas para todos os casos relatados. Quem quisesse deixar as comunidades isoladas tinha que passar por períodos de observação que poderiam durar de oito dias a duas semanas. Os detidos tinham que se lavar diariamente com uma solução de cal clorada.[2] Sua bagagem era repetidamente desinfetada. Uma vez fora da zona de quarentena, os viajantes tinham que passar por cordões de isolamento formados por militares. Das 18 vias de entrada para Moscou, oito foram fechadas, atrasando o comércio e restringindo radicalmente a circulação. Guardas tinham ordens de atirar em qualquer pessoa que tentasse transpor as barreiras.[3]

Outras medidas de purificação foram igualmente onerosas. As paredes e os assoalhos das casas de infectados eram limpos com cloro. Vestimentas e roupas de cama eram ou lavadas várias vezes em cloro ou simplesmente queimadas. Toda a água era fervida. Comer maçã, ameixa, melão ou pepino foi proibido. O alho, um desinfetante natural, passou a fazer parte da dieta das pessoas, pois o governo distribuía porções diárias.

As medidas de contenção do czar se aplicavam a todos, sem distinção de posição ou status social. O poeta Aleksandr Puchkin, que planejara uma rápida viagem à propriedade rural da família, em Boldino, em setembro de 1830, viu-se obrigado a permanecer lá, praticamente em prisão domiciliar, por três meses. Esse período, contudo, tornou-se um dos mais prolíficos da vida do escritor. Entre outras obras em que trabalhou enquanto permaneceu sob quarentena, chegou perto de completar a mais célebre delas, *Eugene Onegin*.[4]

Mas a maioria não teve essa sorte. Uma histeria coletiva tomou conta de muitos, que espalharam boatos abomináveis de que o cólera era a arma escolhida por judeus, estrangeiros, membros do governo e aristocratas para livrar a nação de uma subclasse inferior. Denunciava-se o envenenamento deliberado dos poços.[5] Esses rumores absurdos inflamaram as massas já desconfiadas que, cansadas de intermináveis regulamentações, começaram a falar em fazer-se ouvir, em contra-atacar, em matar. O boato logo se transformou em violência.

Em novembro de 1830, os primeiros tumultos causados pelo cólera eclodiram em Tambov, 500 quilômetros a sudeste de Moscou. Multidões invadiram hospitais e delegacias de polícia; capturaram o prefeito e mataram médicos e oficiais suspeitos de maltratar ou torturar pacientes.

Rebeldes tomaram as ruas e arrombaram casas em quarentena, libertando aqueles que, disseram, estavam confinados por tempo demais. A rebelião, finalmente suprimida pelo Exército russo após dois dias violentos, causou sérios prejuízos. Cerca de 200 pessoas morreram e inúmeras ficaram feridas.

Outros distúrbios brotaram pela Rússia; um dos mais sérios estourou em São Petersburgo, sete meses depois do de Tambov. Perto de 600 pessoas morreram a cada dia enquanto a situação não se resolveu na capital do país. Prisões se tornaram prática comum nos dez primeiros dias de epidemia. Ações corriqueiras como comer verduras e beber água de canais se tornaram atos criminosos. Todos eram suspeitos. A frustração deu lugar à ira. Cidadãos se reuniram perto do hospital onde se tratava o cólera, na praça Senaya, armando tocaias para as ambulâncias que carregavam habitantes infectados. Eles arremessaram pedras, quebraram janelas e depois tomaram de assalto o prédio, batendo em médicos e servidores que se colocassem em seu caminho. Um médico alemão foi surpreendido enquanto cuidava de um paciente. Em apenas alguns instantes, foi surrado até a morte e deixado para trás. O Exército combateu violentamente para dominar as multidões enfurecidas e restaurar a paz. Mas não conseguiu confortar suas almas atormentadas.[6]

A tarefa ficou a cargo do czar, que deixou a reclusão em seu palácio de veraneio em Perterhof para se dirigir aos súditos. Sua aparição na praça Senaya, em uma carruagem aberta sem escolta militar, era algo fora do comum. Os czares em geral limitavam a interação com os súditos, acreditando que o excesso de contato podia comprometer seu prestígio e sua autoridade. Mas, dessa vez, Nicolau I decidiu que as circunstâncias terríveis exigiam sua interferência pessoal.

Mais de 5 mil pessoas se reuniram em torno do czar, que se ergueu da carruagem e fez o sinal da cruz ao ver a destruição ao redor. Ele usava seu melhor traje militar, um grosso casaco negro com uma fila dupla de botões de ouro, que assentava com perfeição em sua fina cintura e seguia solto até logo abaixo dos joelhos. Dragonas douradas e reluzentes envoltas em borlas de ouro adornavam os ombros, dando a Nicolau I o ar de realeza e autoridade que o momento exigia.

O czar permaneceu de pé, e ordenou ao povo que se ajoelhasse. "Um grande fardo nos foi enviado por Deus: uma praga. Temos que tomar medidas para detê-la. Todas essas medidas foram tomadas por ordem minha. Portanto, é contra mim que vocês reclamam – contra mim! E eu ordeno obediência! ... Se vocês me ofenderam com sua desobediência, ofenderam ainda mais a Deus por causa de um crime: um assassinato foi cometido! Sangue inocente foi derramado. Rezem a Deus que os perdoe."[7]

Quando o cólera finalmente se dissipou, a Rússia havia perdido mais de 243 mil cidadãos.[8] Mas ganhara também um menino, nascido em meio à epidemia e à desordem provocada por ela.

PIOTR ARSÊNIEVICH SMIRNOV VEIO AO MUNDO em uma sexta-feira, 9 de janeiro de 1831, em sua casa em Kayurovo, uma aldeia menos de cem quilômetros a leste de um distrito em quarentena. O dia estava nublado, escuro e frio. A casa, conhecida na Rússia como *izba*, era muito modesta, assim como a maior parte das moradas dos camponeses da região. Era feita de toras cilíndricas de pinheiro, que em geral precisavam ser arrastadas por quilômetros, e tinha telhado inclinado. As poucas janelas eram pequenas, medindo o mesmo que a distância entre o cotovelo e a ponta dos dedos de uma pessoa. Todas eram cobertas por bexigas de touro secas, que não eram nem de longe suficientes para proteger contra o frio, mas deixavam passar um pouco de luz natural. A estrutura típica, de apenas $40m^2$, oferecia pouca privacidade para as várias gerações que normalmente viviam juntas.[9]

Ter um bebê em uma pequena aldeia como Kayurovo era como desempenhar qualquer outra tarefa da vida no campo. A mãe de Piotr, Matryona, provavelmente foi colocada sobre uma cama de tábua perto do forno, no meio do quarto. O enorme forno era o ponto focal da vida em uma casa de camponeses. Naqueles tempos, ele tinha uma grande abertura para que se pudesse entrar nele, sentar-se e tomar banho em relativos calor e conforto. Os membros mais velhos da família dormiam em uma superfície plana sobre ele. O forno era também onde a maior parte da comida era preparada, e onde vitelos, cordeiros e porcos eram mantidos para que ficassem protegidos das duras condições externas. O odor pesado, como que fundido às paredes e ao assoalho, era uma mistura particular de batatas cozidas, carne, sopa e pele de animal. Naquele dia, entretanto, apenas a mãe dando à luz e uma parteira da região ocupavam o cobiçado local.

Pouco se sabe sobre o nascimento de Smirnov. O registro simples, de apenas quatro linhas, típico de servos, listava em primeiro lugar o nome do proprietário das terras para quem a família trabalhava; abaixo, o nome da aldeia, o nome do pai, o nome do padrinho e o gênero do bebê. Só então vinha o primeiro nome da criança: Piotr.[10] Não há qualquer sobrenome. A maior parte dos servos não precisava de um, porque raramente eles deixavam suas pequenas comunidades. Não está claro exatamente quando Piotr de fato ganhou um sobrenome, embora muito provavelmente tenha sido mais de duas décadas depois. Smirnov era um nome de família comum na região. Deriva de *smirnoy*, que significa calmo e obediente à lei. Hoje, 2,7 milhões de russos se chamam Smirnov – é o sobrenome mais comum do país.[11]

Pode-se presumir que Piotr tenha nascido com saúde. A taxa de mortalidade infantil na Rússia estava entre as mais altas da Europa do século XIX. De fato, um em cada quatro bebês morria antes de completar o primeiro ano de vida. A própria família Smirnov perdeu três meninas, duas de epilepsia e uma de sarampo.[12] Mas Piotr, o terceiro de quatro sobreviventes e o segundo filho homem, foi desde o início uma exceção.

Muito parecida com o que seria sua vida adulta, a infância de Piotr foi dominada por três principais preocupações: trabalho, religião e família. Essas devoções, uma miscelânea de lealdades aparentemente incongruentes, na prática eram complementares e alicerçavam a predisposição – ou mesmo a ânsia – de Smirnov para fazer qualquer coisa que lhe pedissem. Isso era reforçado por uma consciência permanentemente submissa nascida de uma rígida ortodoxia cristã.

Os dias de Smirnov e seu irmão mais velho, Yakov, eram tomados pelo trabalho da fazenda. Eles alimentavam animais, catavam lenha, cuidavam do jardim e cultivavam a terra. Os servos tinham que cuidar dos campos de seus senhores – muitas vezes, usando seus próprios equipamentos – para abastecer a comunidade. Linho, batata, centeio e trigo dominavam a agricultura naquela província. O trabalho era difícil, enfadonho e longo, especialmente para uma criança. Piotr fazia o que lhe pediam, talvez porque não tivesse escolha.

Muitos servos eram vistos pelos senhores como "propriedade batizada", nos termos de Aleksandr Gertsen, um ativista social russo. A maioria dos donos de terra fazia pouca distinção entre as pessoas que aravam os campos e os cavalos que puxavam o arado. Assim como os artigos comercializados no mercado local, os servos podiam ser comprados, vendidos ou dados de presente, quase que por capricho. Os que saíssem da linha ou não dessem o máximo de si podiam acabar enviados para uma nova casa ou até uma cidade completamente desconhecida, por vezes sem suas famílias.

Os Smirnov não precisavam se preocupar com esse tipo de castigo. Trabalhadores aplicados que não causavam problemas agradavam aos donos. Diferentemente do estereótipo de um servo, a quem a nobreza normalmente preteria pela ignorância ou falta de cultura, a família de Piotr era esforçada e aproveitava as oportunidades que surgiam. Quando Piotr e seus irmãos não estavam esgotados pelas tarefas domésticas, recebiam dos pais aulas rudimentares para aprenderem a ler e a escrever, e também de matemática e religião. Como apenas 1% dos servos eram alfabetizados naquele tempo, mesmo essa educação superficial colocava a família um patamar acima dos cerca de 551 mil servos que viviam na província de Yaroslavl. Isso também os fazia mais valorizados. Servos alfabetizados podiam chegar a ser vendidos por 300 rublos cada, enquanto os que não sabiam ler valiam apenas 200 rublos.[13]

Os donos dos Smirnov, primeiro os Skripitsyns, depois os Demidorv, duas famílias descendentes de dinastias de aristocratas ricos, eram claramente gratos aos servos mais capazes. A casa dos Smirnov, embora pequena, era provavelmente maior que qualquer outra habitada por servos na aldeia. Os familiares também ganhavam cargos de maior confiança. O pai de Piotr, Arsêni, foi escolhido a dedo entre dezenas de servos para representar os interesses de Nadezhda Stepanovna Skripitsyna quando a terra foi distribuída entre membros da nobreza. Tal responsabilidade fez dele uma espécie de administrador, alguém que impunha certo grau de respeito e autoridade. O irmão mais novo de Arsêni, Ivan, era um servo doméstico, um dos poucos com permissão para trabalhar na luxuosa propriedade do senhor, fazer refeições lá e organizar os assuntos da casa. Esse papel isentava Ivan do duro trabalho braçal que os outros tinham que aguentar diariamente, embora seu trabalho não fosse considerado particularmente privilegiado. Os servos domésticos não participavam das recompensas da terra, tinham que morar em pequenas *izbas* atrás ou perto da casa do senhor e ocupavam uma posição ainda mais baixa na hierarquia social que a dos servos comuns.

Ainda assim, a vida na residência do senhor era mais que confortável. Uma propriedade típica consistia de vários prédios, incluindo uma construção principal palaciana repleta de mobiliário importado suntuoso e um grande anexo de pedra de dois andares. Essas moradas eram em geral cercadas de garagens de madeira para guardar carruagens, estábulos de pedra ou madeira para cavalos, uma estufa, uma pista de boliche, vários galpões para feno e grãos e uma estrutura especial para atividades de veraneio e entretenimento.

Os Smirnov mantinham relações amistosas com seus senhores e tiravam o melhor proveito das circunstâncias em que viviam. A vida na aldeia podia ser prazerosa – e estável. Mas não era nem de longe a mais sonhada, nem lucrativa. O solo, invadido por densas florestas, pântanos e ravinas, não era particularmente fértil. Condições agrícolas difíceis representavam um duro obstáculo para servos que lutavam para ganhar dinheiro suficiente para comprar a liberdade. Naquele tempo, os camponeses podiam comprar sua liberdade pagando ao senhor uma quantia estabelecida. Na região dos Smirnov, Yaroslavl, o preço médio da liberdade no início do século XIX ficava entre 219 e 266 rublos, ou entre 39 e 48 dólares nos valores da época.* Embora isso não fosse mais do que o preço de uns 20 cavalos,[14] estava tão fora do alcance de servos comuns quanto uma conversa particular com o czar. Para diminuir o valor que restava economizar para alcançar tal soma, alguns servos pediam permissão aos donos de terra para se aventurar além das cercanias próximas e procurar emprego em cidades maiores ou mesmo nos grandes centros. Desse modo, eles conseguiam fazer consideravelmente mais dinheiro – até 100 rublos

* Um rublo em 1821 valia cerca de 21 centavos de dólar.

no inverno –, que, depois, tinha que ser dividido com seus senhores. Essa migração sazonal, uma prática razoavelmente comum, era feita sobretudo por homens e filhos homens. Mulheres e meninas geralmente ficavam para trás a fim de manter o pedaço de terra e trabalhar duro para juntar o dote, que em geral incluía roupa de cama, toalhas, guardanapos e toalhas de mesa costurados em casa.

Naturalmente, os Smirnov aspiravam por liberdade. O primeiro a ir atrás dela foi Grigori, tio de Piotr, um dos irmãos mais novos de seu pai. Piotr ainda mal conseguia andar quando seu tio arrumou seus mirrados pertences em 1835 e percorreu os 40 quilômetros da estrada de terra que levava à agitada cidade de Uglich. A caminhada era longa e entediante, mas Grigori deve ter se distraído com as caravanas que encontrava pelo caminho e com as paradas em casas de conhecidos para descansar e se alimentar. Mais que tudo, no entanto, deve ter pensado em seu futuro. Aos 26 anos, Grigori tinha grandes planos.

Grigori certamente já conhecia Uglich. O lugar era um movimentado entreposto comercial para pessoas a caminho de São Petersburgo, Moscou e outras cidades importantes. Embora a cidade tivesse apenas 9 mil habitantes permanentes, os números avolumavam-se ao longo da semana, de acordo com o movimento da população temporária, que parava para trocar mercadorias, comprar suprimentos e descansar. Grigori, empreendedor e engenhoso, imaginou que Uglich poderia melhorar sua economia se oferecesse aos visitantes uma boa razão para ficar mais tempo. A melhor maneira de consegui-lo, presumiu, era ter acomodações com conforto, comida decente e muita bebida. E foi o que disse ao irmão de seu senhor, Mikhail Skripitsyn.

Skripitsyn deve ter visto algo de especial em Grigori. Prontamente preencheu o documento necessário para um servo viajar e trabalhar longe de sua casa. Skripitsyn provavelmente imaginou que o dia do pagamento seria recompensador se Grigori fosse tão bem-sucedido quanto suspeitava que seria. Grigori deve ter levado a carta, que atestava sua integridade e seu caráter, dentro das dobras do pesado casaco, acomodada contra o peito como um inestimável mapa do tesouro. Quando Grigori a sacou para apresentá-la aos oficias em Uglich e obter permissão para abrir sua primeira estalagem, ele o fez com confiança. O documento datava de 10 de dezembro de 1835, e dizia:

> Este certificado foi fornecido pelo proprietário de terras conselheiro e cavaleiro titular Mikhail Stepanov Skripitsyn ao camponês Grigori Alekseievich Smirnov, da província de Yaroslavl, que a mim pertence. O certificado lhe dá o direito de gerenciar hotéis e estabelecimentos similares na cidade de Uglich. Sei que seu comportamento é bom e irrepreensível, e que ele não está envolvido com nenhuma atividade suspeita. Nunca foi multado ou processado e portanto pode se incumbir do hotel mencionado. Confirmo o teor desta carta com minha assinatura pessoal.[15]

Era como se Grigori tivesse renascido. Não era mais apenas um servo do campo. Agora era um "camponês comerciante da quarta classe".[16] Embora ainda a um mundo de distância da camada superior, seu novo status lhe rendeu uma grande oportunidade de conhecer uma das famílias mais proeminentes de Uglich, os Zimin. Eles possuíam curtumes e fábricas de linho e forneciam para o Exército russo. Mais importante, a família estava no ramo imobiliário. Grigori alugou uma casa com eles. Sua localização no centro da cidade era perfeita para o hotel e o restaurante que planejava inaugurar. A construção era espaçosa e dispunha de conveniências modernas como janelas de vidro.[17] Grigori transformou a propriedade em uma acolhedora estalagem, com bar e restaurante. Tinha obtido a permissão das autoridades locais para alugar os quartos e servir vários tipos de comida e bebida, incluindo chá, chocolate quente, cerveja e rum. Poderia também oferecer bebidas doces feitas com vodca. Vodca pura, caseira ou falsificada, estava proibida. Não importava. Grigori, que adotou o nome Smirnov quase aleatoriamente quando deixou a aldeia, vendia vodca por sua própria conta – o primeiro Smirnov a fazê-lo.

O estabelecimento foi um sucesso imediato. Em menos de um ano, Grigori ganhou dinheiro suficiente para comprar sua liberdade. Foi uma ocasião memorável para a família inteira. A emancipação de Grigori trouxe a esperança de que todos poderiam um dia deixar suas raízes camponesas e se tornar parte de uma classe mercantil em rápido crescimento.

Oportunidade, algo por muito tempo vetado às classes baixas na Rússia, não era mais tão inatingível como em anos anteriores. No século XIX, os czares permitiram mais livres-iniciativas que praticamente toda a geração desde Pedro o Grande. Brotava, assim, com o reinado de Alexandre I, um novo tipo de capitalismo, em grande parte devido às exigências da industrialização. O Estado não conseguia incumbir-se sozinho de tudo o que era necessário para dar uma arrancada no desenvolvimento econômico: a construção de ferrovias, a modernização de indústrias praticamente artesanais e o estabelecimento de centros financeiros. A necessidade, em sua forma mais pura, abriu as portas para dezenas de empreendedores ambiciosos – especialmente aqueles dedicados a atividades menos lucrativas.[18] Grigori e, depois, Piotr foram apenas dois dos milhares que aproveitaram o momento.

Grigori abriu o caminho ganhando poder em Uglich. Em cinco anos, possuía três hotéis e diversas adegas de vinhos – e também produzia cerveja.[19] O antigo servo de aldeia tinha um portfólio de produtos que crescia rapidamente. O novo status de Grigori contaminou especialmente Piotr, embora seu pai e irmão mais velho também tenham sido afetados. Juntos, ao redor de 1840, também se mudaram para Uglich, desejando ver de perto a cara da prosperidade.*

O TRIO CHEGOU COM BASTANTE EXPECTATIVA. Deve ter sido surpreendente para Piotr e Yakov ver o tio misturado aos vizinhos ricos. Ele abria a carteira com quase tanta naturalidade quanto eles. Com o desenvolvimento dos negócios, Grigori colocou Arsêni como gerente da recepção de um de seus hotéis. Os meninos, ao lado dos próprios filhos de Grigori, se encarregavam de pequenos serviços que surgissem – de servir bebidas a limpar

* Um registro local dos negócios confirma que Arsêni foi a Uglich trabalhar com Grigori. Acredita-se que Piotr e seu irmão também o tenham feito, já que filhos homens normalmente ficavam com seus pais.

o fedor repugnante deixado por homens bêbados demais para conseguir enxergar o caminho até o banheiro externo.

Piotr e Yakov já haviam circulado entre homens rudes e bêbados. Toda aldeia, incluindo a dos Smirnov, tinha pelo menos uma família responsável por fabricar, ilegalmente, bebida alcoólica. Geralmente, erguia-se uma casinha de madeira a alguns quilômetros da área residencial principal unicamente para produzir álcool a partir de pão fermentado. Usavam um sistema rudimentar, que muitas vezes resultava em pedaços de pão boiando por cima. A bebida era barata, abundante e popular. Para muitos, era o principal elemento do desjejum, algo para aquecer as manhãs geladas antes do início da jornada de trabalho.

A bebida caseira feita na aldeia, no entanto, não era nada comparada àquela das tabernas do tio Grigori. Esta estava um patamar bem acima da comparativamente primitiva bebida com as quais os meninos haviam tido contato. Mas isso não era o que mais os fascinava sobre o novo meio que os cercava. Mais sedutor ainda era acompanhar a direção de uma empresa de verdade. Os meninos nunca haviam visto algo parecido em funcionamento. Piotr deve ter ficado boquiaberto. Logo começou a agir em relação a suas tarefas como um garoto na escola, observando e estudando tudo e todos. Grigori, bom tio e empreendedor arguto, tornou-se seu mentor. Piotr, sobrinho e admirador, entregou-se com entusiasmo ao papel de pupilo.

Seu aprendizado tinha começado. As lições sutis – ou nem tanto – que Piotr Smirnov aprendia com Grigori mais tarde se mostrariam essenciais para seu próprio sucesso. De fato, muitas delas serviram de guias para Piotr lançar e expandir seus negócios. Ele aprendeu como era vital não ter medo, agir rapidamente e ser inovador. Grigori era o estrategista da região. Seus três hotéis estavam situados em áreas centrais, com grande tráfego de pedestres, o que era ideal para atrair o maior número possível de clientes e tornar-se um nome reconhecido. Ele nunca hesitou em expandir os negócios. Tinha mais medo de complacência que de se arriscar, e superou concorrentes na luta por licenças e pelo aluguel de locais cobiçados. Grigori era também um inovador. Foi o primeiro proprietário na cidade a pedir permissão para abrir às sete horas. Argumentou ante as autoridades locais que verdadeiras "multidões", formadas principalmente por camponeses, começavam o dia bem cedo, às cinco horas da manhã, porque, ao contrário dos residentes e visitantes mais abastados, não tinham aonde ir para fugir do frio implacável.[20] Não podiam se aquecer com uma xícara de chá porque apenas as tabernas podiam vender chá para "os cinzentos", gíria usada para designar os plebeus. Esses viajantes não tinham acesso a locais melhores para beber. Grigori conseguiu o que queria e agradou aos bandos de novos pagantes de passagem por Uglich. Logo todos passaram a abrir mais cedo. Mas Grigori foi o primeiro.

Cedo em sua vida, os instintos de Piotr para os negócios e sua silenciosa inteligência tornaram-se aguçados além do normal para a idade. Mas sua estada em Uglich se aproximava do fim, embora ele ainda não soubesse disso. Em 1843, seu avô, que ficara na aldeia, adoeceu e morreu. O triste acontecimento forçou Arsêni, então o Smirnov menos atribulado de sua geração, a retornar à aldeia imediatamente para ajudar a administrar a propriedade e consolar os parentes. A grande questão: o que fazer com os meninos? Piotr, com apenas 12 anos, amadurecia rápido, mas ainda tinha muito a aprender com o tio. Arsêni deve ter intuído a necessidade do filho, pois concordou que ele permanecesse em Uglich – pelo menos por ora. Assim, poderia continuar a ganhar dinheiro, mas também estaria perto o suficiente de casa, caso Arsêni precisasse de ajuda. Já Yakov, um jovem alto e robusto de 17 anos, ganharia duas vezes mais dinheiro em Moscou que em Uglich, mesmo que fosse lavando pratos. E a família precisava aumentar sua renda para ter alguma esperança de ganhar a liberdade.

Um grande número de camponeses da província de Yaroslavl, cerca de 9%, partia para o trabalho sazonal. A maioria ia para São Petersburgo, a capital. Mas, cada vez mais, também se dirigiam a Moscou, onde comunidades de servos imigrantes se assentavam em pequenos bolsões espalhados pela cidade em crescimento. O irmão de Arsêni, Ivan, pertencia a esse grupo. Desde os dez anos de idade ia a Moscou para trabalhos ocasionais aqui e ali, principalmente em adegas e bares.[21] Os camponeses de Yaroslavl eram bem-representados na indústria de bebidas alcoólicas de Moscou: um terço deles se empregava em lojas, adegas e bares.

Ivan tivera mais êxito que a maioria. Mais ou menos na mesma época em que Grigori começou seu negócio em Uglich, ele conseguiu um emprego em Moscou, trabalhando para Aleksandr Yakovlev, um negociante de vinhos de quem se tornou braço direito.[22] Ivan ajudava a administrar a antiga adega e lojas para camponeses, e parecia ter nascido para aquele – frutífero – trabalho. Quando Yakovlev morreu de repente, em 1839, Ivan o substituiu nos negócios. Em um ano, ganhou o suficiente para ser o segundo Smirnov a pagar por sua libertação, em 1840. Dentro de mais um ano, estava firmemente estabelecido como mercador da "terceira guilda", o patamar mais baixo da hierarquia dos comerciantes de Moscou. Mas era um passo firme em direção à independência e à respeitabilidade.

Pensando nos filhos, Arsêni tomou a decisão mais prática: Yakov iria para Moscou, onde, sob o olhar vigilante de Ivan, poderia ganhar algum dinheiro para acelerar a busca da família pela liberdade.

Piotr pode muito bem ter sentido inveja de Yakov. Ele sabia que a maior parte dos moscovitas o teria olhado como um caipira. Não era alfabetizado e não tinha cultura, mas tinha se tornado um adolescente determinado em sua temporada em Uglich. Havia experimentado a liberdade e vislumbrado o sucesso na ascensão de um dos seus da base da cadeia social a uma posição de respeito. Ficar pra trás nesse quase projeto de cidade enquanto o irmão vivia a experiência da grande metrópole pode ter parecido injusto a Piotr. Por que ele deveria permanecer atado a sua humilde cidade natal, perto de seus pais, enquanto outros migravam, progrediam e tinham sucesso?

Sua situação piorou ainda mais quando Grigori morreu inesperadamente de um edema em 1844. O tempo não apenas pareceu parar depois disso; pareceu retroceder. Pouco se sabe sobre o que aconteceu exatamente ao sonhado império hoteleiro com que Grigori havia sonhado, mas ele parece ter desaparecido tão rápido quanto havia surgido. A família também pareceu paralisar-se. Não demorou muito para que a mulher e os filhos de Grigori fossem rebaixados de classe para a *petite bourgeoisie*, apenas um patamar acima do status de camponês.

Esse episódio tornou-se outra valiosa lição para Piotr: o sucesso não é tangível ou garantido; podia existir em um momento e desaparecer no seguinte.

Piotr viu seu tempo em Uglich se esgotar. Em menos de um dia, estava de volta ao lugar onde começara, mas não era o mesmo garotinho que havia deixado a aldeia quatro anos antes. Para ele, o que um dia havia sido um lar confortável e amado, um lugar a que se sentia ligado, parecia-lhe agora esgotado. Era como se a vida na aldeia de repente entrasse em foco, e a imagem que via era melancólica, tão monótona quanto a terra que cercava a província de Yaroslavl.

Piotr provavelmente nunca disse uma palavra sobre sua sede de correr o mundo. Sempre o filho cumpridor dos deveres, havia aprendido a não questionar o pai. Arsêni, um homem racional e calculista, que sempre fazia as coisas por uma certa razão, devia ter um plano para Piotr. Então ele esperou. Por quase dois anos, cuidou de sua vida na fazenda, exercendo as tarefas de sempre.

Arsêni podia ver que seu filho estava impaciente e pronto para seguir em frente – ele *precisava* seguir em frente. Então talvez fosse a hora. Seu irmão, Ivan, parecia estar crescendo tanto em termos financeiros quanto em status a cada semana que passava. Yakov, que havia partido aproximadamente quatro anos antes, também estava prosperando. Ele vinha para casa de tempos em tempos, cheio de histórias sobre a agitação de Moscou, a energia que permeava a cidade e criava oportunidades para qualquer um esperto o suficiente para achá-las.

Estava na hora, Arsêni concluiu. Piotr iria para Moscou.

2. Moscou

PIOTR DEVE TER SE LEVANTANDO antes do nascer do sol. Seus pais, reunidos em torno dele, também. Os três rezaram juntos, pedindo proteção para a viagem. A bolsa de Piotr estava pronta: roupas, pão, queijo, água e lembrancinhas para os amigos. Piotr levava também um par extra de sapatos. A caminhada a partir da aldeia seria de 270 longos quilômetros.[1]

No paletó, Piotr carregava o passaporte obrigatório. Era uma espécie de tira de papel que lhe permitiria se afastar da aldeia e do senhor de terras. Listava informações comuns como nome, idade, descrição física, religião e local de residência, além de detalhes sobre seu proprietário. Piotr precisaria desse documento, comprado por alguns rublos, para entrar em Moscou e circular pela cidade. Todos que fossem pegos sem um passaporte devidamente expedido podiam ser severamente punidos, até mesmo com o exílio para a Sibéria.

Com tudo em mãos, Piotr pendurou a bolsa no ombro e despediu-se da família. O mais provável é que ele tenha feito a viagem com outro irmão de seu pai, o tio Benedikt. De acordo com os livros de confissão da igreja, os dois estavam na mesma época na aldeia e, depois, em Moscou. A dupla partiu pela estrada de terra que os levaria até a primeira parada. No caminho, viram carroças que levavam açúcar, trigo e outras mercadorias para serem vendidas na zona rural. Piotr e Benedikt provavelmente subiram a bordo de uma dessas carroças, economizando as pernas para trechos menos movimentados. Sem dúvida cruzaram com amigos e conhecidos. Os viajantes que chegavam e partiam das cidades eram tantos que cada aldeia designava uma pessoa especialmente para lhes dar boas-vindas com chá, comida e abrigo.

Essa estrada era familiar para o jovem Smirnov, então com 15 anos de idade. Era a mesma que tomara a caminho de Uglich. Por isso, sentia-se confiante, algo inesperado para um menino em sua primeira expedição para tão longe de casa. Parou com o tio para um chá em uma aldeia próxima antes de continuar a esticada de 38 quilômetros que o levaria novamente a Uglich. Percorreram o trecho sem parar, exceto quando chegaram ao rio Volga, que tinham de cruzar. Como não havia ponte ou qualquer ligação improvisada entre as margens, tiveram que encontrar um balseiro para levá-los ao outro lado, uma travessia de dez minutos.

Piotr aproveitou para tomar sol. Do outro lado do rio, Uglich parecia bela, exatamente como em sua lembrança. Podia ver as cúpulas douradas das igrejas a distância, assim como a antiga casa de Dmitri, filho de Ivan o Terrível. Também ouviu um coral de sinos vindo das catedrais enquanto fiéis entravam para a oração de fim de tarde. A melodia consolou Piotr. Contudo, ele praticamente voou para fora da balsa ao chegar à margem, tão ansioso que estava para continuar a viagem.

Uma vez do outro lado, seguiu com Benedikt até o centro da cidade, onde procurou uma irmã mais velha, Glafira, casada com o filho do dono de uma fábrica de cerveja em Uglich. Passariam a noite com ela.

O dia seguinte foi bastante parecido, começando com uma oração seguida por longos trechos percorridos a pé. De vez em quando, Piotr e Benedikt subiam a bordo de uma carroça que passava. Frequentemente, os carroceiros cantavam velhas canções russas. Piotr ouvia as músicas de sua infância enquanto espreitava a floresta densa e as ravinas que passavam. As folhas tinham começado a ganhar matizes luminosos de vermelho e dourado, mesmo ainda não sendo outono. Os dias ainda transmitiam a sensação do verão.

Contudo, as noites começavam a ficar mais frescas, e caíam rápido demais para Piotr. A escuridão retardou o tio e o sobrinho, forçando-os a encontrar um local gramado ou espaço em um abrigo acolhedor. Piotr teria preferido continuar, impaciente para chegar a Moscou. Em sua breve vida, sempre tivera o pai para guiá-lo e instruí-lo. Era o filho obediente, nunca questionava a vontade dos mais velhos. Mas agora, mesmo com Benedikt a seu lado, Piotr sentia-se como se estivesse sozinho, capaz de escolher quando parar para um pedaço de pão e onde deveria descansar. Isso fez aflorar sentimentos poderosos de seu interior, ímpetos que não havia notado estarem lá antes. No início, tentou superá-los, achando não ser digno de um menino cristão em uma sociedade convictamente patriarcal abraçar tão inteiramente a ideia de independência ou de individualidade. Mas Piotr não podia negar a verdade – ele gostava de traçar seu próprio caminho.

E era bom nisso. Piotr e Benedikt fizeram uma viagem magnífica. No sétimo dia, se aproximavam de Sergiev Posad, talvez o local mais sagrado em toda a Rússia desde sua fundação, em 1340. Podiam ver a distância o monastério da fortaleza cercada por florestas de pinheiros. As árvores emolduravam as abóbadas azuis e douradas da igreja, que lançavam reflexos reluzentes no céu azul. Piotr olhava incrédulo para o horizonte. Tinha ouvido falar sobre aquele lugar, e agora, com ele à sua frente, teve um sentimento de profunda espiritualidade. Apressou o passo, ansioso para ver mais de perto.

A estrada de repente se encheu de gente. A maioria, como Piotr, viajava a pé. Mas os mais abastados vinham em carruagens puxadas em geral por duas parelhas de cavalos. O francês Alexandre Dumas foi a Sergiev Posad alguns anos mais tarde nesse tipo de veículo. De um modo ou de outro, as pessoas chegavam, muitas delas unidas pela motivação de estar no local sagrado para pedir por aquilo que lhes faltasse. Mais especificamente, tinham vindo beijar os ossos de são Sérgio, um famoso santo russo.

Os ossos eram mantidos em uma capelinha branca do vasto complexo. Piotr e Benedikt se enfiaram nos espaços exíguos no meio da multidão. Um monge indicava a entrada, conduzindo todos pelas estreitas passagens cercadas por velas bruxuleantes. Os ossos do santo, instalados no centro da sala, bem em cima de uma grande mesa, estavam cobertos por uma mortalha rosada. Finalmente chegou a vez de Piotr, que seguiu os gestos dos demais. Ele curvou-se, beijou a cruz bordada no tecido cor-de-rosa e então se afastou. Fez um prolongado sinal da cruz com a mão direita, à maneira russa ortodoxa, e voltou-se para a saída, permitindo à massa em fila avançar alguns centímetros em direção às relíquias sagradas.

Uma vez do lado de fora, Piotr compreendeu a grandeza de tudo aquilo. Um mundo novo se colocava diante dele.

AINDA FALTAVAM 72KM ATÉ MOSCOU, e a dupla precisava novamente começar bem cedo na manhã seguinte. Se mantivessem o ritmo, calculavam chegar à cidade em três dias. A estrada se alongava à frente dos dois, perfilada de pinhais e campos de centeio. Logo o cenário mudou para ravinas e bosques de vidoeiros. Se prestassem atenção, podiam ouvir o canto dos cucos.

Os dois dias seguintes passaram lentamente. No décimo dia de viagem, os caminhos perto de Moscou não eram mais planos e silenciosos. Piotr e o tio estavam quase sem fôlego, tão forte era o ritmo da caminhada. O barulho era intenso, zumbindo baixinho em um momento e quase rugindo no instante seguinte, quando as pessoas fluíam para lá e para cá. A agitação hipnotizou o menino do campo. Viajantes corriam a seu lado, assim como camponeses que ganhavam a vida fornecendo-lhes suprimentos. Viviam ao longo da estrada, entre os inúmeros bares e casas de chá, vendendo itens aleatórios como bugigangas religiosas, fumo e comida. Aqui, os clientes eram numerosos. Bandos de moscovitas ultrapassavam as fronteiras e se juntavam aos transeuntes para comprar vodca mais barata nos bares das cercanias.

Piotr teve que tomar cuidado para não ser atropelado pelas carruagens e outros veículos que passavam fazendo grande estrondo. Ficou perto da beira da estrada, mantendo os olhos fixos na direção de Moscou. Pensava na mãe e no pai, e na vida que tivera. Com mais frequência, no entanto, o servo de Kayurovo sonhava com a vida ainda por ser descoberta. Agora podia até sentir o cheiro dela.

As chaminés de fábricas instaladas fora dos limites da cidade arrotavam fumaça preta. O cheiro misturava-se com odores vindos das oficinas de ferreiros, onde o gás de hulha queimava ininterruptamente. E então vinha o fedor mais forte de todos: o esgoto. O número total de habitantes da cidade havia crescido vertiginosamente nas últimas três décadas, somando mais 80 mil novos residentes e uma incontável população temporária. Na década de 1840, 300 mil pessoas viviam em Moscou, forçando a cidade a lidar com um mar de corpos e seus dejetos.[2] Filas de carroças carregadas com água de esgoto se estendiam pelas ruas, levando para longe o que podiam. Como o conteúdo não era coberto, muitas vezes ele derramava sobre as estradas de terra irregulares, formando poças de dejetos. Alguns pedestres usavam galochas para andar por essas verdadeiras fossas. Um jornal local comentou a situação: "Moscou está repleta de esgoto por dentro e por fora."[3]

O ar desagradável não conseguiu desanimar Piotr. Logo à sua frente estava um dos 18 portões que marcavam as entradas oficiais de Moscou. Ele e Benedikt devem ter entrado pelos portões de Krestovskaya Zastava, juntando-se aos mais de 5 mil outros que os atravessavam diariamente no verão. Inicialmente, esses portões tinham sido erguidos para coletar impostos alfandegários e registrar visitantes. Mas a função fiscal terminara em 1754, e já não fazia mais sentido registrar todos os que chegavam. De todo modo, vários viajantes davam nomes falsos ou passaportes forjados, o que tornava praticamente impossível a certeza sobre a identificação. Assim, o que os oficiais faziam era uma mera verificação visual das credenciais.

Ainda ao longe, Piotr deve ter avistado os dois obeliscos de pedra que emolduravam o portão da cidade, cada um com a altura aproximada de três homens. Sobre cada um deles, empoleirava-se uma águia de duas cabeças, o símbolo do Estado russo. Uma cerca de pedra que saía dos obeliscos encerrava duas casas amarelas. Perto dali também havia uma cabine, local onde ficavam oficiais, soldados ou guardiães que vigiavam o portão. Supostamente ninguém podia atravessar sem que um oficial levantasse uma cancela de madeira preta e branca que ia de um obelisco a outro. Mas, naturalmente, qualquer um podia passar se realmente quisesse. A vara era facilmente transponível, e os guardas, em geral, estavam preocupados demais em jogar cartas ou mascar tabaco para perceber alguém que passasse escondido.

Piotr não tinha nenhuma intenção de passar escondido. Não havia necessidade. O diálogo típico entre os guardas e as pessoas que chegavam era quase mecânico, não apresentava qualquer ameaça. Poucas palavras eram proferidas. Um guarda em geral perguntava a um recém-chegado como Piotr: "Quem é você?" Obediente, Piotr apresentaria seu passaporte e responderia: "Sou Piotr Smirnov, um camponês de Yaroslavl." Provavelmente levou menos de vinte segundos do momento em que Piotr chegou ao guarda até ele e Benedikt passarem pelos portões e entrarem em Moscou.

Dirigiram-se diretamente à rua Varvarka, onde ficava a casa de seu tio Ivan e de seu irmão, Yakov, e de mais um punhado de primos e outros parentes. Não queriam perder tempo, já que Moscou, embora estivesse começando a mudar e se modernizar, ainda era um lugar de leis e regras estritas. Um governador-geral, apontado pelo czar, controlava a cidade; seus homens de confiança zelavam pela aplicação de uma lista infinita de proibições arbitrárias, incluindo fumar na rua, usar barba ou bigode (para funcionários do governo) e cabelo comprido (para estudantes do sexo masculino). O cabelo longo era considerado revolucionário, algo característico de "pensadores livres" que se opunham à ordem política e social existente. O não cumprimento de qualquer dessas leis, que variavam um pouco de cidade para cidade, podia significar punições severas.

Piotr provavelmente não conhecia os rígidos costumes de Moscou. E, apesar de Benedikt ter estado antes na cidade, provavelmente decidiram ir direto para a casa de Ivan. Não queriam ser apanhados pela noite de Moscou. A iluminação de rua, já escassa, era primitiva. Lâmpadas iluminadas com nafta, um líquido incolor derivado do petróleo, fixadas sobre rústicos postes acinzentados de madeira, apareciam esporadicamente ao longo das ruas, emitindo uma luminosidade fugidia. Após o pôr do sol, partes inteiras da cidade eram envoltas em uma densa e sinistra escuridão.

A Varvarka era uma rua sinuosa. Era uma das três que nasciam logo depois do rio Moscou e continuavam a leste da Praça Vermelha. Ficava imprensada entre um importante centro comercial, o Gostini Dvor, e um dos mais abarrotados polos judeus de Moscou, o Zaryadye. O Gostini Dvor, que significa Pátio para Convidados, consistia de um edifício de três pavimentos com armazéns e quase 800 pequenas lojas. Milhares de compradores e vendedores passavam por ali diariamente para comercializar mercadorias, vagando pelos corredores longos e estreitos, cada um dedicado a uma determinada linha de produtos, de selas a tecidos ou ícones religiosos. Do outro lado, o Zaryadye ("atrás das filas") era coberto por uma multidão de judeus ortodoxos que circulavam por suas exíguas vielas em curva. O bairro segregado era considerado uma favela, pobre e sombrio, e as pessoas que moravam ali, diziam os boatos, vendiam artigos roubados.

No meio desse arranjo eclético ficava a agitada Varvarka, uma rua coberta de sujeira. Era antiga, quase medieval, e tinha esse nome por causa de uma catedral construída em homenagem a são Varvarka. Cinco igrejas, marcadas por abóbadas douradas e por elevadas torres sineiras, dominavam a paisagem da rua, assim como sua personalidade. A vizinhança era porto para as entranhadas tradições religiosas e velhas crenças da Rússia. Os residentes, muitos dos quais eram servos, ex-servos, comerciantes ou artesãos, rezavam diariamente e levavam uma vida simples e devota. Seus lares, dispersos entre lojas que vendiam mantimentos, especiarias e cera, eram feitos de pedra, sem nenhum adorno. A roupa era lisa. Muitos homens usavam túnicas negras longas e barba, em vez do vestuário europeu mais à moda das classes bem-barbeadas, desenvolvidas e cultas.

Havia duas exceções à modéstia que caracterizava a rua. A primeira se situava número 10.* No século XVI, o edifício pertencera ao avô do primeiro czar Romanov da Rússia. A casa, ou palácio, tinha sido restaurada dois séculos mais tarde e transformada em um museu devotado aos Romanov boiardos.** A casa de Ivan ficava a poucos metros dali. A segunda e mais notável exceção era a bagunça formada por adegas e lojas que fabricavam e vendiam vinho, cerveja e vodca. Esses estabelecimentos, incluindo o que Ivan administrava, em geral se localizavam diretamente abaixo ou ao lado das igrejas ortodoxas. A adega de Ivan encostava-se à pequena Paróquia de São Máximo o Confessor. A igreja, como ficou provado, também era senhoria de Ivan. O clérigo residente e sua família dividiam o prédio com ele.

Esse arranjo era mais do que peculiar, era ilegal. A lei russa proibia qualquer estabelecimento de bebida alcoólica a menos de 85m da entrada de uma igreja. Restrições desta natureza apareceram pela primeira vez em 1806, em São Petersburgo, e em 1821, em Moscou, depois que o clero moralista e adeptos da sobriedade queixaram-se amargamente dos abusos do álcool por toda a sociedade. Líderes religiosos estavam preocupados com o fato de alguns membros de sua congregação estarem bêbados demais, tanto imediatamente antes quanto após as missas, para permanecerem espiritualizados e devotos. Havia igualmente o medo de que o alcoolismo estivesse afetando os valores morais que eles pregavam aos paroquianos.

---

* Este é o endereço moderno. No século XIX, era diferente.

** Boiardos eram membros da aristocracia russa.

A aplicação da lei, entretanto, era difícil. Na verdade, era quase inexistente. Como tantos outros conflitos de consciência na Rússia, este se provou fácil de superar, desde que houvesse alguns acertos financeiros. Ivan, por exemplo, era um grande benfeitor da igreja de São Máximo. Contribuía com fundos para renovar a igreja e cultivava boas relações com as autoridades locais, trabalhando por um tempo com a polícia como chefe de um grupo de vigilância cuja função era relatar atividades suspeitas ou ilegais por parte dos comerciantes locais. Esse relacionamento, que provavelmente incluía o pagamento de subornos e bebida gratuita, assegurou que Ivan recebesse tratamento preferencial quando abriu seu próprio negócio.

Assim, a rua Varvarka era um epítome de contradições. Mas assim também era Piotr. A rua e o jovem eram misturas incomuns de religião devota, comércio selvagem e fabricação incessante de bebida. Faziam um par perfeito. Piotr tinha encontrado sua plataforma de lançamento.

Piotr e Benedikt desceram a Varvarka por quatro quadras até onde morava Ivan. Seu tio, irmão e primos moravam juntos – 11 pessoas no total – na casa ampla mas humilde. O pavimento superior servia de residência, enquanto o nível da rua e o porão funcionavam como loja e adega. Ali os clientes podiam comprar e beber vinho e destilados, incluindo vodca. Naqueles dias, a vodca era vendida por balde, garrafa ou *shtof*, que equivalia aproximadamente a um décimo de balde ou 1,2 litro. Os preços variavam, naturalmente, dependendo da qualidade e da maneira como a bebida era vendida, mas, geralmente, podia-se conseguir um *shtof* por uma pequena quantia, entre 60 centavos e 1,50. Ivan vendia apenas bebidas em seu estabelecimento. Não tinha licença para vender comida.*

Essa casa/bar/loja seria o lar de Piotr. Ele logo se instalou e foi trabalhar. Após chegar a Moscou sem incidentes, estava ansioso para mostrar

* Bares, tabernas, adegas e outros pontos de venda de destilados tinham de seguir regras rígidas. As tabernas, por exemplo, tinham permissão de servir comida junto com bebidas destiladas aos fregueses, mas as adegas não. Algumas lojas podiam vender bebidas apenas para viagem, enquanto outras podiam servi-las em suas dependências.

a Ivan que não era nenhum adolescente comum. Quando o assunto eram os detalhes da vida de uma taberna, era um profissional. Grigori o havia treinado bem. Piotr servia bebidas, lavava copos e esfregava o assoalho. Carregava o que tivesse que carregar. Provou seu valor – e potencial – muito rapidamente. Ivan, detectando a iniciativa e a mente rápida de seu sobrinho, também o colocou para trabalhar em sua loja em Gostini Dvor. A loja era mais como um pequeno quarto ou uma tenda, e ficava em meio a uma fila de centenas de outras na espécie de centro comercial que era Gostini Dvor. Ivan vendia destilados – isso é certo –, mas provavelmente também vendia tabaco e kefir, uma bebida inconfundivelmente russa feita de leite talhado. Não comercializava produtos na Praça Vermelha. No século XIX, a praça de pedras arredondadas era território de ambulantes de alimentos, principalmente bolos e doces. Era igualmente um lugar de reunião para grandes celebrações e festas. O álcool não era bem-vindo. A intensidade, a ambição e o foco natural de Piotr pareciam prosperar em Moscou. O jovem prestava atenção em como eram fixados os preços das mercadorias, como elas eram introduzidas no mercado e por que as pessoas compravam o que eles faziam. Notava tudo isso, incluindo a predileção de tio Ivan para a vodca, embora ela, como tantas outras coisas, fosse estritamente proibida.

Desde a época de Catarina a Grande, no século XVIII, somente as destilarias de propriedade estatal e a aristocracia podiam produzir vodca legalmente. O privilégio foi conquistado pela nobreza dona de terras em 1765 e incluía um repasse de impostos que acompanhavam a produção da bebida. A lei, finalmente revogada em 1863, raramente impediu alguém de participar do grande passatempo da Rússia. Os aldeões faziam suas próprias fermentações caseiras. E os homens de negócios da cidade, que queriam ganhar um bom sustento, não viam melhor lugar para aplicar seu entusiasmo empreendedor do que na difundida cultura nacional da vodca.

Tanto os aldeões quanto os homens de negócios escapavam de ser incriminados em grande parte porque era simplesmente demasiado difícil, e impopular, impedir o comércio ilegal de vodca. Autoridades aceitavam sem problemas favores dos supostos criminosos. Os camponeses e a burguesia frequentavam lojas e bares sem sanção para comprar vodca melhor e mais barata. E o czar, que não queria irritar as classes mais baixas cortando suas fontes de bebida, estava disposto a deixar as coisas como estavam.

A situação, complexa e corrupta, era uma das muitas que pavimentaram o caminho para um dos maiores avanços capitalistas que a nação havia visto. Ivan, a essa altura um respeitado e até proeminente homem de negócios, estava feliz demais para tirar vantagem do momento e trazer filhos e sobrinhos para o caminho lucrativo.

Piotr estava adquirindo uma experiência valiosa e ganhava mais dinheiro do que jamais possuíra. Estava amadurecendo muito rapidamente, passando de criança a um homem vistoso e esbelto, com olhos que pareciam alcançar a alma de qualquer um que conseguisse sustentar seu olhar penetrante. A penugem do rosto ficou quebradiça, fornecendo as sementes para a barba negra que usaria por quase toda a vida adulta. Dentro da comunidade dos servos e para além dela, Piotr parecia bastante atraente. Era esperto, ambicioso e determinado. Mais do que isso, sabia ler e até escrever, embora não bem, como atestava a assinatura em seus documentos. Essa persona exterior, combinada com o lado ferozmente privado e reservado de Piotr Smirnov, o tornava uma tela em branco em que as pessoas podiam pintar seu próprio retrato do homem por trás do rosto belo e sério.

Talvez tenha sido isso o que atraiu Nadezhda Yegorova quando os dois se conheceram durante uma das visitas rotineiras que Piotr fazia a sua casa. Como tantos outros emigrantes, Piotr voltava regularmente a sua aldeia durante as estações de colheita e plantio. Nessas visitas, levava consigo o dinheiro que havia ganhado e o dava de presente ao pai, Arsêni. Chefe da família, Arsêni cuidava das contas dos Smirnov, dividindo o dinheiro conforme necessário e sempre economizando, de olho na liberdade.

Foi provavelmente em uma dessas visitas que Piotr conheceu Nadezhda. Pouco se sabe sobre ela, além do fato de que seu pai era um diácono da igreja de uma grande aldeia próxima dali, e que era um pouco mais velha que Piotr. Não era uma serva, mas sim parte da classe do clero, um patamar acima do de Piotr. Em geral, o clero mantinha um estilo de vida mais confortável do que o dos camponeses. Piotr e Nadezhda se casaram em 21 de maio de 1850, quando ele tinha apenas 19 anos.

O casamento, como a maioria naquele tempo, foi provavelmente arranjado pelos patriarcas das famílias, que devem ter julgado o matrimônio vantajoso para ambos os lados. Os Smirnov se uniriam a uma família socialmente superior; e os Yegorov ganhariam laços com pessoas estabelecidas em Moscou e com promissoras perspectivas econômicas. Ainda assim, a união estava longe de ser tradicional.

Na Rússia do século XIX, a mistura de classes era quase tão popular quanto a mistura da vodca. Simplesmente não era feita. E quando *eram* feitas, tais uniões vinham carregadas de risco e podiam até mesmo se tornar escandalosas. O fato de os Smirnov terem desprezado as convenções sugere que fossem mais progressistas que a maioria dos camponeses, pelo menos quando a situação fosse favorável a suas aspirações.

O mesmo poderia ser dito sobre o conde Nikolai Pietróvich Sheremetev, cujo romance com uma de suas servas talvez tenha sido o caso mais famigerado de casal que não combina e suas trágicas ramificações. Filho e neto de grandes homens que fizeram parte do círculo íntimo da realeza russa de Pedro o Grande a Catarina a Grande, Nikolai era o símbolo perfeito da alta sociedade. Os Sheremetev eram os maiores latifundiários da Rússia, à exceção do czar, e tinham um exército de mais de 200 mil servos. Seus palácios eram legendários e opulentos, cheios da melhor mobília europeia e das obras de arte mais valiosas.

Nikolai continuou com a tradição nobre da família. Possuiu os títulos de conde, senador e marechal em diversos momentos de sua vida. Era amigo de infância do czar Paulo I. Assim como o pai, Nikolai era um grande patrono das artes. Construiu óperas, abriu teatros e companhias teatrais e criou uma escola especial de representação para educar filhos de servos.

Na vida privada, Nikolai tinha a mesma fama de playboy que muitos de seus colegas aristocratas. Mantinha um harém de servas que frequentemente viajavam com ele e o serviam da maneira como escolhesse. Baixo e atarracado, mas bastante encantador, Nikolai visitava os aposentos de suas servas favoritas enquanto elas trabalhavam e deixava cair um lenço branco através da janela de quem quisesse ver naquela noite. Então retornava mais tarde, satisfazia seus desejos sexuais e, antes de sair, pedia o lenço de volta.[4]

A promiscuidade de Nikolai não era nada incomum para um nobre, mas seu relacionamento com Praskovya era. Ela havia ido cantar para ele com apenas sete anos, quando ele tinha 24. Nikolai ficou fascinado pela voz melodiosa e pelos traços delicados da menina, não se importando que ela fosse filha de um servo ferreiro. Sheremetev resolveu transformar a criança em uma atriz de classe e uma diva lírica. Primeiramente, como fazia com suas servas atrizes favoritas, Sheremetev mudou o sobrenome de Praskovya. Preferia sempre chamar suas estrelas por nomes derivados de pedras preciosas. Assim, Kovalyova se transformou em Zhemchugova, derivado de *zhemchug*, que significa pérola. Nikolai cuidou que sua joia fosse educada pelos melhores professores que o dinheiro pudesse comprar. Não demorou muito para que a menina se tornasse uma das sopranos mais amadas em toda a Rússia, uma das favoritas do imperador.

Praskovya amadureceu e se tornou uma jovem encantadora. Era de uma beleza natural, com cabelo escuro e pele de um branco leitoso. Não está claro em que momento a admiração de Nikolai por seus talentos artísticos floresceu em um amor profundo, mas foi isso o que aconteceu. Os dois tinham um caso secreto torturante, proibidos de exibir a paixão verdadeira que havia entre eles. Apenas quando Praskovya caiu doente com tuberculose Nikolai superou sua lealdade às tradições da sociedade. Libertou sua serva e, em segredo, casou-se com ela em 6 de novembro de 1801.

Infelizmente, a união durou pouco. Praskovya morreu de tuberculose apenas dois anos mais tarde – três semanas depois de dar à luz o único filho do casal, Dmitri.

Sheremetev chocou a sociedade divulgando o casamento, após a morte da mulher, em uma carta ao czar em que pedia que o filho fosse reconhecido como seu herdeiro de direito. Também alegava que sua esposa tinha sido descendente da nobreza polonesa. Com essa ficção, esperava atenuar os desastres que suspeitava estarem a caminho quando a notícia de sua união se tornasse pública. Mas sua tática não funcionou. Abandonado pelos amigos da alta sociedade – poucos compareceram ao funeral de Praskovya ou expressaram pêsames –, Nikolai morreu só e amargurado em 1809. Resumiu sua angústia, escrevendo: "Pensei que tivesse amigos que me amassem, me respeitassem e compartilhassem de meus prazeres. Mas quando a morte de minha mulher me levou a um estado de quase desespero, encontrei poucas pessoas para me consolar e com quem dividir meu pesar."[5]

A união de Piotr e Nadezhda não foi nem de longe tão controversa quanto várias histórias de amor mais famosas, mas era tampouco convencional. Vinham de classes bem distintas, e ela era a mais velha dos dois. É possível que tenham se casado simplesmente porque suas famílias assim os ordenaram. Mas é igualmente possível que Piotr e Nadezhda compartilhassem paixão e amor profundos.

Qualquer que tenha sido a razão, os dois permaneceram, como tantos outros, a distância. As mulheres geralmente ficavam nas aldeias enquanto seus maridos trabalhavam em cidades maiores. Em Moscou, o número de homens superava o de mulheres em quase dois para um. Mas Piotr e Nadezhda ficaram juntos tempo suficiente para gerar o primeiro filho do casal. Nikolai nasceu em 4 de dezembro de 1852 e morreu de epilepsia dois meses depois, conforme indicam os registros da igreja. A doença era bastante comum na época e grande causadora de mortalidade infantil. Nadezhda ficou particularmente abalada pela perda. Nunca engravidou novamente e sucumbiu a uma febre repentina apenas três anos mais tarde.

Com apenas 24 anos de idade, Piotr havia enterrado um filho e uma esposa. Atirou-se então ao trabalho, afogando as amarguras nos vários acontecimentos da vida diária. Estava também diante de um assunto de muita pressão política: a Guerra da Crimeia. Foi um conflito devastador que jogou a Rússia de encontro a uma aliança formada pelo Reino Unido, a França, o Império Otomano e o Reino da Sardenha. A disputa proveio de questões não resolvidas no Oriente Médio, como a briga pelo controle de alguns dos lugares mais sagrados da região. As consequências dessa guerra, que produziu uma das mais terríveis derrotas militares da Rússia, iriam se revelar essenciais para o futuro do país – e também para o dos Smirnov.

A Rússia ficou devastada pela luta de três anos na Crimeia. Perdeu 259 mil pessoas para um inimigo mais bem-financiado, mais sofisticado e mais bem-treinado. Enquanto a Rússia ainda usava mosquete de cano liso e disparado por pederneiras, seus rivais disparavam mosquetes de último tipo, de cano raiado e longo alcance. Enquanto a Rússia contava com uma frota de navios a vela, seus oponentes mandaram um esquadrão de navios de guerra mais modernos, movidos a hélice. Enquanto a coalizão era composta de líderes militares hábeis e soldados de infantaria leais e bem-treinados, o Exército russo consistia, em sua maior parte, de camponeses e servos convocados apenas quando a guerra já estourava. Muitas vezes, os soldados russos lutaram por dias seguidos sem provisões ou reforços apropriados, porque faltava no país um sistema ferroviário que conectasse os centros econômicos e demográficos com os campos de batalha.

Os famosos 349 dias do cerco de Sebastopol, em 1854-55, durante os quais lutou o jovem Tolstoi, foi um golpe esmagador na autoestima e na reputação internacional da Rússia, apesar de seus soldados terem mantido a cidade por quase um ano. Nessa batalha, os russos foram completamente dominados. A limitação técnica do arsenal e da infraestrutura nacional já não era surpresa, mas fato internamente reconhecido. Ao fim da Guerra da Crimeia, em 1856, as forças militares dos Aliados (britânicos, franceses e turcos) haviam humilhado o antiquado poder militar russo e levado o tesouro nacional à falência.

O czar Nicolau I não havia preparado sua nação para o confronto. Estivera preocupado demais com a manutenção de suas forças armadas, o monitoramento da formação das tropas em conflitos internacionais e o funcionamento interno de seu inchado governo. A burocracia russa aumentou de tamanho em cerca de 40 mil pessoas durante seu reinado. O czar nunca entendeu inteiramente a ideia de que seu país, ainda dominado por uma economia agrária, tinha ficado para trás em relação ao resto do mundo. A Guerra da Crimeia tornou impossível continuar a negligenciar o fato.

Tal conscientização, aliada a uma mudança de regime no fim da guerra, ofereceu às massas sua primeira esperança real de reforma. Alexandre II, com 36 anos, sucedeu o pai no trono da Rússia em 1855. Era um homem culto e sensível que compreendia seu país de um modo que Nikolai nunca conseguiu. Ele percebeu a complacência da aristocracia, reconheceu a existência de um sistema educativo inadequado e até notou a incapacidade de milhões dos servos melhorarem seu próprio bem-estar e o da nação sob aquele *status quo*. De fato, o desassossego das classes baixas já tinha aflorado, conduzido pelos camponeses que tinham se alistado no Exército achando que seriam agraciados com a liberdade quando a batalha terminasse. Como isso não aconteceu, as pessoas tomaram as ruas, e irromperam protestos contra o czar e a aristocracia após a guerra.[6] Eles exigiam melhor tratamento e gritavam por liberdade.

A industrialização era plano prioritário do Estado, juntamente com outro assunto crítico: a abolição da servidão. O czar revelou suas intenções ao conversar apaixonadamente sobre o assunto com um importante grupo de aristocratas em Moscou no dia 30 de março de 1856. Esperava ganhar a aprovação e o apoio da nobreza ao afirmar o inevitável em seu famoso discurso: "É muito melhor abolir a servidão de cima do que esperar o momento em que ela começará a abolir a si mesma de baixo." A liberdade, finalmente, estava no ar.

Tudo isso andava pela cabeça do pai de Piotr, Arsêni. Já havia algum tempo que tinha reservas suficientes para pagar por sua liberdade, mas hesitava. Embora a Arsêni faltasse a mente afiada para os negócios que tinha servido tão bem a seus irmãos, ele tinha aprendido a arte do tempo certo. Arsêni desfrutava de um relacionamento aceitável e produtivo com os senhores de terra e, por isso, via pouca razão para cortar, sem uma clara finalidade, as raízes do que restara de sua família. Para ele, assim como para muitos da geração mais antiga, viver sob a tutela de um senhor era mais simples e seguro.

A paciência serviu bem a Arsêni. Seus filhos estavam prosperando em Moscou, e o dinheiro com que haviam contribuído para os cofres da família agora tornara possível a liberdade de Arsêni. Poderia pagar seu senhor, ir a Moscou, e ainda teria dinheiro suficiente para juntar-se à hierarquia mercantil. Além disso, seu senhor, preocupado com as tendências reformistas do governo, estava disposto a embolsar o pagamento dos servos antes que o czar impusesse restrições.

Em 1857, Arsêni gastou suas economias, pagou o resgate e deu adeus às terras de Yaroslavl. Os Smirnov estavam livres, agora já não eram propriedade de ninguém. E logo, graças ao esclarecido programa de governo do novo czar e à própria tenacidade dos Smirnov, seriam muito mais do isso.

3. A terra da escuridão

Arsêni mal podia esperar para experimentar o gosto da vida de comerciante. Era um homem orgulhoso. Certamente sentia mais que apenas uma ponta de inveja de seus irmãos mais novos, que prosperaram como homens livres anos antes dele. Aos 58 anos, Arsêni ainda mantinha suas raízes na província e o peso da vida como servo.

Sua primeira tarefa foi provar às autoridades em Moscou sua devoção à ortodoxia cristã sem deixar dúvidas. Era uma exigência feita a quem quisesse se tornar mercador. Isso não seria difícil para Arsêni, que havia frequentado a missa a vida inteira, como atestam os registros históricos da igreja, confessando seus pecados e comungando com a frequência requerida por sua religião. Além disso, socializava-se com o clero local, com quem manteve laços mesmo depois de deixar a aldeia. E vestia-se e agia como um cristão conservador e devoto. Arsêni sempre seguiu o pensamento russo tradicional e acedeu às interpretações da igreja sobre as normas sociais, cultivando as comunidades patriarcais. Como tantos outros, evitava influências modernizadoras blasfemas que chegavam da Europa Central e Ocidental.

Na fria primavera de 1858, Arsêni provavelmente recorreu ao padre da paróquia da rua Varvarka, frequentada pelos filhos e pelo irmão Ivan para conseguir uma carta que certificasse sua devoção. Talvez tenha levado com ele a carta do clérigo da aldeia que comprovava sua dedicação. Entre outras coisas, ela dizia que Arsêni não teria qualquer problema em jurar, por escrito, conforme exigia a lei, que não era nem judeu, nem eunuco, nem membro de outras numerosas seitas "insidiosas".[1]

Arsêni não esperava que a igreja pudesse ser um obstáculo, mas tinha que admitir que era uma instituição bastante fechada e de uma burocracia patente. Ninguém sabe se seu pedido levou semanas ou meses para ser processado. Mas qualquer que tenha sido a demora, ela lhe pesou bastante. Arsêni já não era mais jovem. É verdade que gozava de boa saúde e que havia facilmente ultrapassado a expectativa de vida dos russos, que era de 44 anos, mas ainda tinha muito a fazer.

Arsêni estava preocupado com Piotr. Seus outros filhos estavam bem-encaminhados para conseguir uma vida confortável e gratificante. Yakov trabalhava com o tio Ivan, era feliz no casamento e pai de três filhas. Glafira tinha um bom casamento e não dava grandes preocupações. Embora pouco se saiba sobre Aleksandra, sua outra filha, parece que também era casada e voltada para sua própria família. Com Piotr, a situação era diferente. Ele sempre havia se adaptado bem ao ambiente, mas, secretamente, nunca estava completamente tranquilo. Esperava que alguma coisa acontecesse, como um corredor na linha de largada à espera do sinal que o lançaria à competição. Parecia estar simplesmente à escuta, aguardando o momento propício. Arsêni desejava fervorosamente que ele acelerasse a procura.

No fim de abril, os dias estavam mais longos e quentes, típicos da época do ano. Nem quente demais, nem frio demais, o ar estava seco e o céu, límpido. Foi em um desses dias tranquilos que Arsêni finalmente conseguiu a recomendação da igreja. Agora viria a parte mais difícil.

Tornar-se um mercador era trabalhoso, quase bizantino: o procedimento datava do reinado de Catarina a Grande. Havia três guildas em 1775, estruturadas por classe, como tudo o mais na Rússia. Os mercadores eram ordenados dos mais ricos e influentes aos mais pobres e menos importantes. Os membros da primeira guilda, prestigiados e unidos, recebiam títulos e privilégios especiais, enquanto os demais enfrentavam restrições quanto à natureza dos negócios que podiam empreender e ao número de empregados que podiam ter. Somente os integrantes da primeira guilda, por exemplo, podiam trabalhar em operações bancárias, exportar para fora do país e comercializar sem limites com o governo russo. Bem diferentes, os da terceira guilda não podiam lidar com finanças ou com indústria pesada, e tinham de restringir sua empresa a um máximo de 32 trabalhadores.[2]

A rígida hierarquia em três guildas permitia ao Tesouro Nacional cobrar impostos de acordo com a renda dos comerciantes. Os candidatos ao ingresso em qualquer guilda tinham que divulgar seu capital, mas em geral declaravam valores menores, a fim de pagar menos. Além disso, eram encorajados veementemente a contribuir com um fundo supostamente dedicado a ajudar os pobres. A ideia era absolver os mercadores respeitáveis da culpa que carregavam por serem ricos e, assim, melhorar o modo como eram vistos pela sociedade.

Isso de nada adiantava. Mercadores eram considerados párias, uma classe nada confiável. O dramaturgo russo Aleksandr Ostrovski descreveu o mundo dessa gente como "a terra da escuridão". Ostrovski, criado em um dos maiores distritos comerciais de Moscou, acreditava que ignorância cultural, ganância ilimitada, conduta imoral e estupidez completa governavam toda a classe. Escreveu sobre isso repetidamente em suas peças, a começar por *Assunto de família*, de 1849, a história de Bolshov, um comerciante que finge estar falido para escapar de suas grandes dívidas. Ele transfere seus bens para a filha e o genro, que acabam fugindo com o dinheiro. A traição deixa Bolshov sem um centavo e "no buraco", a prisão dos caloteiros, que, defende o autor, é o lugar certo para esses trapaceiros.

Gigantes da literatura, como Tolstoi, Nikolai Gogol, Anton Tchekhov e Ivan Turguêniev, fizeram coro à zombaria de Ostrovski. Eles também criaram personagens sombrios em trajes de vis mercadores. Fiódor Dostoievski escreveu: "Um mercador está sempre pronto para se unir a qualquer judeu e a trair tudo e todos para aumentar sua renda."[3]

O desdém generalizado pela classe mercantil fazia eco a sentimentos semelhantes, embora menos ruidosos, de outras partes da Europa. Mas era em Moscou, mais que em qualquer outro lugar, que o antagonismo funcionava como uma cerca transparente, isolando os futuros líderes financeiros do país. Essa comunidade nascente ocupava uma verdadeira terra de ninguém, enclausurada por trás de muros e portões aferrolhados que mais pareciam fortalezas que lares. Em sua maioria, mercadores evitavam aglomerações e eventos públicos que os tirassem de suas rotinas e vidas insulares. Não tinham lugar em escolas e apresentavam pouco envolvimento em qualquer assunto cívico. Até mesmo os camponeses os achavam grosseiramente corruptos e ficavam satisfeitos em vê-los confinados em seus guetos capitalistas. "Um mercador na Rússia ocupava uma posição extremamente baixa na hierarquia social", explicou Dostoievski. "E, para ser franco, não merecia mais que isso."[4]

Mas os mercadores não pareciam querer mais – pelo menos por ora. Não estavam particularmente interessados em desafiar os fidalgos, a quem consideravam preguiçosos e injustificadamente esnobes. Anos mais tarde, muitos dos mercadores mais ricos e bem-sucedidos concluíram que eles – não a nobreza – representavam o futuro sustentáculo da sociedade. Pavel Tretyakov, um dos pioneiros da indústria têxtil em Moscou e importante filantropo a quem o Museu Tretyakov homenageia, opôs-se veementemente ao casamento de sua filha Vera com o pianista – e nobre – Aleksandr Ziloti. Tretyakov era contra a frivolidade artística da profissão de Ziloti, convencido de que o músico estava interessado em seu dinheiro. Preferia que a filha escolhesse um colega mercador – aristocrata ou não. Tretyakov não conseguiu dissuadi-la da escolha, mas ao menos estruturou os arranjos do casamento de maneira a impedir a entrada de todos que julgava "desagradáveis". Seus contemporâneos pareceram ter chegado à mesma conclusão. "Você soube do jovem Ziloti, um pianista brilhante...? Encontrou o par perfeito, no sentido financeiro: recebeu uma fortuna de dote, 400 mil rublos", dizia uma carta endereçada ao compositor Piotr Tchaikovski.[5] Tchaikovski, um parente distante através do casamento, compareceu às núpcias de Vera.

Para Arsêni, contudo, tornar-se comerciante não tinha relação com política ou contendas entre classes, mas com liberdade e livre-iniciativa. Tinha a ver, declaradamente, com Piotr.

ARSÊNI, O ANTIGO SERVO QUE AGORA ENVELHECIA, levantou-se cedo no dia 30 de abril de 1858 com a esperança de vencer as longas filas que esperava encontrar para obter a licença de comerciante.[6] Piotr, sentindo a importância da missão do pai, juntou-se a ele. Ambos vestiram longos casacos negros revestidos sobre as calças enfiadas dentro das botinas, tentando parecer decentes e tradicionais. Conversaram enquanto caminhavam. Ambos tinham grandes ambições, mas nenhum deles tocava no assunto. Como muitos na Rússia, eram supersticiosos e não queriam atrair má sorte para seus planos.

Era uma caminhada de apenas 15 minutos da casa de Ivan até a Câmara de Comércio de Moscou descendo pela barulhenta rua Varvarka e pela

Praça Vermelha. Lá, Arsêni iria declarar quanto dinheiro possuía, pagar taxas e comprar as licenças e os documentos necessários para abrir um negócio. O edifício era um labirinto de agentes burocráticos. Abrigava o Departamento do Tesouro Nacional, agências coletoras de impostos e alguns escritórios militares. Arsêni se dirigiu ao Departamento de Segundo Recenseamento, que cuidava de assuntos envolvendo mercadores.

Apesar das importantes funções oficiais, nada no edifício era comum ou ligado ao governo. A Câmara de Comércio de Moscou ficava em uma grandiosa mansão clássica que pertencera, ironicamente, a uma rica família de nobres. As salas ainda estavam repletas das riquezas geralmente reservadas ao escalão mais elevado da camada superior. Os interiores eram ornamentados com mármore, e os tetos, pintados com extravagância. Puchkin e outros intelectuais importantes haviam visitado a casa antes de ela ser vendida ao Estado em 1845.

Agora Arsêni e Piotr também estavam lá dentro, intimidados pela suntuosidade do prédio. No entanto, nenhum outro fator reforçava o estado de admiração. Servidores civis de baixo nível corriam de escritório em escritório como dentes da engrenagem que eram. Camponeses, comerciantes e aristocratas com diferentes assuntos que precisavam de solução misturavam-se uns aos outros, raramente parando para apreciar o impressionante entorno. Para Arsêni, aquele momento era o meio para um determinado fim: precisava de comprovação de que pagara os impostos administrativos e sociais; e precisava de certificados que o permitissem abrir uma loja de vinho. E também precisava de mais alguns rublos "de propina" à medida que conseguia ir vencendo a burocracia. O processo inteiro tomou uma boa parte do dia, mas Arsêni conseguiu o que queria.

As coisas não foram tão simples duas semanas mais tarde, quando Arsêni foi à sede da Sociedade Administrativa de Moscou, Departamento Mercantil. Essa instituição geria as guildas de mercadores. Era de uma excessiva burocracia hierárquica e funcionava mais como um clube exclusivo do que como uma organização profissional. E não era qualquer um que podia se associar.

Arsêni novamente começou seu dia bem cedo em 14 de maio. O céu estava limpo e já fazia calor quando ele pegou a rua Varvarka em direção à Sociedade Administrativa de Moscou. Arsêni levou apenas sete minutos para chegar à alameda Yushkov, uma ruazinha desinteressante com pouco de que se vangloriar além de uma encantadora igreja que ficava exatamente em frente ao edifício municipal. Arsêni ia sozinho desta vez, já que Piotr precisava trabalhar. Parou instintivamente diante da igreja, fez o sinal da cruz e murmurou baixinho uma oração para que Deus o ajudasse naquele momento decisivo. Então, deixou o templo para trás, atravessou os portões de ferro e entrou no prédio.

Arsêni precisava de um formulário carimbado, o certificado da guilda, para obter uma licença de mercador. Limpou a garganta, colocou-se reto como um lápis, e fez o requerimento. O homem atrás do balcão de madeira parecia ser exatamente o funcionário burocrata que era: cabelo ligeiramente desalinhado, olhos vermelhos do excesso de bebida e um rosto que parecia um mapa rodoviário. Um salário irrisório e um tédio interminável o haviam tornado indiferente ao trabalho e às pessoas a quem se dirigia. O atendente levantou os olhos, quase com sarcasmo. "Ótimo", pensou, limpando as gotículas de suor da testa com um lenço encardido, "outro joão-ninguém do campo que vem a Moscou tentar a sorte."[7]

Era de fato uma tendência. O número de servos e ex-servos que haviam se mudado para Moscou crescera exponencialmente após o fim da Guerra da Crimeia. Alguns, como Arsêni, pretendiam expandir as liberdades das quais começavam a desfrutar. Outros procuravam um trabalho sazonal melhor nas manufaturas e nas indústrias que brotavam por todo o país.

"Custa 1,8 rublo", disse o servidor responsável pela triagem dos atendimentos.* Arsêni estava preparado. A requisição supostamente custava 90 copeques – conforme dizia a placa. Mas todos sabiam que você tinha que pagar o dobro, e nunca ninguém perguntou para onde ia o dinheiro e por quê. Em troca, recebeu a requisição. Arsêni sorriu e agradeceu com um aceno de cabeça. O homem apontou para cima, e Arsêni se dirigiu ao segundo andar.

Ao contrário do cenário da Câmara Administrativa de Moscou, as escadas de ferro e a balaustrada pareciam velhas. Tudo no edifício parecia,

* 1,30 dólar em 1858 (36 dólares hoje).

incluindo as pessoas. Arsêni, juvenil em sua busca, era exceção. Subiu as escadas, entrou em outro corredor e andou até um saguão de espera fora da chancelaria. O destino de Arsêni seria determinado ali.

Sentou-se em um banco gasto encostado na parede, contente de poder descansar as pernas. Não quis nem tentar preencher o requerimento com seus garranchos, preferindo, como todos os demais, confiar a tarefa aos funcionários.

A chancelaria era decididamente mais agradável do que o andar de baixo. A sala era bem grande, com assoalhos e mesas de madeira cobertas com tecido barato. Nas paredes, havia vários retratos de funcionários anônimos em molduras folheadas a ouro. Cinco imensas janelas traziam a brisa de fora.

Arsêni teve que esperar sua vez para ver o servidor mais graduado, conhecido por cabeça de mesa, um título comum proveniente do fato de se sentar à cabeceira. Este homem tinha a barba feita, como mandava a lei, e usava o uniforme do Estado. Impunha autoridade dentro do pequeno exército de burocratas que se bicava a seu redor. Ele era capaz de, sozinho, determinar quão agradável ou desagradável seria o dia. Suas decisões em geral eram sólidas e razoáveis, mas também podiam parecer arbitrárias e negligentes.

À medida que cada homem chegava ao início da fila, o cabeça de mesa ditava suas respostas e então assinava seu nome na parte de baixo do requerimento. Quanto a isso, não foi diferente para Arsêni do que foi para os demais: quando sua vez chegou, pôs sua assinatura quase ilegível no papel. Mas a ele coube algo a mais porque tinha importantes laços familiares com as guildas. A essa altura, Ivan era um dos apenas 1.916 comerciantes na primeira guilda e sabia exatamente como manipular o sistema. E revelou tudo a Arsêni.

O cabeça de mesa olhou atentamente o requerimento de Arsêni, verificando se havia qualquer irregularidade ou oportunidades que pudessem render alguns rublos extras do requerente. Arsêni, não sendo tão ingênuo para arriscar seu futuro, não deixou o homem esperar por muito tempo. Despretensiosamente escondeu um presentinho para ele entre os documentos.

O oficial encontrou tudo em ordem. Esperou Arsêni revelar sua intenção e justificar o requerimento. Havia ouvido muitas histórias da interminável fileira de mercadores presunçosos que manchavam seu escritório. Este aí, bocejou, seria igual a todos os outros. No entanto, brincar com esses pobres ex-servos podia até ser divertido. Arsêni seria um alvo perfeito. O diálogo deve ter corrido mais ou menos assim: "Por que você quer ser mercador? Não está um pouco tarde para isso?", pode ter perguntado o oficial, forçando o riso enquanto lançava o olhar sobre a barba quase toda grisalha e o rosto flácido e marcado de Arsêni.

"Assim como meu irmão Ivan Smirnov, eu era servo. Agora sou dono de minha própria vida e quero construir uma vida melhor para mim, para minha família e minha comunidade", teria respondido Arsêni, com a fala bem-ensaiada.

"E como você fará tal mudança? Vai raspar essa sua barba?", o homem pode ter perguntado com zombaria.

Arsêni não teria demonstrado qualquer alteração. Já devia esperar tal reação. "Farei o que minha família faz de melhor: venderei vinho, tabaco e kefir. Meu irmão Ivan faz isso há mais de 20 anos. Meu irmão Grigori também. Creio ser igualmente capaz. Está no meu sangue."

O cabeça de mesa teria mostrado ceticismo. Tantas vezes tinha ouvido esse tipo de resposta: ambição desmesurada vencida por falta de aptidão. Olhou Arsêni fixamente. Achou-o bastante são. Arsêni não parecia ser um idiota; era limpo e respeitoso, e até mesmo um pouco alfabetizado. Arsêni havia compreendido como jogar. O cabeça de mesa enfiou a propina de dez rublos no fundo do bolso.

"Parece que está tudo em ordem", deve ter declarado, assinando o requerimento de Arsêni. "Vá pagar as taxas. Vou providenciar que você consiga seu certificado de guilda."

Arsêni rapidamente passou da chancelaria a outra sala onde funcionários sentados recolhiam o dinheiro das taxas e registravam as declarações de renda. Arsêni fez as contas e declarou possuir um capital de 2.400 rublos, ou aproximadamente 1.800 dólares em 1858, o mínimo exigido na época para ingressar na classe dos mercadores.* Foi incentivado, então, a contribuir com o "fundo para a pobreza". Deu vários copeques para satisfazer o funcionário, que lhe entregou então um certificado. Era o bilhete que levaria Arsêni pelo mesmo caminho já trilhado por seus irmãos.

Arsêni retornou à chancelaria. No último documento que assinou naquele dia, estava sob juramento. "Eu, Arsêni Aleksiev, um camponês libertado pela senhora Demidova, adicionado à terceira guilda dos mercadores de Moscou, ponho minha assinatura na sede da Sociedade Administrativa de Moscou, o que me obriga a pagar todos os impostos do Estado e da cidade sem atraso. Garanto não fazer qualquer coisa que possa causar dano para minha classe. Minha família e eu somos da fé ortodoxa russa. Não somos nem eunucos, nem ducoborzes, nem moloques,** nem judeus ou de qualquer outra seita insidiosa. Além disso, me responsabilizo caso algo se prove em contrário."[8]

Os homens da família Smirnov, todos cobertos pelo requerimento de Arsêni, podiam agora renunciar a suas histórias como servos, assim como a um casaco pesado durante o verão. Eram agora mercadores da Rússia.

De volta a uma das lojas de Ivan, onde Piotr trabalhava, a conversa fluía. Na verdade, até demais. Com toda probabilidade, Arsêni e seu filho falavam desordenadamente sobre encontrar o ponto ideal para vender vinho. Discutiam ideias para abrir o negócio, o que exatamente venderiam e de que maneira. Debatiam até mesmo a possibilidade de destilar sua própria vodca. Os Smirnov estavam prontos para entrar na batalha da vodca. E a indústria da vodca também se preparava para eles.

Problemas relacionados com a vodca vinham pipocando havia algum tempo. Era um aspecto complicado e sobretudo corrupto da vida na Rússia. O governo contava com o rendimento gerado pela venda do produto. Ao fim da década de 1850, 46% do orçamento do governo, uma cifra de

* Aproximadamente 47 mil dólares hoje.

** Os ducoborzes foram uma seita religiosa que não aceitava a igreja como lugar de oração. Foram apoiados por Tolstoi no fim do século XIX. A seita dos moloques se opunha à igreja ortodoxa russa e seus rituais.

arregalar os olhos, vinha dela.[9] Com uma receita como essa, o czar e os altos oficias se sentiam movidos a estimular o consumo de bebida. Quanto mais as pessoas bebessem, mais o Estado arrecadava.

A nobreza, que gozava do direito exclusivo de produzir álcool etílico, não tinha motivo para brigar contra a posição do Estado. Eles também tiravam proveito do prolífico número de consumidores. E então havia as concessões para coleta de impostos. Cerca de 200 empreendedores privados, normalmente comerciantes, nobres ou membros da *petite bourgeoisie*, pagavam ao governo russo pelo direito de distribuir vodca dentro de regiões específicas. Eles davam lances por esses direitos em leilões realizados a cada quatro anos. O vencedor recebia a vodca, a preço fixo, e uma licença que lhe permitia comercializá-la e cobrar impostos. Era um negócio arriscado para os licenciados, que tinham que comprar todo um lote de vodca e torcer para vendê-lo inteiro.

Ainda assim, os contratos eram tão valiosos para o Estado quanto eram para os concessionários. A demanda por vodca era infinita, enquanto a produção podia ser controlada. Feitas as apostas, candidatos a distribuidores fariam quase qualquer coisa para ganhar o leilão, inclusive subornar. Estimava-se que os vitoriosos davam dinheiro a até 90% dos funcionários na cadeia de comando do comércio da vodca. O custo desses pagamentos feitos por apenas um concessionário a funcionários da administração local, de acordo com um estudo do ministro das Finanças, chegava a mais de 17 mil rublos por ano.[10]

Valia muito a pena o gasto extra desde que tudo o que um concessionário arrecadasse acima do estabelecido no contrato fosse direto para sua conta bancária. Uma estimativa avaliou em 800 milhões de rublos o rendimento anual de concessionários de impostos nos anos de 1850.[11] O sistema era praticamente um convite ao ato criminoso, que o governo tendia a ignorar desde que o dinheiro continuasse a entrar.

Uma das consequências mais danosas do sistema de concessão de impostos era a produção de álcool impuro e diluído. Para aumentar o fornecimento e o lucro, os concessionários adicionavam água à vodca que vendiam e usavam uma variedade de aditivos ilegais como sabão, cobre ou o tóxico estramônio para evitar que se sentisse o sabor da mistura na bebida. Essa prática não apenas provocava doenças nos beberrões (e em alguns casos os matava), como também os compelia a comprar mais bebida misturada para alcançar o grau desejado de embriaguez. Para tornar os problemas ainda piores, o governo aumentava os impostos sobre a vodca, e os coletores muitas vezes cobravam dos clientes significativamente mais do que o preço legal, decretado pelo Estado. No fim dos anos 1850, os camponeses pagavam mais de dez rublos por balde de vodca, ou seja, mais de três vezes o valor estabelecido.[12]

A situação não era sustentável. Alguma coisa tinha que ser feita. Até o fim do ano de 1858, apenas alguns meses depois do triunfo de Arsêni no Departamento Mercantil, algo de fato foi feito. Camponeses ultrajados, que pagavam um preço mais alto por causa das práticas corruptas no comércio da vodca, contra-atacaram. Começaram a jurar sobriedade. Comunidades inteiras fizeram voto coletivo de abstinência. No sul do país, na cidade de Balashov, por exemplo, a população se reuniu na praça principal para rezar de joelhos. "Com lágrimas de arrependimento e alegria, arrependimento do grande pecado da embriaguez, fizeram um juramento por sobriedade, depois do qual guardas foram enviados a todas as tabernas, e punições foram estabelecidas para aqueles que quebrassem o juramento."[13]

Naturalmente, o protesto não provinha de nenhum levantamento moral contra os males da bebida. Surgiu simplesmente do desejo de forçar os coletores de imposto a vender uma vodca melhor e mais barata. Conforme explica um observador, "a vodca em si é boa. ... O verdadeiro dano vem do fato de ser cara e de baixa qualidade, o que o obriga, para ficar 'alto', a dar ao dono da taberna seu sobretudo, seu chapéu, o machado e a carroça como garantia. E, mesmo assim, a vodca é tão ruim, que só lhe faz sentir-se mal, como um veneno. Era isso que as pessoas não podiam tolerar. Foi por isso que boicotaram a vodca."[14]

O movimento, que logo se espalhou por 32 províncias em toda a Rússia, mexeu com as bases do país. Os jornais relatavam o assunto em uma seção especial intitulada "A propagação da sobriedade". Estado, consessionários de impostos, agricultores de grãos e proprietários de tabernas afligiam-se pensando no que fazer. Alguns concessionários cederam: baixaram o preço e melhoraram a qualidade geral da vodca. Era um primeiro passo importante, embora pequeno, no sentido de uma economia mais aberta, voltada para o mercado. Mas isso não bastou para deter o crescente descontentamento e a amargura da população.

Em maio de 1859 o boicote à vodca se tornou violento. Manifestantes invadiram e destruíram bares, quebraram garrafas e mobília e bateram em policiais e autoridades do governo. No período de apenas três dias, foram destruídos 61 bares na província de Penza, no sudeste do país. Foi apenas o começo. Os motins se espalharam rapidamente, desencadeando uma torrente de raiva reprimida em 38 regiões ou distritos diferentes. No fim do ano, 260 estabelecimentos tinham sido atacados em 200 comunidades. Quase 800 pessoas foram presas e processadas por participar da violência depois que o governo e o Exército intervieram e subjugaram brutalmente a ofensiva.[15]

Mas o recado estava dado. O sistema antiquado e completamente corrompido que tinha governado o comércio da vodca na Rússia por mais de 100 anos estava falido, um triste lembrete de que já estava mais que em tempo de reformá-lo. Assim como a servidão, o sistema de coleta privada de impostos tinha que acabar.

ENQUANTO O CZAR ALEXANDRE II formulava o que mais tarde seria conhecido como As Grandes Reformas, Piotr e seu pai se preparavam para a mudança que se anunciava. Piotr deixara de trabalhar para o tio em 1859 e passava o tempo fazendo planos com Arsêni. Tinham capital limitado e estavam restritos ao escopo da licença comercial. Mas nada podia sufocar o entusiasmo compartilhado pelos dois. Foi uma época feliz para eles. E Piotr tinha uma nova mulher em sua vida.

Seu nome era Natalia Tarakanova. Tinha muita coisa em comum com Piotr, conforme atestam documentos da época. Também havia sido serva na região de Yaroslavl e fora libertada em 1853. Seu pai, como Piotr, viera para Moscou tentar a vida como comerciante. Pouco depois de ingressar na guilda, em 1853, o pai morreu, e os negócios da família passaram a ser administrados por ela e pela mãe. Era uma mulher de negócios capaz, competente e séria para seu tempo. Essa habilidade deve ter chamado a atenção de Piotr, agora ávido por encontrar um sócio que pudesse compreender, apoiar e promover suas ambições.

Ele deve ter gostado também da aparência de Natalia. Ela era jovem e inocente, e provavelmente não tinha mais que 19 anos de idade quando se conheceram (Piotr tinha 27). Seus traços exatos são desconhecidos, pois não restaram fotografias, desenhos ou pinturas. Além da bela aparência, entretanto, ela tinha a oferecer uma combinação vitoriosa de inteligência e ternura. Para Piotr, ela daria a esposa perfeita – e a mãe de seus filhos.

Os dois se casaram no fim de 1858 ou no início de 1859. Agora Piotr podia de fato se separar de seu tio Ivan, e não demorou a fazê-lo. De acordo com o registro de bens imobiliários, o casal alugou um espaço de um rico mercador que possuía vários imóveis. Ficava exatamente em frente à casa que, mais tarde, Piotr compraria, e na qual viveria pelo resto da vida. A nova residência ficava em um edifício amarelo pálido de dois pavimentos que o casal compartilhava com uma loja de bolos de especiarias. O cheiro dos doces com calda de açúcar, uma espécie de tradição nacional, tomava a vizinhança inteira. Não demorou muito para Natalia ficar grávida. No meio do ano de 1859, sua barriga já aparecia, e em dezembro ela deu à luz a primeira filha de Piotr, Aleksandra, em casa.[16]

Aleksandra não viveu muito. Morreu de sarampo seis meses mais tarde. A morte de um segundo filho deve ter deixado Piotr atormentado e Natalia, inconsolada, situação que os impeliu a mudar-se novamente. Dessa vez, Piotr e sua mulher procuravam consolo e bem-estar. Encontraram no lar do sacristão da igreja de São João Batista, mesmo lugar onde um dia seria realizado o funeral de Piotr. Ficava no distrito de Zamoskvorechye, que concentrava mercadores em geral e, em particular, imigrantes vindos de Yaroslavl. A rua não tinha o mesmo alvoroço da Varvarka. Mas era um centro comercial promissor, ideal para novos comerciantes.

Piotr se sentiu em casa. Era o mais próximo da vida na aldeia a que chegaria em Moscou, com rostos familiares, valores semelhantes e vizinhos simpáticos e devotos. E ficava apenas a cinco minutos de um império que nascia.

Arsêni abriu sua primeira adega em uma casa no distrito de Pyatnitskaya. Era conhecida como *renskovi pogreb*, que significa "adega do Reno". No século XVIII, grande parte do vinho na Rússia vinha da região do vale do rio Reno, na Alemanha. Na época de Smirnov, ele vinha de toda parte, mas o termo ainda era usado genericamente para se referir a qualquer lugar que vendia bebidas alcoólicas. A entrada do estabelecimento era marcada por um lampião de querosene e uma placa verde inscrita com letras douradas que diziam: adega do Reno de Arsêni Smirnov. Embora o negócio levasse o nome de Arsêni – que era mesmo o proprietário oficial –, ele delegou boa parte da administração a Piotr e sua mulher.

Arsêni conhecia relativamente pouco sobre o cerne da indústria de destilados: fornecedores, preços, manufatura. Piotr, ao contrário, sabia tudo a respeito. Anos sob a tutela do tio lhe haviam ensinado coisas essenciais, como onde encontrar a melhor bebida e lucrar com ela. Tinha contatos ao norte, ao longo de todo o caminho até Uglich, e também direto no coração de Moscou.

Pai e filho começaram pequenos – como tinha que ser. Legalmente, não podiam destilar bebida ou servir comida. O *renskovi pogreb* de Smirnov provavelmente vendia vinho no copo ou em quantidades, e os consumidores podiam escolher beber no próprio local ou levar. Também vendiam vodca, produzida em outro local. Para firmar os laços com a comunidade, permitiam que os clientes ficassem o quanto quisessem na pequena adega enegrecida pela fumaça. Mas Piotr tomava o cuidado de não deixar os clientes sedentos beberem demais. Queria que seu estabelecimento, ao contrário de muitos outros, fosse um lugar respeitável. Cultivava sua reputação, querendo ser conhecido como alguém que se importava igualmente com os consumidores e com as vendas. O compromisso com o consumo responsável do álcool era precoce e incomum. E revelava a formação da imagem altamente cultivada que Piotr alimentaria ao longo da carreira.

Depois de alguns meses, Arsêni e Piotr acrescentaram tabaco e kefir à linha de produtos. E em 1861, abriram outras duas lojas e uma adega, que vendiam os mesmo artigos e também bebida destilada para viagem.[17] Trabalharam com diligência e prosperaram mais que a maioria, levadas em conta as limitações de seu tempo.

Historicamente, o regime czarista sempre tivera dificuldades para soltar as rédeas da economia. A disponibilidade de capital era um problema, e quase não havia incentivos para novos empreendimentos. Além disso, o investimento externo era escasso. Aos trabalhadores faltavam proteção básica, benefícios e modelos de produtividade. E não havia de fato um Estado de direito para controlar a livre empresa. Nesse ambiente, fundaram-se poucas corporações – eram apenas 68 em todo o país em 1847[18] – e poucas sobreviveram por muito tempo, particularmente nas áreas onde a manufatura, a indústria pesada e o transporte eram controlados pelo Estado.

O czar sabia que esse cenário não podia continuar se a Rússia quisesse crescer. Precisava encontrar um modo de impulsionar os cidadãos mais empreendedores da nação, dar-lhes incentivos para criar negócios e trabalhar mais. No dia 19 de fevereiro de 1861, seis anos após sua coroação, e depois de muita discussão, Alexandre II, mais tarde conhecido como o grande reformista, se trancou sozinho em seu escritório e assinou o manifesto que abolia a servidão. Cerca de 22,5 milhões de servos, ou 40% da população do país, ganharam direitos civis, uma estrutura para ter a própria terra e a possibilidade de se engajar livremente em qualquer tipo de trabalho remunerado.* Mais ou menos à mesma época, o governo anunciou que a produção, a destilação e a venda por atacado e a varejo de vodca e outros destilados estavam abertas a todos. O sistema de coleta privada de imposto foi extinto; seria substituído dentro de dois anos por um sistema fiscal. A ideia era acabar com a corrupção que por anos enfureceu fabricantes e vendedores de vodca ao mesmo tempo em que fazia crescer a receita do governo com impostos robustos.

As duas gigantescas reformas tiveram um efeito extraordinário sobre a Rússia – e sobre Piotr Smirnov. Meses depois da proclamação do czar, sinais de progresso, modernização e ocidentalização podiam ser vistos em toda parte. Memórias de moscovitas da época descrevem uma cidade pacata que se transformou em um lugar cheio de atividade. Carruagens

---

* Os servos ainda enfrentavam dificuldades para deixar suas aldeias e em geral não tinham dinheiro para comprar terras, devido aos preços elevados.

antiquadas desapareceram, substituídas por modelos mais modernos e elegantes, com boleia para o cocheiro. O gás chegava às casas bombeado por grandes caminhões que pareciam quase americanos. Foram abertas escolas para mulheres, à medida que uma instrução mais elevada se tornou moda. Até a imprensa tinha mais liberdade. "Havia algo novo em tudo", recorda um residente da cidade. "As ruas e os edifícios eram os mesmos. Mas não havia nenhum sinal da antiga Moscou. Os traços do reino adormecido haviam desaparecido."[19]

No lugar do velho cenário, cidadãos agora liberais fumavam nas ruas e usavam cortes de cabelo rebeldes. Os homens trocaram as botas pesadas de cano longo por modelos importados de cano baixo. As mulheres, enlouquecidas pela moda europeia, faziam compras em lojas elegantes que abriram na rua Tverskaya. Multidões antes temerosas da escuridão de Moscou passaram a sair à noite, pois as praças foram iluminadas por lampiões de querosene.

O ambiente e a mentalidade animaram a maioria dos russos. O efeito em negociantes como os Smirnov foi substancial. Embora ainda fossem discriminados, tinham agora status e melhor imagem de si mesmos. De acordo com Pavel Buryshkin, conhecido comerciante que escreveu a crônica de sua classe na Moscou do século XIX, "a partir dos anos 1860, a vida cotidiana [dos distritos mercantis] sofreu uma grande mudança. Crianças começaram a receber instrução. Jovens comerciantes estudavam não apenas na academia comercial, mas também na universidade. As filhas de mercadores começaram a falar inglês e a tocar os noturnos de Chopin. Déspotas imbecis e teimosos renasceram em homens de negócios que se deram conta de seu poder material."[20]

Era como se a esperança tivesse se infiltrado na água das casas, esguichando a promessa de dias melhores sobre toda a população. Piotr Smirnov foi engolfado pelo novo clima. Viu na busca de modernização e industrialização uma oportunidade para ele e sua família. Deve ter achado que o imperador falava diretamente com ele ao reconhecer o papel essencial dos comerciantes para o renascimento econômico russo. Diante da convocação ao empreendedorismo, Piotr não hesitou.

Marchou até a Sociedade Administrativa de Moscou, apresentou seus documentos para os funcionários, declarou seu capital e saiu com sua própria licença comercial. Juntou-se ao pai como membro da terceira guilda. Ao contrário do tempo em Yaroslavl, não tinha mais qualquer amarra, estava pronto para forjar seu próprio futuro.

Era 1862 e Piotr Smirnov tinha ouvido o sinal inquestionável. Pela primeira vez na vida, parecia acreditar que qualquer coisa era possível. E estava a caminho de prová-lo.

4. O fabricante de vodca

NÃO DEMOROU para que o verdadeiro Piotr Smirnov aparecesse. Transformado pela oportunidade, incansável e determinado como um missionário, queria compensar o tempo perdido.

A vida estava um verdadeiro alvoroço. Piotr tinha substituído o pai em praticamente todos os aspectos dos negócios. Arsêni estava tão convencido de que seu menino estava no caminho certo que abriu mão do status de comerciante e desceu um degrau na escala social, passando à pequena burguesia. Não via motivo para manter as aparências ou continuar a pagar dívidas à guilda e impostos ao Estado. Piotr podia tomar tais responsabilidades em nome da família, já que era quem realmente tinha prazer com a rápida melhora de vida. Estava totalmente absorvido pela administração das três lojas da família e já fazia planos de expansão. Na época, de acordo com um perfil compilado para uma exposição comercial, o negócio empregava nove trabalhadores, incluindo Piotr, Natalia e Arsêni. Mas Piotr sabia que esse pequeno grupo em breve estaria sobrecarregado com mais e mais trabalho.

A indústria de destilados crescia rapidamente. Após a emancipação e o fim do sistema de coleta privada de impostos, os preços da vodca caíram 65%, passando de 25 rublos por balde para 8,60. Consumidores e imprensa agora se referiam ao líquido tóxico como "coisa barata".[1] A qualidade também melhorou, já que o incentivo para diluir ou acrescentar impurezas diminuiu. Com isso, o consumo disparou: os russos bebiam cada gota do álcool produzido e ainda pediam mais. Em 1863, foram gastos 300 milhões de rublos a mais em bebidas alcoólicas que no ano anterior.[2] "A opinião de que a reforma tinha levado a uma orgia de embriaguez se tornou ponto pacífico na população", escreveu o professor de história russa contemporânea David Christian.[3]

Parte da tórrida bebedeira pode ser explicada pela grande disponibilidade de bebida alcoólica. No mesmo ano, entre 1862 e 1863, o número de locais para beber apenas em Moscou passou de 371 para 3.168.[4] Esses locais soturnos estavam por toda parte, até mesmo perto de monastérios, hospitais, cemitérios e escolas. Havia mais bares que médicos por pessoa. O mesmo se dava em toda a Rússia, que, de 78 mil pontos de venda antes da emancipação, passou a ter mais de 265 mil no fim de 1863. A razão era simples: as licenças para operar adegas e bares tinham ficado baratas, criando um caminho rápido e fácil para que as classes mais baixas aumentassem seu padrão de vida. O preço para vender vinho, por exemplo, era o equivalente a cerca de insignificantes 27 dólares.

É claro que o país sofreu com os efeitos nocivos da bebida. Prisões decorrentes do consumo de álcool em Moscou pularam de aproximadamente 7 mil em 1842 para quase 12 mil em 1863. A preocupação com a saúde também aumentou. De acordo com registros oficiais e com historiadores, as mortes por intoxicação alcoólica e outras doenças geradas pela bebida eram tão numerosas que "ficava difícil contabilizá-las".[5]

Mas os efeitos colaterais negativos eram rapidamente varridos para baixo do tapete. A euforia decorrente das reformas liberalizantes do czar Alexandre II comandava a atenção do povo. Além da emancipação e da abolição do sistema de coleta privada de impostos, o czar introduziu uma forma de governo local autônomo conhecida como *zemstvo*. Essas organizações cívicas, cuja função principal era tratar de assuntos econômicos e culturais de sua região, reuniam cidadãos de todos os estágios da cadeia alimentar social. Isso incluía a pequena aristocracia, o clero, os comerciantes e os camponeses. O *zemstvo* não tinha nenhuma autoridade de fato e foi descrito por contemporâneos como "um prédio sem fundação e sem telhado".[6] Mas, no princípio, muita gente teve a sensação de aumento de poder, e de que o país pudesse estar caminhando em direção a um modelo mais constitucional e democrático.

Em 1864, um conjunto de reformas judiciais, incluindo a criação de tribunais públicos, substituiu o antigo sistema feudal. Representantes de todas as camadas econômicas eram reunidos para julgar outros cidadãos, o que ajudava ao menos a dar uma aparência de Estado de direito que tratava as pessoas – e as empresas – de modo imparcial. A nobreza já não tinha todos os privilégios. Outras reformas se seguiram nos anos seguintes, estabelecendo menos censura, reestruturações militares e a criação de órgãos governamentais descentralizados com representantes de todas as classes.

O período das chamadas grandes reformas, que durou de 1861 a 1874, ofereceu um momento especial para os russos. Foi a época com o maior número de corporações licenciadas pelo regime czarista e do surgimento rápido de muitos bancos comercias. Os avanços tecnológicos, parte central desse esforço, vieram em velocidade relâmpago. Mas talvez o fato mais notável tenha sido o espírito empreendedor e o entusiasmo com o desenvolvimento econômico que as reformas suscitaram. Alguns historiadores concluíram que, se a nação não tivesse colocado problemas domésticos em primeiro plano, fornecendo, assim, o combustível para a Revolução Bolchevique, a Rússia poderia ter permanecido em um curso capitalista, e talvez tivesse ultrapassado as maiores economias ocidentais.

É improvável que Smirnov compreendesse exatamente de que modo essa nova dinâmica política e social afetava sua situação imediata. Todavia, investiu nela.

Em alguns aspectos, a infância de Piotr Smirnov tinha sido uma série interminável de aulas de teatro. Por fora, tinha que parecer respeitoso e sério, um exemplo da obediência cega e da diplomacia esperadas de um comportado filho de camponeses. Internamente, porém, não parava de pensar e tramar em segredo seus próximos passos. Aos 30 anos, ele repetia o padrão.

Ele era um pequeno negociante de bebidas, um homem que fornecia uma variedade de bebidas, além de chucrute e picles, a um grupo de clientes na maior parte de classe média ou baixa. Mas ele queria muito mais. Queria juntar-se à pequena mas crescente lista de ex-servos que, sem privilégios de nascimento, contaram apenas com inteligência nata e tino comercial para se transformarem em alguns dos maiores magnatas russos. Os nomes eram conhecidos da maioria dos russos: o barão dos tecidos e financista Morozov, o fabricante de chocolate Abrikosov e o fabricante de tecidos Konovalov. Essas pessoas enfiaram no baú o passado humilde como se faz com fotografias antigas, jamais olhando novamente para as imagens desbotadas. Tinham tropeçado na sorte e tirado dela o melhor proveito possível, abrindo suas empresas em um momento em que o Estado precisava delas e havia poucos concorrentes.

O sucesso desses homens pode ter servido de modelo para Smirnov. Eles optaram por ingressar em atividades cuja demanda fosse significativa. Fizeram as empresas crescerem confiando na família e nos amigos – e, em menor grau, no Estado – como fontes de mão de obra, dinheiro e conselhos. Também investiam em recursos de tecnologia de ponta como transporte rápido e maquinaria de última geração. Por fim, como Smirnov deve ter notado, mantinham posições de destaque em grupos de caridade e religiosos para amenizar o estigma de homem rico e para reforçar laços com líderes e aristocratas influentes da cidade.

Avaliando o percurso vitorioso desses ex-servos, Smirnov deve ter compreendido a doce posição em que se encontrava. A demanda por bebida destilada, especialmente por vodca, era um buraco sem fundo. A competição era pouca: havia aproximadamente uma dúzia de produtores de vodca em Moscou em 1864, a maioria com menos de dez empregados. E o capital inicial, tanto em termos financeiros quanto humanos, estava dentro de suas possibilidades.

Para replicar o prestígio e o poder de homens como Morozov ou Konovalov, Smirnov teria de pensar mais alto que em pequenos bares e adegas, e sabia disso. Teria que tomar o espaço dos intermediários gananciosos que lhe forneciam a bebida. Ele tinha muitas conexões para iniciar sua própria produção, o que lhe permitiria controlar o sabor e a qualidade da vodca que vendia. Poderia igualmente distribuí-la a outros proprietários de bares, aumentando ainda mais os rendimentos e o lucro. Com o tempo, também poderia exportar para outros territórios russos. Moscou era a estação central da estrada de ferro nacional em construção e, portanto, o lugar perfeito de onde enviar produtos.

Smirnov abraçou o óbvio: estava na hora de começar a produzir vodca. O ano era 1864, o mesmo em que um futuro desafeto seu, Tolstoi, escrevia o épico *Guerra e paz*.

Smirnov viu na residência de seu colega de ofício Aleksei Shekhobalov o ponto perfeito para instalar uma destilaria de vodca. Ficava perto de sua casa, entre as ruas Ordynka e Pyatnitskaya. O espaço abarrotado e úmido já estava estruturado para produzir álcool. Tinha um alambique de metal, uma caldeira a vapor e uma área de armazenamento. Era perfeito para fazer vinho, vodca, licores e as doces *nalivkas*, misturas de frutas e vodca que mais tarde tornariam Smirnov famoso.

Smirnov não manufaturava o álcool (etílico), conhecido então como "vinho de pão". Esse era um trabalho para destiladores, que usavam matérias-primas como trigo, centeio e batata para fazer bebida. Smirnov comprava o álcool-base diretamente de fornecedores selecionados e se concentrava na parte mais rentável do negócio, que era misturar o álcool com água, frutas e outros aditivos para criar a vodca mais saborosa que o dinheiro podia comprar.

A entrada no mundo da produção veio naturalmente. Não havia necessidade de contratar um mestre em fermentação. Piotr, com a ajuda de Natalia, Arsêni e um punhado de outros trabalhadores, assumiu a função. Já era bastante habilidoso na arte da destilação. Além disso, não o ocuparia tanto produzir a pequena quantidade necessária no início, o equivalente a aproximadamente 250 litros de vodca por vez, quantidade suficiente apenas para encher uma banheira mediana.

O processo era objetivo. Primeiro, Smirnov vestia um comprido avental branco e luvas. Testava então a vodca comprada dos fornecedores. O líquido era mais ou menos forte dependendo da temperatura usada na produção. Muitas vezes os destiladores enganavam sobre a qualidade da bebida. Piotr então utilizava um instrumento de medida comum, embora complexo, conhecido como hidrômetro, para calibrar a porcentagem de álcool por volume e usava essa informação para determinar o volume de água a ser adicionada ou subtraída do líquido para conseguir a intensidade de álcool desejada, em geral 38% para a vodca pura e bem menos, aproximadamente 20%, para as vodcas aromatizadas que inventava. Uma vez terminada essa etapa, seguia uma receita simples, produzindo um vasto leque de drinques à base de vodcas com sabor.

Um dos sabores mais comuns nos anos de 1860 era a vodca de anis. Para esse tipo, Smirnov precisava de 180 gramas de anis fresco moído. O pó então era posto em uma cuba e misturado com nove *shtofts* (ou 10,8 litros) de bebida. O líquido era colocado em um grande recipiente de vidro e posto para descansar por nove dias. No décimo dia, Smirnov o transferia para um alambique de metal e o aquecia em fogo baixo até que estivesse inteiramente destilado. O que restava daria para quase cinco *shtofts* (seis litros) de um álcool com odor penetrante. Mas o sabor ainda precisava ser refinado. Acrescentava-se açúcar, depois mais água fresca, o que dava ao líquido um matiz ligeiramente leitoso. Uma clara de ovo também entrava na mistura, e depois o líquido resultante passava por um filtro de carvão vegetal e era finalmente engarrafado para ser vendido.[7]

Esse tipo de vodca era apenas uma das muitas oferecidas pelos produtores no século XIX. A de Smirnov devia ser pelo menos tão boa quanto a de qualquer outro no mercado, porque seu negócio decolou. A demanda superou a oferta – especialmente para a bebida de Smirnov. Pessoas da região começaram a comentar que Piotr Smirnov se importava com o gosto e a pureza da vodca. As histórias diziam que ele selecionava a água mais pura, o melhor álcool e os ingredientes mais frescos em suas misturas. Smirnov se aproveitou das histórias, sugerindo aos clientes, quase todos de classes baixas, que somente ele se dedicava a fazer uma bebida de tão alta qualidade a preço razoável.

Se eram meros boatos espalhados pelo próprio Smirnov, ninguém sabe. Mas o resultado era o mesmo: seu negócio e seu bem-estar financeiro aumentaram além das expectativas. Mais adegas foram abertas e, em 1867, três anos depois de abrir sua fábrica de vodca, Smirnov tinha dinheiro suficiente para comprar uma casa de pedra de dois andares na esquina da rua Pyatnitskaya, perto do aterro do rio Moscou. A casa era uma mansão com um pátio espaçoso nos fundos. Estava um tanto acabada e tinha poucos dos paramentos demonstrativos de riqueza que mais tarde fariam pedestres parar a meio passo.

A casa era grande o bastante para que o centralizador Smirnov pudesse manter-se permanentemente de olho em cada aspecto de seu império em expansão, que agora empregava aproximadamente 25 pessoas. O primeiro andar funcionava como adega e loja de varejo. O amplo segundo andar provou-se ideal para um escritório para si e cômodos para sua prole, que já somava quatro meninas. O pátio, que continha uma construção desabitada, poderia ser usado para qualquer coisa, de armazenagem a abrigo para trabalhadores. Havia ainda um porão bem profundo, ideal para preservar vinho e outras bebidas.

A localização da casa também era magnífica. Ficava perto do Kremlin, em um cruzamento movimentado que permitia expor a todos os transeuntes o nome do fabricante, que ele orgulhosamente exibia acima da entrada da loja, na quina do prédio.

A plataforma de expansão e crescimento dos negócios de Smirnov refletia o que acontecia por toda a cidade. Moscou havia se tornado o coração da revolução industrial na Rússia. As fábricas se espalhavam por toda parte. Produtores de alimentos – de salsicha a chocolate e espaguete – abriram estabelecimentos por toda a cidade, fazendo de Moscou a capital da indústria alimentícia da Rússia. Manufaturas de tecidos e papel também afloraram, atraindo capital e ondas de trabalhadores sem precedentes. A construção da ferrovia não parava. Até mesmo bancos privados eram inaugurados, marcando a primeira vez em que o Estado incentivava o investimento financeiro independente na indústria russa. O Banco Mercantil, por exemplo, abriu as portas em 1866 em Moscou com a expressa missão de criar "um estabelecimento que promova a indústria e o comércio".[8] A indústria da vodca também crescia com grande intensidade. Quatro anos após a abertura da fábrica de Smirnov, o número de produtores em Moscou havia triplicado.

"O capitalismo modificou Moscou muito mais do que qualquer outra cidade na Rússia, incluindo São Petersburgo, onde a corte, as autoridades e os militares ainda definiam sua atmosfera. Moscou, ao contrário, se transformava de cidade nobre a capitalista", registrou um escritor.[9] O dinheiro novo também alimentava o começo de um renascimento cultural. São Petersburgo dominava a cena artística russa. Nobres e autoridades do governo financiavam uma litania de ofertas culturais sem comparação. Mas a capital estava atada a valores tradicionais e a um pensamento mais convencional sobre o que se constitua como arte. Moscou, com seu influxo de novos ricos e trabalhadores temporários de várias classes, desenvolvia uma atitude mais liberal sobre a literatura, o teatro e outras criações artísticas. Um gênero conhecido como poesia rural, por exemplo, escrita por camponeses e imigrantes, surgiu na cidade na década de 1860. Novos teatros foram inaugurados, dando as boas-vindas a produções vanguardistas. O Conservatório de Moscou, que atraiu gigantes da magnitude de Piotr Tchaikovski, foi fundado em 1866 pelo pianista e compositor Nikolai Rubinstein. Sua única missão era promover maior instrução musical ao povo. Novas publicações apareceram como vitrines para escritores renomados como Tolstoi, Dostoievski e Turgeniev.

A nascente cena artística de Moscou era notória, embora invisível a muitos moscovitas, inclusive a Smirnov, que não via utilidade em tais frivolidades, distrações pouco práticas promovidas pela pequena aristocracia. Além do mais, arte não tinha qualquer relação com religião ou com os negócios – as duas coisas que interessavam ao míope fabricante de vodca e a muitos outros comerciantes vizinhos. "Há áreas inteiras para as quais o teatro simplesmente não existe, onde os habitantes tratam os espetáculos teatrais como rituais do diabo. A área de Zamoskvorechye [onde Smirnov morava] é uma delas", registrou um historiador.[10]

Uma coisa que realmente prendeu a atenção de Smirnov, além do trabalho incessante, foi a chegada do primeiro filho. No dia 26 de janeiro de 1868, nasceu Piotr Pietróvich Smirnov. O nascimento, assim como seria a morte do próprio Smirnov, foi registrado na igreja de São João Batista, mais abaixo da rua Pyatnitskaya. A escolha do padrinho foi um gesto simbólico e significativo. Era Nikolai Smirnov, primo de Piotr e filho de seu mentor, o tio Grigori. Poucos outros detalhes sobre o bebê foram registrados pela igreja.

O evento foi provavelmente memorável para a jovem família Smirnov. Na Rússia, as dinastias, a maioria das quais descendentes da nobreza, dominavam o mundo dos negócios. Algumas, entretanto, faziam-se por si só. Tais famílias carregavam uma desconfiança inerente e um pressentimento de que a riqueza individual era um privilégio raro, frequentemente breve, que tinha que ser protegido. O sentimento forçava esses comerciantes a confiar apenas nos herdeiros para salvaguardar posições e situações financeiras tão duramente alcançadas. Smirnov, antigo servo e camponês, compreendia a fragilidade de seu novo estado de abastança.

Com o nascimento e a subsequente sobrevivência do filho, Smirnov podia vislumbrar uma vida longa para seu emergente império. O surgimento do menino o pôs no caminho certo para seguir os passos de outras dinastias de sucesso – como os Morozov, os Gubonin e os Tretyakov. Como eles, Smirnov tinha agora a possibilidade de deixar um legado que perdurasse muito além de sua vida. Nem ele nem qualquer de seus descendentes teria que jamais temer a pobreza ou a dificuldade outra vez – pelo menos era o que parecia.

Talvez inspirado por tal grandiosidade, Smirnov quase não pensava em outra coisa além de produzir mais, vender mais e manobrar estrategicamente sua lista crescente de concorrentes. Smirnov já tinha algum sucesso. Seus vizinhos o conheciam. Os camponeses de Yaroslavl o apoiavam. Os membros da família e seus contatos o promoviam. Restaurantes e bares locais serviam sua bebida. Mas, fora desse grupo bem-definido, era um respeitável joão-ninguém, não mais reconhecido que o ferreiro ou o açougueiro do bairro.

Ao ambicioso Smirnov, só servia a notoriedade de longo alcance. Queria reconhecimento pelas realizações conquistadas com o próprio esforço. Queria sua vodca na mesa de todos os russos. Queria especialmente que o czar conhecesse seu nome e provasse suas receitas. Em 1869, Smirnov, provavelmente com a ajuda de um secretário ou de um assistente pessoal, tomou a destemida decisão de fazer uma petição à corte imperial.

Era uma ação extraordinariamente corajosa. Fornecer *qualquer coisa* para a corte era a mais elevada das honrarias. De acordo com os arquivos imperiais, muitos fabricantes e artistas mundialmente famosos desfrutaram do título de fornecedor da corte ao longo dos anos. A Tiffany and Co. e Peter Carl Fabergé estavam entre os joalheiros oficiais do czar. A Steinway and Sons fornecia à corte pianos de cauda. A Singer era fornecedora imperial de máquinas de costura. A companhia Daimler Motor manufaturava automóveis para a corte. Fornecedores menos conhecidos a abasteciam com tudo, de sabão a peles, de madeira a selas. Até mesmo um médico que usava sanguessugas chamado Stepan Gorbachevski constava da lista de fornecedores reais nos anos 1850.[11]

O fato de Smirnov querer fazer parte dessa seleta relação, após menos de cinco anos como fabricante de vodca, demonstra a ambição inflamada e impaciência cada vez maior. Se tivesse se importado em investigar os critérios exigidos para ser um fornecedor da corte, saberia que não tinha qualquer chance. A ninguém poderia ser concedido o título sem que antes tivesse fornecido serviços ou produtos à corte por no mínimo oito anos. Uma nota especial emitida em 1866 pela Chancelaria do Escritório do Ministério da Corte Imperial explicava o porquê.

> O título de Fornecedor ou Comissário da Corte e o direito de usar o brasão imperial devem ser concedidos somente àqueles indivíduos que ou forneceram determinados bens por uma importância significativa à corte imperial ou tenham cumprido algum tipo de trabalho para a corte no curso de oito a dez anos consecutivos. Este privilégio não pode ser transferido por herança ou por nenhum outro meio de um indivíduo a outro. O título é concedido a uma pessoa que tenha provado ter escrúpulos, diligência e capacidade por um período mínimo de oito anos. O título é dado apenas pelo tempo em que durar a prestação do serviço.[12]

Infelizmente, Smirnov não tinha nenhum relacionamento com a corte imperial. E, o que é pior, não tinha nenhuma condecoração, prêmio ou posição de prestígio para reforçar sua posição. Mas algo que pode ter contado a favor de Smirnov era sua nacionalidade. Surpreendentemente, na época, apenas um dos fornecedores de vodca do czar, Popov, era russo nativo. Dois deles vinham da França – Kamill Deprés e Emile Rouget – e um terceiro, Aleksandr Shtriter, da Alemanha. Embora tivessem fábricas em Moscou ou em São Petersburgo, eram de origem estrangeira.

Para o czar e seus amigos aristocratas, as raízes estrangeiras dos fornecedores de vodca deviam ter um apelo especial. A vodca russa sempre havia sido associada a um produto caseiro, uma bebida de uma simplicidade mais apropriada para as massas humildes do que para um sofisticado consumidor real. Produtos vindos da França, ao contrário, eram considerados particularmente refinados, com estilo e de alto nível. De fato, os russos adoravam e festejavam tudo o que fosse francês, fosse moda, comida ou literatura. Falar a língua era símbolo de status, sinal de bom berço. A fim de preservar sua privacidade, nobres russos rotineiramente falavam francês entre si quando os empregados estavam por perto.

Smirnov não recuou por isso e defendeu sua causa em um requerimento ao ministro da corte imperial datado de 20 de fevereiro de 1869. No documento, enfatizou o escopo de seu negócio – a produção de vinhos de uvas russas e estrangeiras, licores, licores de fruta e vodcas – e tentou então convencer a corte. "Especialistas recordam encontrar em meus vinhos tal nível de maestria, que não é nem minimamente comparável ao que acharam em fábricas renomadas de São Petersburgo e Moscou. Venho corajosamente requisitar ante Vossa Alteza a permissão de ser nomeado fornecedor imperial, o que seria a mais alta honra para mim."[13]

A resposta, indiferente e inequívoca, veio um mês depois. Escrita por um funcionário do escritório do ministro da corte imperial em Moscou, dizia que a requisição de Smirnov "não pode ser atendida, uma vez que, de acordo com as regras existentes neste ministério, semelhante privilégio é concedido apenas a pessoas que, por um período de não menos de oito anos ininterruptos, forneça seus produtos à corte real. Sucede que o pretendente em questão, de acordo com meus registros, nunca forneceu vinho à corte."

Não se sabe qual era a expectativa de Smirnov. Talvez esperasse achar um atalho para a grandeza. Se pudesse se promover como o fabricante de vodca real, o fornecedor escolhido pelo czar, então todos os russos e europeus saberiam que sua vodca era a melhor. A ascensão de Smirnov até aquele ponto havia sido tão miraculosa quanto eficiente. Havia experimentado um triunfo atrás do outro e despontava como um empresário de sucesso que começara do zero. Tinha agora duas escolhas. Podia remoer aquele fracasso e vender vodca da mesma maneira como sempre fizera ou bolar um plano inspirado que lhe assegurasse o título real que desejava tão ardorosamente. Era um momento decisivo para o fabricante de vodca. A recusa do czar, em lugar de conter a ambição desproporcional de Smirnov, a alentou ainda mais. Algo profundo dentro dele veio à tona, uma centelha criativa que transformaria Smirnov de homem de negócios competente em um dos comerciantes mais engenhosos de seu tempo.

5. "Peçam vodca Smirnov"

Com a recusa do czar, Smirnov identificou um ponto crítico de sua história. Mesmo bem-sucedido nos negócios, faltava-lhe a pompa de um fornecedor real. A Rússia era um país governado por regras arcaicas, tradições consagradas e por uma arraigada hierarquia. A aparência era tão importante quanto a realidade.

Vendo a situação desta perspectiva, Smirnov reconheceu que tinha pouca razão para recomendar a si mesmo. De fato, havia se tornado mais refinado nos últimos anos e tinha até mesmo conseguido se livrar dos vestígios mais visíveis dos tempos na aldeia. Não usava mais cafetãs compridos ou sobrecasaca com largas calças escuras enfiadas nas botas de cano longo, o uniforme de homens da classe baixa. Agora usava ternos pretos ou escuros muito bem cortados por bons alfaiates, sempre seguindo a moda europeia. Um reluzente relógio de bolso de ouro prendia-se ao colete por uma grossa corrente. Fotos mostram que mantinha a barba escura bem rente à pele, e que usava creme para manter o cabelo esticado para trás.

Mas ele sabia que a elite do poder russo se importava pouco com esses detalhes superficiais. Importava-se mais com posição, estatura e prova de virtude. A esse respeito, Smirnov era incompleto. Não tinha cargo de liderança na administração de sua guilda nem buscara alianças em entidades cívicas ou instituições de caridade. Seu conhecimento e capacidade culturais eram limitados. Sua habilidade para ler e escrever equivalia à de uma criança e era desprovida da sofisticação de uma pessoa educada e bem-nascida. E sua mínima vida social girava em torno apenas da família e da igreja. Não havia feito quase nada para se expandir além do círculo de relacionamentos mais próximo.

Suas bebidas eram igualmente provincianas. À exceção de clientes assíduos, poucos fora de seu mundo controlado e insular reconheciam em seus engendros algo excepcional. Smirnov não havia ganhado prêmios ou honrarias que atestassem a alta qualidade de suas bebidas; a embalagem e o rótulo das garrafas em nada diferiam das demais na prateleira das lojas. Esses descuidos contrastavam com os fornecedores de vodca do czar de então. Aleksandr Shtriter, por exemplo, colecionava títulos e condecorações. Suas bebidas haviam sido reconhecidas em competições internacionais. Além disso, Shtriter era um filantropo e um líder cívico.

Em seu escritório no segundo andar, sentado em sua poltrona de couro favorita, Smirnov meditava sobre aquela difícil situação. Possivelmente consultou o pai, que morava com ele, e o tio Ivan. Talvez também tenha conversado com Natalia, que se mantinha presente nos negócios do marido. Mas as vozes de todos foram abafadas pelo aconselhamento que deu a si mesmo. O fabricante de vodca confiava mais em seu próprio julgamento. Um gerente admirador de Smirnov disse à época: "Piotr Arsênievich é *o* cérebro da nossa empresa."[1]

Smirnov planejou uma campanha ambiciosa, mais calculada, detalhada e tática que qualquer outra já engendrada. A ideia era visionária. Smirnov estava empenhado em fazer de sua vodca a mais conhecida e prestigiada do mercado. Para os padrões russos, seu objetivo de trabalhar a marca era desconhecido, quase inovador; naquele tempo, a construção de uma marca era um conceito ainda em estágio primitivo. Apenas uma pequena fatia da população – pouco mais de 1% –, aquela considerada aristocrata, dava importância para a imagem e a procedência dos produtos. Eles tinham meios para pagar por artigos diferenciados em prestígio e qualidade, e instrução para ler e entender materiais promocionais distribuídos por vendedores.

Para todos os demais russos, essas coisas não significavam nada. Os produtos eram comprados diretamente nas vendas locais, que mantinham sua clientela mais ou menos fixa. Esse relacionamento era de longe mais importante que marcas impessoais.

Tirando o predomínio de clientes analfabetos, não havia muita razão para que os empresários gastassem recursos promovendo uma marca. Até 1896, mais de três décadas depois de Smirnov ter aberto sua primeira fábrica, o sistema legal não oferecia proteção formal para marcas registradas nem direito de patente. Havia, sim, uma lei que exigia dos fabricantes selos de identificação para diferenciar os produtos e tentar dissuadir falsificadores. Smirnov, por exemplo, gravava na década de 1880 "Piotr Smirnov em Moscou" nas garrafas. Mas os selos eram usados mais para controlar as vendas e o rendimento para fins de cobrança de impostos do que para promover a marca.

Além da falta de proteção legal, a publicidade era um fenômeno eminentemente estrangeiro. Os anos de censura fizeram com que os jornais e periódicos se tornassem entidades quase inteiramente oficiais, noticiando comunicados e outros assuntos governamentais. Após a emancipação, começaram a aparecer mais anúncios, em particular nas publicações mais novas e liberais, promovendo marcas de sabão, perfume e outros produtos. Os fabricantes de bebidas, entretanto, não aderiram a essa onda do mercado, preferindo recorrer aos velhos métodos de relação direta com o consumidor, cuja eficiência já fora comprovada.

A genialidade de Smirnov, portanto, vem da capacidade de olhar para além do que *havia sido* para ver o que *poderia ser.* Sua grandiosa visão culminou em nada menos que o domínio completo do setor. A fórmula para isso encerrava o futuro da empresa dentro da marca que levava seu nome. Consistia em um labirinto de iniciativas que aproveitavam as oportunidades para formar a reputação pública e melhorar o perfil dos produtos. Ele ficaria famoso não apenas pela vodca, mas também pelo senso de liderança, pelas doações para a caridade e por um conjunto de premiações do mais alto nível. Smirnov pretendia vender para todo o espectro social, servindo a pobres e ricos com uma série de produtos diferenciados e direcionados.

O ambicioso objetivo de Smirnov exigiu-lhe um grande avanço pessoal. Tímido e reservado por natureza, às vezes parecendo quase robótico, teria de romper a concha onde escondia sua alma e se jogar no centro das atenções como líder e ativista. Teria que mergulhar nas necessidades filantrópicas das classes baixas, assim como na demanda intelectual dos nobres. Também teria que viajar a lugares novos, vendendo sua mercadoria a uma exigente clientela internacional. Com esse esquema, seu confortável anonimato evaporaria, vítima da corrida pela supremacia.

Quanto à vodca em si, Smirnov precisava criar maior demanda e convencer as pessoas de que sua marca era superior a qualquer outra no mercado.

Ele concluiu que a primeira etapa de reconstrução da imagem era encontrar a instituição de caridade certa para ajudar. Sempre meticuloso em suas avaliações, provavelmente investigou as 32 organizações sob a supervisão da Sociedade Mercantil de Moscou. Eram orfanatos, hospitais, escolas e abrigos para os sem-teto. Desde 1862, a Sociedade tinha decretado que um dos principais deveres de seus membros deveria ser o bem-estar social da comunidade. Os comerciantes, especialmente os mais bem-sucedidos, ainda eram malfalados por suas atitudes egoístas e pelo estilo de vida perdulário. Os russos cristãos do século XIX tomavam para si as palavras da Bíblia: "É mais fácil um camelo passar pelo buraco de uma agulha que um homem rico entrar no reino de Deus."[2] A maioria dos industrialistas esclarecidos, por sua vez, ajudava instituições para expiar o pecado da riqueza. E a maioria o fazia através dos grupos administrados pela Sociedade Mercantil.

Smirnov, entretanto, não estava convencido de que esse era o melhor caminho. Seu plano para o avanço social ia além da conveniência e da familiaridade das organizações patrocinadas pela Sociedade. Além disso, estava relutante em participar dos programas da organização, que muitas vezes promovia eventos ruidosos noite adentro. Os jornais comentavam essas festas bárbaras, causando posterior embaraço e indignação aos membros. Esse tipo de comportamento ultrapassava de longe os limites dentro dos quais Smirnov se sentia confortável. Ele raramente bebia ou jogava, e ainda era um estranho em reuniões sociais.[3] Nunca havia gostado de fofoca nem de conversinhas frívolas, e não queria participar de provocações intelectuais sem sentido.

Assim, Smirnov procurou algo fora das instituições sancionadas pela Sociedade e se concentrou preferivelmente naquelas fora da tutela dos mercadores e do governo. Estas tendiam a ser entidades mais antigas, mais estabelecidas e mais prestigiosas, cujos patronos eram, na maior parte, nobres. E eles nem sempre eram hospitaleiros, em especial com recém-chegados. Smirnov havia tentado antes doar dinheiro a uma escola particular e exclusiva que servia a filhos de nobres. Sua oferta, entretanto, foi recusada por ser considerada imprópria pelos representantes da escola, pois Smirnov não era um membro consolidado da alta sociedade.[4]

A rejeição deve ter feito Smirnov se sentir humilhado, mas ele rapidamente seguiu adiante. O Comitê Moscovita para Pedintes lhe despertara especial interesse. Fundado em 1838 por um nobre que era também o mais influente funcionário do governo de Moscou, o comitê recolhia mendigos, abrigava-os, encontrava-lhes trabalho, fornecia-lhes treinamento, mandava-os a instituições mentais, caso fosse necessário, e os devolvia a suas famílias. O grupo proporcionava um serviço louvável e bastante necessário. Desde a emancipação dos servos, o problema do desemprego e da pobreza havia aumentado, sobretudo nas grandes cidades, como Moscou e São Petersburgo. Estima-se que 320 mil russos por ano precisaram da ajuda de serviços sociais depois da emancipação, um aumento de 32% em relação aos números imediatamente anteriores às reformas.[5]

Além das boas ações que praticava, o comitê oferecia a Smirnov benefícios singulares. Os membros recebiam automaticamente o título de conselheiro titular. De acordo com a importantíssima tabela de classificação civil da Rússia no século XIX, a distinção, que Puchkin também detinha quando morreu, era muito baixa. Ficava na nona posição de quatorze possíveis. Todavia, a sociedade russa valorizava essas distinções. Elas serviam para diferenciar as pessoas, colocando-as sobre "pernas de pau sociais artificiais", explicou um barão criticando os costumes hierárquicos de seu país.[6]

Seguindo a mesma linha, os membros do comitê recebiam o direito de usar uniformes majestosos em eventos especiais. Os trajes formais completos indicavam publicamente o status elevado de quem os usasse. Essa era uma prerrogativa inestimável: "Status significava privilégios e prestígio, e os mercadores faziam qualquer coisa para consegui-los."[7] Smirnov não poderia resistir.

Em 1870, menos de um ano após a rejeição imperial, Smirnov ingressou no Comitê para Pedintes. Quase imediatamente, começou a colher os frutos de sua escolha. Depois de doar à organização uma significativa soma inicial, ele recebeu sua primeira medalha. Era uma moeda redonda e dourada com um retrato do czar em um lado e o dizer "pela dedicação" gravado do outro. Smirnov podia prendê-la ao redor do pescoço com uma tira especial conhecida como fita de são Vladimir e, assim, exibir mais uma prova de sua generosidade.

Estabelecido o trabalho de caridade, o fabricante de vodca voltou sua atenção para seu status mercantil. Smirnov ainda era um dos 4.500 membros da segunda guilda de Moscou e compreendeu que tinha muito a ganhar subindo mais um degrau. Os mercadores da primeira guilda da cidade ocupavam uma posição eminente no Estado russo. Realmente, os homens mais poderosos da indústria eram veteranos da primeira guilda, incluindo as dinastias da indústria têxtil dos Bakhrushin e dos Ryabushinski, e os Perlov, famosos negociantes de chá. O tio Ivan também fazia parte desse exclusivo grupo de 630 membros.

Do ponto de vista financeiro, integrantes da primeira guilda tinham permissão para abrir um número ilimitado de empresas, importar e exportar mercadorias à vontade, estruturar suas companhias usando os métodos mais economicamente atraentes e fechar contratos de qualquer valor. De uma perspectiva mais pessoal, podiam receber vários títulos importantes, incluindo de "cidadão honorário" e de "conselheiro do comércio". Também tinham o direito de usar uniformes ilustres que incluíam um florete, colarinho especial e punhos. Outro privilégio lhes dava o direito de andar em carruagens requintadas puxadas por dois cavalos. Membros da segunda guilda e das mais baixas só podiam atrelar um cavalo a seus veículos. Depois de 12 anos na guilda, os membros da primeira guilda podiam inscrever seus filhos em instituições educativas aristocráticas elitistas. Mercadores da segunda guilda tinham menos opções de escolas para escolher.

Naturalmente, custava significativamente mais pertencer à primeira guilda: 565 rublos anuais (367 dólares em 1871, cerca de 6.500 hoje) contra 120 (78 dólares de então ou cerca de 1.400 atuais). Entretanto, a despesa adicional era perfeitamente administrável para Smirnov – e valia a pena. Ele se incorporou à primeira guilda em 1871, de acordo com sua licença de "um comerciante de vinho em sua própria casa no distrito de Pyatnitskaya".[8] O perfil de Smirnov se elevou imediatamente. Passou a comparecer regularmente a reuniões com líderes empresariais e com a alta sociedade. Estavam começando a conhecê-lo. Logo, esperava, também conheceriam sua bebida.

SMIRNOV COMPREENDEU QUE AINDA HAVIA MUITO A FAZER para transformar sua modesta marca em um nome conhecido. Em um mar de destiladores, como poderia se destacar? Como poderia convencer camponeses e nobres de que as garrafas com seu nome eram sinônimo de sabor suave e alta qualidade? Não importava se sua vodca era melhor do que a da concorrência, mesmo Smirnov acreditando nisso. O que realmente importava era que os consumidores, ao ouvir seu nome, imediatamente o associassem ao melhor que a Rússia tinha a oferecer.

O plano de Smirnov era ir diretamente aos clientes em potencial. As ruas já estavam inundadas de álcool. As tabernas já tinham seus fornecedores, e os consumidores já sabiam do que gostavam. Fazê-los mudar de ideia não seria fácil. Embora Smirnov conhecesse a mentalidade dos camponeses e das classes mais baixas, já não era aceito como igual. Teria de encontrar substitutos para defendê-lo em seu lugar.

O artista Nikolai Nikolaievich Zhukov relembra o dilema de Smirnov e sua solução em um conto chamado "*Smirnovskaya Vodka*" ou "Vodca Smirnov". Zhukov foi designer gráfico, ilustrador, escritor e pintor para as forças armadas soviéticas no início do século XX. Fez fama principalmente com retratos de Vladimir Lênin que agora fazem parte de algumas das maiores coleções de arte e galerias da Rússia. Também fez quadros da vida cotidiana dos militares durante a Segunda Guerra Mundial e cobriu os Tribunais de Nuremberg, quando produziu mais de 200 desenhos em um mês. Os colegas de Zhukov contaram que ele mudava diariamente de assento nos julgamentos para evitar o olhar desafiador dos réus.

Um dia, de acordo com sua história (que não pôde ser verificada), Zhukov pintava um retrato de um velho barbudo que, cansado de ficar imóvel durante tanto tempo, começou a alongar o corpo. O retratado então disse ao pintor que tinha dor nas ancas, provavelmente devido à tensão de uma pescaria e das chuvas recentes. Ele perguntou a Zhukov: "Será que você teria algo?" Zhukov deu uma bebida ao homem. "Ele então limpou a barba altivamente, bebeu tudo e comeu um pouco depois. Então se virou para mim e disse: 'Ah, a vodca de Smirnov era mesmo boa. Já a provou? Você devia ser muito jovem naquela época. Era boa, realmente muito boa.'"

A história que ele então contou a Zhukov foi a de um sagaz e promissor Piotr Smirnov. As memórias do homem eram vagas em alguns pontos e claramente equivocadas em outros, mas de maneira geral a mensagem era vívida e penetrante: Smirnov tinha sido um mago do mercado. Uma manhã, disse o homem, Smirnov foi ao mercado de Khitrov, o ponto mais sombrio, fedorento e deprimente de Moscou. Multidões de pedintes, ladrões, mulheres maltrapilhas vendendo comida estragada e moleques descalços assombravam a praça central. As pessoas corriam de um lado para outro sob um constante vapor que parecia pairar como uma nuvem. Dormiam no chão ou em espeluncas; comiam sopa em lata ou salsichas fritas por mulheres que mantinham a comida morna cobrindo as bordas das enormes panelas de ferro com seus corpos. Bebiam nos bares de dois ou três andares que cercavam Khitrov, lavando seus problemas com vodca rançosa. Às vezes, 10 mil pessoas passavam ao mesmo tempo pelo lugar que o jornalista Vladimir Gilyarovski descreveu como "poço podre ambulante".[9]

Smirnov, vestido modestamente, sabia o que procurava em Khitrov. No meio de vagabundos e mendigos, havia homens recém-chegados à procura de emprego. Vinham para Khitrov diretamente das estações de trem e ficavam plantados sob um enorme toldo onde empregadores de todos os tipos contratavam trabalhadoras diaristas. Smirnov estudava os olhos dos homens que via sem se preocupar com as roupas grosseiras e manchadas, as barbas desalinhadas e os sapatos de palha. Isso consertava-se. Só não tolerava os bêbados desleixados. Smirnov precisava de homens sóbrios, respeitáveis o bastante para serem levados a sério e adequados o suficiente para chamar atenção. Reuniu 15 deles.

Convidou-os a sua casa, onde uma mesa longa e estreita havia sido posta com vodca e petiscos. Convidou-os a se sentar e lhes deu tempo para que se aquecessem e comessem algo. Então, perguntou a cada um onde morava e de onde vinha. Havia selecionado uma grande variedade de residentes e visitantes de diferentes áreas de Moscou e dos arredores. Sacou então a carteira e lançou três rublos na frente de cada prato.

"A partir de hoje, vocês vão comer e beber tanto quanto quiserem por minha conta. Tudo que peço é que trabalhem bem. Agora quero que voltem a seus bairros, peçam sopa de carne e vodca Smirnov por todo lado. Naturalmente, as pessoas, em princípio, vão olhá-los com surpresa e tentar sugerir outra marca ou vão tentar persuadi-los a tomar outra bebida. Mas vocês devem se queixar em voz alta, de modo a chamar a atenção de todos. Um garçom vai correr até o gerente e contar que um cliente estranho está exigindo a vodca Smirnov. O gerente vai conversar com vocês, que devem dizer em alto e bom som: 'Como é possível que um estabelecimento respeitado como o seu não tenha a vodca? É definitivamente a mais extraordinária de todas!'" Smirnov instruiu seus novos empregados a recusar qualquer outra bebida que pudessem lhes oferecer e sair do bar bufando de raiva. Os homens deveriam então ir ao próximo bar e "começar a atuação outra vez. Depois retornem à minha mesa."[10]

O séquito cumpriu as ordens. E cumpriu bem. Pelo menos foi o que contou aquele senhor: "Na mesma noite, Smirnov começou a receber várias ligações: gente pedindo dez, 15 ou 20 caixas de vodca. Sua bebida jorrou pela cidade inteira."

Com a maioria dos estabelecimentos na cidade atingidos, Smirnov convocou novamente seus emissários. "Bem, meus queridos, chegamos ao fim de uma primeira etapa. Vamos agora à próxima." Instruiu os homens a viajar pelas ferrovias que partiam da estação central de Moscou e desembarcar em cada parada. "Exijam nossa vodca em todos os lugares." Os homens ficaram entusiasmados com a missão. Smirnov lhes dera comida, vodca boa e farta e um pagamento atraente.

Zhukov ouvia a história de seu interlocutor, que contava que os pedidos de vodca Smirnov viajaram como vírus, contaminando uma cidade após outra. Em um piscar de olhos, choveram encomendas, e a vodca Smirnov "se tornou popular em toda a Rússia – e depois no mundo inteiro". O senhor sentou-se, voltou à pose e suspirou. "Agora pinte!", disse a Zhukov.

E por aí vai a história. O titereiro Smirnov apresentou o espetáculo perfeito. Convenceu as pessoas de que sua vodca era especial. E o fez com pouco dinheiro, simplesmente confiando em seu conhecimento inato da natureza humana. Smirnov sabia que não conseguiria mexer com os consumidores através de propaganda, rótulos brilhantes ou nomes bonitos.

Eles tinham que ouvir elogios à vodca de um companheiro de bar, do homem sentado no banco ao lado.

Quase do dia para a noite, Smirnov havia transformado sua vodca boa e barata em algo elegante – quase uma moda – e extremamente rentável. Ao fim de 1872, ele empregava mais de 60 trabalhadores e supervisionava três gerentes. Produzia até 1,2 milhão de litros de bebida alcoólica, com um rendimento bruto de 600 mil rublos anuais (o equivalente a quase 7 milhões de dólares em valores de hoje).[11] Havia expandido seu portfólio para muito além da vodca, com a intenção de conquistar os diferentes gostos dos consumidores. Produzia uma gama de vinhos russos e estrangeiros, destilados, conhaques e *nalivkas* (vodca com infusão de frutas). Mas manteve os preços baixos, pelo menos no começo. Não queria deixar de fora os maiores responsáveis por seu sucesso. Cobrava 30 copeques (21 centavos de dólar) por uma garrafa de vinho, um valor significativamente mais baixo que a média de 68 copeques por garrafa.[12]

Smirnov agora estava rico e gozava de enorme sucesso. A boa sorte, no entanto, se restringia aos negócios. Sua vida pessoal era outro assunto.

Desde o começo, 1872 foi um ano difícil e traumático para Smirnov em casa. Sua filha de sete anos, Anna, morreu em janeiro de "inflamação na garganta".[13] Alguns meses mais tarde, em maio, sua mãe, Matryona, morreu aos 70 anos. E, em novembro, sua filha de um ano e meio, Olga, foi enterrada vítima da escarlatina. As três foram sepultadas no cemitério de Pyatnitskoye.

A tristeza era um hóspede indesejado na ampla casa de Smirnov, habitando cada quarto, cada peça de mobília. Natalia provavelmente sofreu mais que Piotr – ao menos externamente. A morte das filhas a deixou desolada, mas agora, felizmente, estava grávida outra vez. Este bebê, jurou, afagando a barriga saliente, sobreviveria e se juntaria a seus cinco irmãos e irmãs. Ela não podia enterrar outro filho.

Smirnov também lamentou, mas não se permitiu parar. Sempre pragmático, aceitava os infortúnios como consequências infelizes mas naturais da vida. Além do mais, ainda enfrentava grandes desafios, que desviavam sua atenção para os negócios. Sua bebida ia bem, graças a seus engenhosos estratagemas de divulgação. Entretanto, ainda era consumida sobretudo pelas classes inferiores.

Essa distinção de classe apresentava a Smirnov um problema singular. De algum modo, ele, assim como muitos outros negociantes, devia odiar a altivez dos escalões superiores. Muitos nada haviam feito para merecer a posição, a riqueza e o pedigree. Alimentavam-se da sorte dos antepassados e das proteções imperiais herdadas. Contudo, Smirnov ansiava pela aceitação deste seleto grupo. Na verdade, queria que seus filhos vivessem da maneira como eles viviam. Queria se tornar um deles. Não era diferente do poder de um ímã, de uma só vez irresistível e, com apenas uma ligeira torção, repelente. Era assim que Smirnov se sentia.

Cortejar os aristocratas exigiria uma abordagem diferente da que inventara para as classes mais baixas. Essas pessoas não ficavam penduradas nos bares escuros da vizinhança. Iam a bailes extravagantes, frequentavam o teatro, o balé e a ópera, socializavam em luxuosos clubes exclusivos que só serviam *haute cuisine* e boas bebidas, em sua maioria importadas. O Clube Inglês de Moscou, fundado em 1772, era o mais conhecido local dessas reuniões elegantes. Tolstoi, sócio durante um período, escreveu sobre ele em *Guerra e paz*, assinalando que visitas ao clube eram parte da rotina de senhoras e cavalheiros da aristocracia.

O Clube Inglês de Moscou era de fato um lugar como nenhum outro. Carruagens grandiosas estacionavam lado a lado no amplo pátio diante do edifício. Os sócios – somente 300 no total – e seus convidados subiam uma escadaria de pedra branca ladeada por duas fileiras de colunas de mármore para chegar à entrada. Os empregados abriam então as portas que levavam ao saguão. De lá, os visitantes podiam se dirigir ao salão dos retratos, onde se viam imperadores e membros importantes. Ou podiam ir à sala de estar, reservada para jogos de cartas. Podiam ainda jogar na sala de bilhar. A biblioteca oferecia uma das mais completas coleções de periódicos russos e estrangeiros, com exemplares que datavam desde 1813. Os salões sucediam-se infinitamente, terminando na sala de jantar, a mais majestosa de todas. Era muito ampla, ocupando todo o comprimento do prédio. Os jantares, preparados por uma confraria dos mais importantes chefs de cozinha da Rússia, podiam ser acompanhados por uma pequena orquestra, seguida por espetáculos no palco onde pisavam os melhores atores de Moscou.

Era um mundo muito distante daquilo que Smirnov conhecia. Ainda assim, queria que sua bebida fosse um elemento essencial da vida daquele clube, assim como era das tabernas da vizinhança. A pergunta era como transformar esse desejo em realidade. A resposta de Smirnov, como a que formulou para a plebe, recaía sobre a natureza da aristocracia russa. A percepção importava tanto quanto a realidade – se não mais –, especialmente a percepção da alta sociedade da Europa Ocidental. Nada seria mais significativo do que o endosso dos europeus aos seus produtos. Isso os tornaria chiques. E os russos se sentiriam orgulhosos de que um dos seus tivesse impressionado a elite estrangeira.

Smirnov foi trabalhar e fez planos para viajar até Viena. Uma exposição internacional seria inaugurada lá em meados de abril. Essas competições eram visitadas por milhares de pessoas de todas as partes e, o mais importante, distribuíam prêmios aos melhores produtos, de sapatos a motores a vapor. Conquistar tal reconhecimento seria algo inestimável para seus objetivos comerciais.

Aquela seria a primeira viagem do fabricante de vodca ao exterior. Ele estava provavelmente nervoso, mas igualmente animado com o que ela prometia. Esperava que Viena o afastasse dos sofrimentos do ano anterior. O ano de 1872 tinha sido estimulante no lado profissional e lancinante no pessoal. O que Smirnov não sabia é que aquilo não era nada em comparação ao que viria em 1873.

6. Viagem a Viena

O ALVORECER DE 1873 FOI PACÍFICO. Moscou parecia um bloco de granito: uma camada de nuvens quentes fazia a cidade se sentir imóvel e banal. A nação experimentava uma calma relativa. As grandes notícias eram apenas a morte da tia do czar e uma doença que acometera um jovem príncipe. Mas Smirnov não estava tão calmo. Sabia que os próximos meses seriam febris e vitais para que conseguisse tornar a si mesmo e a suas mercadorias objetos de destaque em Viena. A exposição, dali a poucos meses, tinha ganhado um significado adicional. O império austríaco queria polir sua imagem, arranhada por uma guerra com a França, por dificuldades financeiras e pelo descontentamento popular. O país pretendia demonstrar seu talento econômico e político que começava a despontar e exibir sua pitoresca capital. De sua parte, os russos estavam ávidos por ostentar uma crescente industrialização, mostrando que eram uma nação dinâmica e próspera. A Rússia havia participado anteriormente de feiras internacionais, mas nenhuma tinha atraído tantos empreendedores e inventores de tal número de setores industriais. Havia pacotes de viagem com tudo incluído e trens especiais saindo de São Petersburgo para transportar participantes e visitantes à feira. Pelo menos 1.500 comerciantes, artesãos e engenheiros russos eram esperados em Viena em 1873. Apenas 700 tinham exibido suas mercadorias na exposição internacional de 1862, em Londres, e 1.300 em 1867, na Exposição Universal de Paris.

O crescimento na indústria da vodca era uma das ilustrações mais precisas dos avanços na Rússia e da nova mentalidade capitalista do país. Apenas dois fabricantes de bebidas alcoólicas de Moscou se apresentaram em Paris seis anos antes. Já a exposição de Viena estava esperando produtos de mais de 30 destilarias russas e dezenas vindas de outros países. Smirnov, desconhecido fora do país, concluiu sabiamente que teria de ser excepcional para conseguir ser notado.

Os preparativos para a feira começaram meses antes da abertura em abril (1º de maio na Áustria, que seguia o calendário gregoriano). A primeira providência de Smirnov era submeter a documentação necessária às autoridades do governo encarregadas da organização dos representantes russos em Viena.[1] Um departamento especial providenciaria a maior parte dos arranjos administrativos para os participantes, de transporte a hospedagem. A seleção e a exposição das mercadorias, entretanto, ficavam a cargo dos expositores. Smirnov tinha que escolher quais vinhos e destilados enviar e, talvez, descobrir como fazê-los chegar até lá. Tio Ivan poderia dar um apoio com alguns detalhes, como por exemplo o que levar para a feira. Ele havia participado de uma competição alguns anos antes e tinha experiência para ajudar. Mas o evento dele, em 1870, tinha sido apenas para russos, de modo que saberia pouco sobre como agir fora do país. Smirnov teria que descobrir sozinho.

Os júris de exposições internacionais tendiam a considerar, acima de qualquer coisa, o preço, a tecnologia de fabricação, o volume de produção e o tratamento dispensado aos operários. Smirnov tinha um nível relativamente baixo como empresário: não tinha escolas ou instalações médicas para seus pouco mais de 60 empregados; pelo menos oito outros fabricantes de vodca produziam mais que ele; e o que usava de maquinaria moderna não era tão melhor do que a de seus rivais. A única vantagem que Smirnov realmente tinha era o preço. Vendia álcool de alta qualidade a preços excepcionalmente baixos.

Smirnov decidiu enviar várias de suas bebidas a Viena. Esperava que um desfile de opções, incluindo vinhos, *nalivkas* e vodcas, o faria parecer mais prolífico, mais peso-pesado aos juízes em Viena. Também deve ter optado por usar carruagens e carroças para transportar a bebida, em vez do transporte ferroviário. Era um meio mais oneroso, mas também permitia a Smirnov controlar melhor os produtos a qualquer momento, já que um de seus homens acompanharia a carga.

Com toda a probabilidade, Smirnov instruiu seus gerentes a preparar engradados para acondicionar as garrafas. Precisavam estar prontos no início de março. A viagem duraria cerca de um mês, dependendo do clima. As carroças puxadas a cavalo se juntariam a um comboio de outras que também se dirigiam à exposição. Artistas famosos como Ilya Repin e Vasili Perov mandaram pinturas; os Tretyakov ingressaram na competição com tecidos para móveis; os Morozov mandaram musselina e veludinho; e outros expositores despacharam todo tipo de mercadorias, de caviar a porcelana, de canhões de aço a remédios para dor de dente.

Há poucas indicações sobre o itinerário pessoal de Smirnov e sua estada em Viena. Inferindo que sua viagem tenha se desenrolado como as de outros participantes russos a cuja experiência tivemos acesso, Smirnov deve ter embarcado em um trem em Moscou para percorrer cerca de 650 quilômetros até São Petersburgo. De lá, seguiu para Varsóvia (os passageiros precisavam mudar de trem porque os trilhos na Rússia tinham bitola diferente de outras partes da Europa). A viagem era mais demorada porque locomotivas e maquinistas tinham que ser trocados a cada 80 quilômetros. Somando-se tudo, os expositores chegariam a Viena aproximadamente quatro dias após a partida de Moscou.

O fabricante de vodca provavelmente pretendia sair no início de abril. Esse cronograma lhe permitiria acomodar-se em Viena e avaliar a exposição. Estava determinado a chegar cedo para pegar o local de maior visibilidade no espaço reservado para a Rússia. Também queria ter a oportunidade de cumprimentar organizadores e juízes antes que começassem as análises. Eles podiam não conhecer seu nome agora, mas, se dependesse de Smirnov, a situação mudaria até o fim da feira.

Natalia estava para dar à luz durante aquele período. Mas Smirnov, tradicional patriarca russo, não considerou que sua presença fosse necessária – ou mesmo desejada. Alguns parentes e a parteira estavam mais que preparados para dar assistência a Natalia. E comunicariam a ele a notícia, por telégrafo, quando chegasse a hora. A possibilidade de adiar a viagem provavelmente sequer passou por sua cabeça – ou pela de sua mulher.

A viagem até Viena, no entanto, deve ter produzido um emaranhado de emoções. Sabia que faltavam poucos dias para ter outro filho. Seria outro menino? Rezava para que fosse. E a feira? Em um momento, estava esfuziante sobre a aventura internacional e seguro de que traria as mais altas condecorações do evento. Mas e se fracassasse? E se seus pares na exposição o vissem simplesmente como um antigo servo? E se as raízes provincianas o impedissem de arrebanhar os louvores profissionais que desejava tão desesperadamente? No fim, Smirnov, vestido em seu mais elegante terno negro europeu, estava muito mais preparado para Viena do que ela para ele.

Os austríacos tinham investido muito no sucesso do evento. Não pouparam qualquer despesa para erguer vários prédios no parque Prater, em Viena, incluindo uma grandiosa rotunda. Novos hotéis brotaram da terra como cogumelos. Donos de apartamentos esperavam alugar seus imóveis por valores astronômicos a uma multidão que não encontraria mais vagas. Dignatários foram convidados, também, para testemunhar o triunfo do país. Um jornalista russo observou: "Esperava-se que a exposição satisfizesse as esperanças e os sonhos [austríacos] mais arrojados. Os organizadores estavam dispostos a gastar qualquer quantia, seguros de que o mundo inteiro estaria reunido sob o mesmo teto na exposição."[2]

Contudo, conforme o dia da abertura se aproximava, a feira começou a parecer mais um glorioso mercado das pulgas do que a estreia de um espetáculo internacional. A maioria dos participantes ainda precisava desembalar as mercadorias e arrumar os estandes. Muitos ainda esperavam ansiosamente pela chegada de seus preciosos volumes. Por todos os salões, caixas e caixotes fechados obstruíam a passagem, lembranças constantes do caos que não se dissipava. Seriam semanas até que todas as exposições estivessem prontas; vários pavilhões ficariam incompletos. Os americanos, por exemplo, que haviam despachado artigos como revólveres Colt, sabonetes Colgate e fresadoras Pratt & Whitney, não tinham nada arrumado na seção. Parte do problema era administrativa. A dias da abertura programada, os organizadores ainda não haviam designado o espaço de vários participantes, deixando expositores estrangeiros frustrados, impacientes e pouco impressionados. "As vitrines estão pela metade; e se você pede os dados a um expositor, ele certamente pedirá que não faça menção a suas mercadorias até que cheguem as de melhor qualidade", escreveu um correspondente do *New York Times*.[3]

A culpa maior, no entanto, era a falta de uma distribuição coesa e lógica. Os produtos ganhavam espaço sem qualquer consideração estética ou bom senso. Cada país podia decidir sobre a disposição em sua área, o que dava aos salões uma sensação de irregularidade e desorganização. A Espanha, por exemplo, colocou uma edição antiga de *Dom Quixote* ao lado de um piano e de um mosaico de ladrilhos. A Rússia dispôs colares junto a caixões de malaquita. Os jurados, encarregados de avaliar o progresso tecnológico e a qualidade dos produtos de cada país, ficaram tontos. Os críticos atacaram a gafe. "Não havia qualquer sistematização. Cada país usou sua própria ideia de como organizar uma exposição. Assim ficou impossível comparar os países no que diz respeito ao desenvolvimento industrial", escreveu um crítico russo.[4]

Smirnov também estava confuso, arrumando as mercadorias em meio ao tumulto de sua seção, o Departamento de Produtos Agrícolas e Alimentícios. Estima-se que 282 expositores russos tenham comparecido à feira levando de geleia a charutos e champanhe. Dada sua propensão para a organização, Smirnov deve ter ficado desapontado. Presumivelmente, suas garrafas chegaram a tempo, graças a sua eficiência e bom planejamento. De algum modo, em meio ao caos, ele encontrou uma maneira de colocá-las em posição de destaque. A multidão de visitantes, assim como os jurados, iria reparar facilmente em sua mercadoria. O fabricante de vodca, do mesmo modo que seu mentor, o tio Grigori, sempre soube da importância de uma boa localização.

Ele deve ter sentido certa exaltação. Tinha ido a Viena como um principiante. Não conhecia a cidade, a exposição, a língua. Pode até mesmo ter levado algum tempo para encontrar seu nome no índice dos participantes em alemão: lá, Piotr Smirnov era Peter Smirnoff. Mas ele conseguiu superar muitos participantes mais experientes. E, de acordo com um livro encomendado por seu tataraneto Boris, ficou admirado com muito do que viu. "Viena o surpreendeu com sua abundância de música, flores e amor à vida. Usando um terno europeu, o comerciante de Moscou andava pela área da exposição olhando de relance para os estandes de vinho. O que e como estariam vendendo?"[5]

As coisas em Viena estavam indo bem para o antigo servo. Em sua casa em Moscou, ao contrário, as circunstâncias começavam a ficar sérias. Natalia tinha dado à luz um menino no dia 8 de abril, um domingo de

Páscoa. Seu nome era Nikolai. Os Smirnov não perderiam a criança, mas o parto não correra bem. De acordo com os registros da igreja, Natalia desenvolveu uma grave infecção depois do nascimento que a deixou esgotada, febril e às vezes delirante. Essa situação era muito comum, e o resultado, conhecido. Os médicos ficaram impotentes diante da doença que se alastrou por todo o corpo.

Faltavam poucos dias para a abertura da exposição quando Smirnov provavelmente recebeu a notícia. Sua cabeça deve ter rodopiado. Estava encantado por ter outro filho, mas Natalia estava morrendo. Talvez até já estivesse morta. A milhares de quilômetros de distância, Smirnov nada podia fazer.

Enfrentou um dilema insustentável: escolher entre a família e as convicções religiosas profundamente arraigadas e suas promissoras aspirações profissionais. Ambas as opções envolviam decisões difíceis. A presença do imperador Francis Joseph em carne e osso estava programada para a abertura, quando percorreria os salões. Era uma oportunidade única para chamar a atenção da realeza. O endosso do imperador seria certamente inestimável para promover sua bebida entre os nobres.

Por outro lado, o fabricante da vodca tinha obrigações a cumprir. Natalia tinha sido uma mulher, mãe e sócia maravilhosa, além de fiel confidente. Ela havia constituído a família, que agora contava seis crianças entre zero e 12 anos, em uma unidade sólida e coesa. Sua natureza delicada e cordial tinha sido um contrapeso essencial ao jeito rígido e rigoroso com que Smirnov lidava com a paternidade. Sem ela, o fabricante de vodca teria tido dificuldade de encontrar sua base. O pior é que, se Smirnov não seguisse os numerosos rituais religiosos exigidos após a morte da esposa, sua reputação poderia ser prejudicada. O padre, os paroquianos, todas as pessoas relacionadas à empresa e os membros da família poderiam não compreender – ou perdoar – tal pecado.

Smirnov hesitou. Ele personificava a Rússia de ontem e a Rússia moderna. Com frequência sentia-se desafiado pelos dois polos, tomando decisões com base em ambições e tradições opressivas que guiavam suas ações. Ninguém sabe que caminho Smirnov escolheu tomar naquela circunstância. Mas seis dias depois do nascimento de Nikolai, Natalia, aos

30 anos, morreu. Quando Smirnov recebeu a notícia, ela provavelmente já estava enterrada.

A vida foi clemente e fez a escolha por ele. Smirnov então pragmaticamente deixou de lado o sofrimento e cumpriu suas responsabilidades como empresário. Já havia faltado ao funeral e a um jantar em tributo aos três dias da morte de Natalia. Não teria conseguido chegar em casa a tempo de outra refeição realizada nove dias após a morte da mulher. Arsêni e vários parentes e amigos provavelmente controlavam a situação sem sua ajuda.

Inicialmente, Smirnov manteria a lista de compromissos. Compareceria ao evento inaugural usando fraque e gravata branca, como exigia a ocasião. Faria tudo que pudesse para atrair a atenção para seus produtos e correria atrás de tantos oficiais quanto possível para defender sua causa. Mas depois encurtaria a visita a Viena e retornaria a Moscou na condição de viúvo. Não seria visto em outra cor que não preto, e estaria em casa a tempo para o mais sagrado dos tributos, o do 40º dia de morte da mulher, quando, de acordo com a igreja ortodoxa russa, o derradeiro local de descanso de Natalia seria determinado. A família rezaria por sua salvação.

O fabricante da vodca mais uma vez deve ter recorrido ao seu tempo como servo para ajudá-lo a lidar com a situação. Tinha passado anos na aldeia aperfeiçoando a arte do firme controle emocional. Ninguém perceberia sua perturbação interior e seu enorme sofrimento. As pessoas ao seu redor veriam apenas o que Smirnov desejava que vissem: o próximo fornecedor de vodca do czar.

O DIA DE ABERTURA FOI UM GRANDE EVENTO. Ao meio-dia, o imperador e a imperatriz chegaram em uma carruagem cerimonial puxada por seis cavalos. Nada menos que seis orquestras tocavam, incluindo uma regida pelo famoso Johan Strauss. Um disparo de canhão marcou a abertura oficial da feira. Smirnov fazia hora perto de seu estande enquanto os visitantes, entre os quais o imperador, percorriam os salões. Ziguezagueavam pela rotunda, através do salão das máquinas e por outros pavilhões. Mas, para grande desapontamento de Smirnov, o imperador não passou por sua seção. Além disso, o público que compareceu à feira foi menor do que o esperado. O tempo ficara frio e chuvoso, diminuindo o número de presentes. Ainda assim, Piotr Smirnov e os organizadores permaneceram otimistas.

Viena, no entanto, não estava muito para otimismo. Com apenas uma semana de feira, a bolsa de valores quebrou, causando bancarrotas, suicídios e desemprego em massa. Toda a atmosfera da exposição desapareceu. Os responsáveis se apavoraram e o número de visitantes despencou. Expositores, construtores e organizadores haviam contraído pesadas dívidas para concretizar os ambiciosos planos arquitetônicos e os imponentes estandes. Agora, havia uma real possibilidade de que os rendimentos da feira ficassem bem aquém do necessário para compensar as perdas. Ninguém, nem mesmo o xá da Pérsia, que tinha vindo à cidade, se sentia muito animado.[6]

Estranhamente, a crise financeira pode ter sido uma bênção para Smirnov. Ela retardou o fluxo da exposição, deixando-a em marcha lenta enquanto os austríacos tentavam recuperar a dignidade. Foi a gota d'água para quem havia ido ou planejava ir a Viena. O público se afastou, aguardando o tempo melhorar e a crise financeira se estabilizar. Queriam ver uma exposição completa, com os pavilhões fartos de apresentações e invenções de cair o queixo. Assim como os austríacos precisavam de mais tempo, Smirnov também.

Essa espécie de interlúdio deu a Smirnov a oportunidade perfeita para voltar à Rússia sem que ninguém notasse sua ausência. Embarcou em um trem para casa logo após o colapso da bolsa de valores. Esperava estar de volta a Viena talvez para o julgamento das bebidas ou para a cerimônia de premiação, em agosto. Nesse meio-tempo, pretendia usar a viagem para tomar medidas sobre sua nova situação. A perda de Natalia trazia toda uma quantidade de problemas além do óbvio. Pelos costumes, Smirnov ficava proibido de se casar novamente por no mínimo um ano. Mas sabia que seu futuro exigia que encontrasse outra mulher. Em uma época em que a imagem era um elemento vital de sua estratégia, não poderia se permitir ser visto como alguém de algum modo socialmente incompleto.

Desembarcar de volta em Moscou naquele momento revelou-se uma bênção. Poucos dias depois de sua chegada, tio Ivan morreu inesperadamente de ataque cardíaco, em 16 de maio. Se tio e sobrinho chegaram a se ver antes da morte de Ivan permanece um mistério, mas Smirnov provavelmente estava lá para o enterro.

A morte de Ivan foi um grande acontecimento em Moscou. Os jornais deram a notícia na primeira página. O foco não eram tanto as consideráveis conquistas de Ivan ao longo da vida. Os artigos mal mencionaram seus cargos de liderança e o sucesso relacionado à representação de bebidas que possuía. Falaram apenas de boatos que sugeriam que "o falecido havia deixado uma enorme fortuna".[7] Também enfatizaram a contribuição dele para obras de caridade, seus esforços filantrópicos, prêmios e títulos. Isso era o que realmente tinha repercussão na comunidade. Smirnov nunca se esqueceu disso. Os jornais deram a notícia de que "um grande número de pessoas veio dar os pêsames".

Para Smirnov, com olhos esbugalhados e corpo cansado, o funeral deve ter sido agonizante e exaustivo. A sepultura de Ivan ficava a poucos metros de distância dos túmulos ainda frescos de sua mulher, suas filhas e sua mãe. Quando se afastou do jazigo, era hora de dar um último adeus a Natalia. O tributo do 40º dia seria em 23 de maio. Como a tradição exigia, Smirnov doou uma soma importante à igreja, um ato que pretendia compensar os pecados de Natalia e assegurar que ela fosse perdoada e enviada aos céus. Smirnov e os filhos rezaram com devoção por sua alma.

De certo modo, a perda de Ivan deixou um vazio maior em Smirnov do que a de sua mulher. Deixou-o sem escolha a não ser passar de coadjuvante a protagonista da extensa família. Sem Ivan, Piotr Smirnov, aos 42 anos, era o patriarca natural. Os familiares podiam esperar dele orientação confiável e cuidado, assim como de seu pai, Arsêni. Embora no crepúsculo de sua vida, aos 73 anos de idade, este ainda guardava alguma vitalidade e vigor adquiridos após décadas de labuta nos campos agrícolas.

Piotr, naturalmente, tinha pouco tempo: ajustava-se ou afundava. A vida doméstica estava em desordem. Tinha que achar alguém que pudesse cuidar do filho recém-nascido e dos demais. Tinha uma grande empresa em ascensão para administrar. E, pelas notícias que recebia de Viena, a situação tinha ido de mal a pior. O tempo ruim continuava a castigar a cidade. Uma forte tempestade causara grandes danos em diversos pavilhões. Então, veio o cólera, matando cerca de 100 moradores de Viena por dia naquele verão, o que afastou ainda mais os potenciais visitantes. Os relatos falavam em sujeira e fedor, concluindo que a praga e outros infortúnios tinham atrapalhado muito a exposição. Como se não bastasse, expositores com dinheiro retido não puderam pagar o aluguel. "Mal se consegue pensar em algum infortúnio pelo qual [a exposição] não tenha passado. Os fatos se esforçaram e conseguiram arruiná-la", escreveu um correspondente do *New York Times*.[8]

Smirnov via a agitação talvez sem muito interesse. As vendas na feira tinham sido inexpressivas; o público estava a caminho de fechar em mais de 2 milhões de pessoas menos que a exposição anterior. Mas a falta de visitantes não conseguiu refrear a expectativa do fabricante de vodca. Na verdade, nenhum dos fiascos que atormentaram Viena importava muito agora. Ele só pensava na premiação.

Smirnov conseguiu chegar a Viena a tempo de uma última ação promocional. Queria seu prêmio e nada mais. Mas até isso começou a parecer problemático. Rumores de corrupção dos jurados, suborno e favoritismo vieram à tona. Expositores descontentes denunciaram que alguns jurados eram incompatíveis com a avaliação dos produtos porque também eram participantes na categoria que estavam julgando. Protestos organizados exigiam a nomeação de novos juízes. Um jornal russo relatou que poucas pessoas acreditavam na integridade das decisões do júri.[9]

Finalmente, formou-se uma comissão para investigar as acusações. Havia até provas da entrega de prêmios a pessoas que sequer participavam da feira. Mas, àquela altura, ninguém ligava. No entanto, miraculosamente, a exposição terminou em alta conta. O público cresceu um tanto e a renda, embora menor do que a projetada, não foi tão insignificante quanto se temia. Além disso, Viena revelou-se generosa, distribuindo mais láureas aos integrantes do qualquer outra exposição precedente. Na tentativa de satisfazer expositores irritados, a maioria dos participantes ganhou medalhas, diplomas de honra ou certificados. Dos concorrentes da Rússia, cerca de 70% receberam algum tipo de prêmio ou reconhecimento, incluindo Piotr Smirnov, que levou para casa um diploma de honra surpreendentemente dado não a sua vodca, mas aos vinhos branco e tinto. As vodcas com sabor também foram elogiadas.

A Smirnov não importava por que e por qual produto tinha sido premiado. Já era uma vitória e tanto sair com qualquer coisa. Outros industriais premiados do ramo de bebidas eram amplamente conhecidos e estabelecidos – alguns, como Rouget e os fabricantes de cerveja Korneyev & Gorshanov, já fornecedores da corte imperial. Assim, ganhar qualquer mostra de aprovação era certamente um passo na direção certa.

O sucesso em Viena ajudou Smirnov a se distrair das tragédias pessoais e voltar a ter uma tão necessária perspectiva. Com a mesma intensidade com que sua vida privada se tornara melancólica, os negócios passavam por um impulso que não o abandonaria por mais de duas décadas. Em apenas três anos, o número de empregados aumentou em quatro vezes: passou de 15 para cerca de 60. Havia triplicado o número de gerentes supervisionando as operações, incluindo o marido de sua irmã Glafira. O casal tinha se mudado de Uglich para se unir ao empreendimento que não parava de crescer. Os bens imóveis de Smirnov também tinham aumentado muito: eram agora a fábrica, armazéns para vodca e vinho e diversas lojas. Smirnov estava pronto até mesmo para comprar os quiosques de Ivan no centro comercial de Gostini Dvor, solidificando desse modo o lugar de um dos maiores varejistas de bebida da Rússia.

Os preços da vodca, embora em ascensão desde os primeiros dias após o fim do sistema privado de coleta de imposto, ainda estavam relativamente baixos, ajudando a elevar o consumo. A renda do Estado gerada pela venda de bebidas alcoólicas também crescia, o que mantinha longe os esforços embrionários para reduzir o consumo excessivo de bebida. Mas Smirnov não era de compartimentar vida profissional e vida pessoal, particularmente quando os problemas permaneciam sem solução. Via as duas como partes entrelaçadas.

Smirnov precisava se casar. Então foi procurar uma esposa.

7. Mariya

Mariya Nikolaiévna Medvedeva era apenas uma colegial quando Smirnov a conheceu. "Durante uma visita a um dos institutos de mulheres, ele notou uma das alunas mais velhas cuja beleza o impressionou", contou o terceiro filho de Smirnov, Vladimir, a sua mulher, Tatiana.[1] Mariya ainda era muito jovem, mas, apesar da pouca idade, tinha um encanto inerente, uma dignidade natural que sugeria haver mais naquela menina do que belos traços. Tinha olhos claros e lindos cabelos castanhos ondulados, geralmente presos em um coque atrás da cabeça. O nariz clássico e reto combinava perfeitamente com os lábios vermelhos e carnudos, dando ao rosto uma simetria suave e natural. Seu corpo de alta estatura e formas proporcionais movia-se com confiança e altivez, como se equilibrasse permanentemente um livro na cabeça.

Mariya, filha de um falecido mercador de segunda guilda, era também muito doce. Um conhecido a descreveu como "uma amável fada". Talvez tenha desenvolvido essa personalidade durante o tempo em que frequentou a escola Aleksandro-Marinskoye, uma espécie de educandário para moças. O objetivo declarado da escola era "educar as meninas e ensiná-las a realizar seus deveres com zelo e responsabilidade de modo a, no momento certo, tornarem-se esposas amáveis e mães prestativas".[2] O programa de sete anos, no entanto, ia bem além de assuntos femininos como religião, bordado, pintura, música e cuidados domésticos em geral. Também oferecia o estudo de línguas estrangeiras, literatura, história e matemática. Quando uma moça se formava em Aleksandro-Marinskoye, era culta e educada.

A sofisticação de Mariya deve ter mexido com Smirnov. Ao contrário de suas duas primeiras mulheres, que tinham histórias parecidas com a dele, desta vez o fabricante de vodca queria uma mulher que pudesse melhorar ou até mesmo ampliar suas perspectivas. Isso significava escolher alguém que fosse não somente educada mas também que conhecesse e entendesse ao menos um pouco os pilares das altas-rodas da Rússia. As filhas de aristocratas de verdade, educadas em casa ou em instituições exclusivas, casavam-se com homens de sua classe social. Estavam fora do alcance de um homem como Smirnov – apesar de sua gorda conta bancária.

Muitas das jovens da Aleksandro-Marinskoye veriam Smirnov de outra maneira. Na verdade, podem até mesmo ter se sentido intimidadas. Era um grande benfeitor da escola através de uma instituição de caridade conhecida como Auxílio e Apoio para os Pobres. A organização, fundada por uma aristocrata, oferecia serviços e ajuda econômica a grupos de assistência a pessoas carentes. Entre outras coisas, ajudava a pagar a educação de meninas cujas famílias enfrentavam dificuldades. A participação nesse grupo em particular era considerada uma forma fácil de comerciantes ganharem atestados de benevolência. Smirnov abraçou a oportunidade e, por sua generosidade, aumentou sua coleção de distinções. Recebeu uma medalha de ouro do grupo, em 1873, "por sua dedicação".[3]

Smirnov conhecia pessoalmente a fundadora e diretora da escola, Varvara Chertova. Era famosa na família real por sua filantropia e contribuição para a instrução de meninas. De fato, Chertova havia transformado a Aleksandro-Marinskoye de uma paupérrima escola para órfãs onde havia apenas dois copos para todas as alunas em uma instituição bem-financiada de primeira classe dentro do sistema educacional russo, que era dividido em três níveis. A diferença entre os três era principalmente a classe social das crianças e o conteúdo do programa educacional. Estudantes em escolas do primeiro nível, por exemplo, tinham 28,5 horas por semana de ciências e línguas estrangeiras, enquanto estudantes do terceiro nível tinham apenas 16,5 horas. As meninas do degrau inferior passavam mais tempo se aperfeiçoando em técnicas de trabalho doméstico tradicional do que no ensino acadêmico.

Uma moça como Mariya compreendia as vantagens que alguém como Smirnov poderia trazer para seu futuro. Além de segurança financeira, ele oferecia uma plataforma já pronta, de onde ela poderia se dedicar aos próprios programas sociais sem o peso das obrigações diárias. Conhecedora de arte e literatura, teria meios para frequentar o teatro e o balé, talvez até mesmo como *patronesse*. Poderia também viajar e usar as línguas aprendidas na escola. As perspectivas eram nítidas para Mariya. E também para Smirnov.

Ele tratou sua caçada por uma nova esposa do mesmo modo que um empregador quando procura o candidato mais qualificado para preencher uma vaga. Era uma oportunidade e Smirnov queria aproveitá-la ao máximo. É possível mesmo que visse Mariya como um modo de progredir ainda mais. Apesar da juventude, ela poderia facilmente dar conta das responsabilidades convencionais de mulher casada e possivelmente colaborar com o crescimento da empresa usando sua instrução e a experiência da família no comércio. Mas o que realmente convenceu Smirnov foi constatar sua capacidade para ajudá-lo a se orientar em meio aos compromissos sociais, que haviam aumentado na mesma medida de seu enriquecimento. Ela não teria medo de se envolver com obrigações culturais e sociais. Provavelmente até procuraria por elas.

Para Smirnov, Mariya era jovem e encantadora – e simplesmente a melhor candidata para preencher a vaga de esposa.

PARECE QUE A CORTE ENTRE O CASAL foi breve e banal. Não querendo violar o período habitual de um ano de espera, ele adiou as núpcias. Mas, apenas um ano e duas semanas após a morte de Natalia, e depois da formatura de Mariya na escola, Smirnov se casou pela terceira vez, em 28 de abril de 1874. Smirnov tinha 43 anos; Mariya, 16, apenas três anos mais que Vera, a filha mais velha dele.

Com o casamento realizado, a vida seguiu seu curso. Mal dava tempo de notar um novo morador na casa da Ponte de Ferro. Mariya chegou com cautela, tentando compreender o vaivém. Entendeu rapidamente que estava cercada pela agitação das atividades nos quartos, na loja, no bar e na adega em baixo ou na fábrica logo ao lado. O constante alvoroço era sem dúvida algo novo para ela, que havia tido uma vida relativamente enclausurada na Aleksandro-Marinskoye. A esquina da rua Pyatnitskaya com o rio Moscou era tudo menos isso, sobretudo na primavera.

A partir de maio, apenas algumas semanas após o casamento, cada manhã começava com uma cacofonia de sons. Policiais vociferavam ordens a vendedores e pedestres. Pessoas gritavam, lutando para atravessar as estreitas passagens do lado de fora do escritório central da vodca. Carros e carroças, enfileirados ao longo do aterro do outro lado da ponte, avançavam aos poucos, enquanto os cavalos resfolegavam e faziam estardalhaço com os cascos. O barulho todo se devia a Smirnov.

Para criar as muitas e populares vodcas aromatizadas e outras bebidas, ele precisava de toneladas e mais toneladas das frutas mais frescas, que eram trazidas no atacado de fazendas e pomares fora da cidade. Chegavam de trem, muito provavelmente na estação Kursk, a apenas 5 quilômetros da casa de Smirnov. De lá, as frutas, inclusive morangos e framboesas, eram carregadas em carroças, que então se dirigiam à fábrica e aos armazéns. A caravana colorida e aromática lembrava um desfile de carros alegóricos.

O itinerário era sinuoso e congestionado de pessoas, carga e cavalos. Para ir da estação à fábrica, situada no aterro Ovchinikovskaya do rio Moscou, as carroças precisavam passar sobre uma nova ponte que tinha sido construída perpendicularmente ao rio, enquanto a rua a que se conectava se enviesava em outra direção. Isso significava que os cavalos tinham que passar por uma abertura irregular que não era grande o bastante para acomodar as pencas de pedestres, vendedores e carroças que a usavam. O corredor, particularmente durante as procissões de fruta de Smirnov, funcionava como um ralo entupido, que prendia os que ficavam no meio da confusão.

Passada a ponte, a caravana aromática se deparava com uma ilha chamada "o pântano". Tinha esse nome porque a área inundava com frequencia, tornando-se enlameada e de difícil passagem. Quando as carroças chegavam ao aterro, ainda tinham que brigar com o caos da própria Pyatnitskaya, uma vizinhança cheia de lojas, residências e tráfego. Conforme Vladimir, filho de Smirnov, mais tarde diria a sua mulher, "as enormes carroças com cerejas, morangos e framboesas obstruíam o pátio da fábrica. Até as ruas que levavam à Ponte de Ferro ficavam intransitáveis por causa dos carros de fruta. ... O negócio de receber as frutas, pesá-las, selecioná-las e pagar por elas, que tomava horas e dias, piorava a confusão nas ruas das cercanias. O ar ressoava com os gritos e insultos dos carroceiros e das pessoas a quem eles impediam a passagem. Senhoras tampavam os ouvidos ou se escondiam atrás de guarda-chuvas."[4]

Felizmente para Smirnov, ele tinha respaldo para não ser responsabilizado pelo pandemônio. Em menos de uma década, tornara-se um dos dois maiores produtores de bebidas alcoólicas de Moscou. O valor de um milhão de rublos que possuía representava um terço de toda a renda anual gerada pelo comércio de álcool na cidade, o equivalente a aproximadamente 11,6 milhões de dólares atuais. Empregava agora 100 trabalhadores, um quarto de todos os empregados em fábricas de vodca da cidade.[5] Tinha adquirido recentemente mais um armazém e um novo prédio. Com produtos que variavam de vodcas a aguardentes e vinhos, Smirnov tornara-se sem sombra de dúvida um peso-pesado da indústria.

O mesmo respaldo lhe permitia contornar o sistema. Imediatamente antes da temporada, policiais visitavam sua casa e tomavam chá com um dos gerentes da fábrica. Até o chefe de polícia aparecia por lá. Depois dessas reuniões, os veículos de Smirnov conseguiam trafegar mais facilmente. "Os policiais se certificavam de que tudo estivesse em ordem, geralmente favorecendo as carroças de frutas e mandando as carruagens normais contorná-las", lembrou o filho de Smirnov.[6] A fábrica chegava a processar mais de 13 toneladas de frutas e ervas anualmente.

Agora Mariya fazia parte dessa vida. Naturalmente não se envolvia no elaborado processamento das frutas ou na manufatura de vodca e outras bebidas. Sua preocupação era estabelecer autoridade na vida doméstica dos Smirnov. Levaria tempo até persuadir os empregados fiéis a Natalia, mas Mariya não hesitou em se afirmar, especialmente no tocante à educação. Sabia que não havia muito que pudesse fazer para remediar a escrita elementar e outros pontos cegos do marido, mas podia ajudar a moldar o destino dos filhos dele.

Ela queria que as filhas de Smirnov se casassem com rapazes das mais importantes famílias de comerciantes – daí para cima. Os meninos aprenderiam línguas, história, matemática e música. Mariya compartilhava com

Smirnov o desejo de se igualar aos membros da nobreza, e tinha a mesma destreza calculada do marido para traçar o caminho mais rápido para a ascensão social. Com o tempo, traria todos os paramentos da alta sociedade para dentro da mansão: governantas, lições de equitação e ocasionais noites nos teatros e galerias de arte de Moscou.

Smirnov apoiava Mariya. Essa fora justamente uma das razões pelas quais a havia escolhido para casar. A vida tinha mudado em Moscou, especialmente para os mercadores. A liberalização dos anos 1860 dera aos grupos mais empreendedores maior liberdade para levar a cabo seus planos empresariais. Agora, uma década depois, esses homens, inclusive Smirnov, que haviam pertencido a uma classe organizada de tradicionalistas que viam apenas seus interesses, sem a confiança de boa parte da sociedade e evitados e ressentidos por ela, começavam a obter seus direitos. Ganhavam poder e voz, cívica e cultural. Em vez de espectadores, os comerciantes se tornaram parte integrante de quase todos os aspectos da cena política, artística, econômica e urbana do país – em especial em Moscou. Como disse um historiador americano, "um grupo [mercadores] que havia sido fechado, trancado e deixado de fora dos muros se libertou dos grilhões reais e metafóricos. ... Em um surto de atividade cívica e apoio organizacional, ajudou a preservar o passado, a moldar uma identidade nacional e forneceu visão e liderança para o futuro da educação, das artes e da ciência."[7]

Pavel Buryshkin, um rico comerciante russo que narrou vidas de comerciantes em um livro competente intitulado *A Moscou dos mercadores*, afirmou sobre o turbilhão de atividades desempenhadas pelos mercadores a partir da década de 1870: "O mercador está em toda parte. Ele é o círculo e o centro da vida moscovita."[8] Do mesmo modo como os Estados Unidos tiveram os Rockefeller, os Morgan, os Warburg e os Carnegie, a Rússia teve os Tretyakov, os Morozov, os Ryabushinski e os Shchukin, entre outros. Esses titãs da indústria tinham poder financeiro que lhes bancava o acesso a tudo o que quisessem. Tinham cargos públicos, fundaram instituições de caridade, abriram galerias de arte e teatros, participaram de conselhos escolares e apoiavam numerosas causas públicas. O magnata da indústria têxtil Pavel Tretyakov, fundador da famosa galeria de arte em Moscou, foi um grande colecionador e patrocinador de novos pintores. Piotr Shchukin colecionava antiguidades e livros raros que depois foram doados à Biblioteca Lênin (agora Biblioteca Pública da Rússia), e seu irmão Sergei abriu uma galeria para impressionistas franceses. Aleksei Bakhrushin mantinha uma coleção com a qual fundou o Museu do Teatro. Outros comerciantes inauguraram escolas e instituições técnicas, assumiram hospitais e construíram orfanatos.

O Clube dos Mercadores também refletiu as mudanças entre os membros da classe. Além do papel comercial, tornou-se um centro de comando social e intelectual. O clube abrigou bailes, festas a fantasia e concertos. Introduziu noites literárias e realizou banquetes com subtextos políticos. Começou até mesmo a patrocinar prazeres mais aristocráticos como criação de cavalos, caça e corrida.

De sua parte, Smirnov se esquivava desses eventos coletivos. Em seu mundinho míope, não via utilidade para eles. Ele mesmo nunca estivera em consonância com o clube e não via motivo para mudar de ideia agora. Com Mariya ao seu lado, no entanto, Smirnov passou a lidar com aquilo um pouco melhor que em anos anteriores. Mas ainda participava apenas do essencial para manter a reputação sadia e melhorar o status social. Talvez fosse sua falta de instrução ou sua obsessão singular com a vodca. Talvez fosse apenas sua personalidade, timidez e desconforto. Qualquer que fosse a razão, Smirnov evitava se arriscar em eventos sociais sempre que possível.

Apesar da aversão a reuniões das altas-rodas, apreciava os acessórios de um estilo de vida mais requintado, assim como Mariya. A casa deles tinha mobília importada sofisticada e trabalhos dos mais finos artesãos de toda a Rússia. Usavam roupas lindas, mantinham carruagens luxuosas e tinham muitos empregados. O casal abraçou a vida aristocrática.

Depois de tanta morte e desespero, Smirnov finalmente estava contente. Quase exatamente nove meses após o casamento, Mariya lhe deu seu terceiro filho homem. Vladimir nasceu em 7 de fevereiro de 1875, semanas depois que os primeiros capítulos do celebrado romance de Tolstoi,

Anna Kariênina, foram publicados na revista *Russki Vestnik*. Vladimir puxou à mãe, com o cabelo claro e olhos de um azul intenso. Nos anos seguintes, ficaria claro que Vladimir também havia herdado da mãe o apreço pelos prazeres aristocráticos da vida.

A vida profissional de Smirnov prosperava. Sua participação no excessivo consumo de bebida pelas massas continuava a crescer, assim como sua coleção de prêmios e condecorações. Smirnov enviou sua vodca à Exposição Universal do Centenário na Filadélfia, em 1876. Era um grande momento para os Estados Unidos, que comemoravam sua independência e demonstravam a propensão para o desenvolvimento industrial. Entre os produtos mais notáveis estavam a caneta elétrica e o mimeógrafo de Thomas Edison, o elevador a vapor da Otis e o telefone de Alexander Graham Bell. Ao lado deles, 37 países exibiam mercadorias e inovações.

A Rússia mandou uma safra de impressionante maquinaria agrícola, artigos de tabaco, confeitaria e porcelana. Mas o que ganhou maior atenção foram as bebidas. Trinta e seis produtores russos levaram bebidas alcoólicas à Filadélfia, 19 dos quais concentrados na vodca. "A primeira coisa a saltar aos olhos do visitante é a variedade de vinhos, aguardentes e licores que os russos devem produzir e consumir. Vemos aqui *vodki* em todo tipo imaginável de garrafa. Quando as pessoas viajam por meses em temperaturas abaixo de zero, essas garrafas elegantes devem ser reconfortantes", publicou o *New York Times*.[9]

Embora Smirnov tivesse ganhado louvores por seus vinhos e vodcas em Viena, na Filadélfia se concentrou apenas na vodca. O vinho já era bastante conhecido nos Estados Unidos e era uma indústria dominada por produtores da Europa Ocidental. Em matéria de bebida destilada, porém, os americanos preferiam o uísque bourbon. A vodca ainda era um mistério, uma bebida a ser descoberta.

No fim, Smirnov recebeu medalhas e grandes elogios dos juízes por sua "alta qualidade de fabricação". Bastou isso para chamar a atenção dos ministros do czar. Depois da exposição na Filadélfia, o Ministério das Finanças da Rússia concedeu a Smirnov o extraordinário direito de colocar o prestigioso emblema do Estado em seus produtos. Era uma honraria rara, prioritariamente reservada a pessoas das ordens sociais mais elevadas cujos produtos tinham qualidade eminente.

Esse reconhecimento foi o primeiro sinal real de que a odisseia estratégica de Smirnov, engendrada dez anos antes, começava a dar frutos. Ele havia lutado por suas aspirações com todo o entusiasmo capitalista que pôde juntar, sem deixar de atender à rigorosa ordem da Rússia e às suas regras antiquadas. Tinha sido um exercício de equilíbrio precário. Mas agora, com o emblema do Estado em seus produtos, os consumidores de todo o país reconheceriam em Smirnov o mentor de uma empresa excepcional, de reputação pessoal louvável e de comprovada dedicação ao serviço comunitário. Entre outros privilegiados com direito de usar o emblema do Estado estavam Karl Fabergé, o famoso designer de joias, e Ludwig Nobel, magnata do petróleo irmão de Alfred Nobel, inventor da dinamite e criador do Prêmio Nobel.

A Exposição Universal da Filadélfia foi um marco, rapidamente seguido de outro, a Exposição Mundial de Paris, onde as bebidas de Smirnov arrebataram duas medalhas de ouro.[10] Premiações da França eram particularmente bem-vistas pela aristocracia russa, que reverenciava tudo o que viesse daquele país. Eles importavam suas governantas da França, assim como roupas, champanhes e móveis.

A sorte de Smirnov, como costumava acontecer ao longo de sua vida, foi temperada por uma tragédia pessoal. Em 1877, meses após o sucesso em Paris, seu pai morreu aos 77 anos. Para os padrões russos, Arsêni teve uma vida longa e plena. Nascido servo em uma pequena aldeia camponesa em 1800, tinha superado preconceito e estigmas para tirar a si e a sua família das profundezas da sociedade. Smirnov reconhecia a contribuição extraordinária de seu pai, mas poucos além dele a perceberam. Não houve matérias de primeira página ou multidões no funeral. A morte de Arsêni era um assunto privado e fez de Smirnov, com 46 anos de idade, patriarca indiscutível de seu clã. Era ele quem agora conduziria a família pelas duas tumultuadas décadas seguintes. Imediatamente Smirnov deve ter começado a sentir os murmúrios de descontentamento.

Os problemas começaram durante a feira de Viena, com uma severa depressão que não deixaria nenhuma nação incólume. A quebra da bolsa de valores da Áustria provocou uma reação em cadeia que derrubou as economias de um país após o outro. Nos Estados Unidos, aproximadamente 18 mil empresas declararam falência entre 1873 e 1875, enquanto os bancos entraram em colapso e a indústria lutava para sobreviver. Na Europa Ocidental, o desemprego decolou e os lucros despencaram. A construção de ferrovias e outros projetos industriais foram adiados. A Rússia sofreu uma tempestade similar, acumulando dispensas e bancarrotas. E ainda passou por colheitas ruins e um grande colapso bancário em Moscou em 1875. Os russos ficaram chocados com o fato de que uma entidade apoiada pelo governo pudesse desabar. Houve uma corrida aos bancos. Os clientes queriam retirar o dinheiro do que supunham ser instituições inseguras.

Essas adversidades fizeram os russos se sentirem vulneráveis e incentivaram o surgimento de um grupo de jovens intelectuais radicais. Populistas, lideraram um movimento que ficou conhecido como *Narodnichestvo* (*Narod* significa "povo"). Muitos deles vinham de famílias importantes e haviam frequentado universidades nos grandes centros metropolitanos da Rússia. Estavam unidos pela crença essencial de que a vida dos camponeses era injustificadamente miserável. Aquelas pobres almas, argumentavam, viviam em extrema pobreza, não tinham educação e serviam como instrumento de uma engessada e incorrigível estrutura de classe e Estado.

Na primavera de 1874, centenas desses radicais se mudaram para o campo. Falsificaram passaportes, vestiram-se como camponeses e se prepararam para fazer trabalhos pesados como carpintaria e cultivo da terra. Planejavam misturar-se à vida no campo, trabalhando ao lado de seus irmãos menos afortunados. Imaginavam que "ir até o povo" lhes daria acesso às mentes e aos corações das massas, esclarecendo-os sobre a injustiça de sua condição. Acreditavam que seria somente uma questão de tempo antes de uma revolta cabal, com camponeses de todos os cantos da Rússia confrontando o sistema e exigindo uma vida melhor.

Ao invés disso, os ativistas foram recebidos com suspeita e desconfiança. Muitos aldeões ficaram assustados com o discurso revolucionário, pouco dispostos ou incapazes de compreender tal fanatismo. Alguns camponeses chegaram a entregar os novos vizinhos à polícia, que tomou então medidas rápidas e eficientes. Cerca de 770 populistas foram presos em 37 províncias. Presos ou forçados à clandestinidade, foram impedidos de alcançar seus ambiciosos objetivos. O movimento, no entanto, surtiu algum efeito: o pensamento revolucionário anticzarista havia sido semeado.

Smirnov não via o ativismo com bons olhos. Achava os radicais rudes, desrespeitosos, quase criminosos. Como podiam ser tão irresponsáveis com a ordem e a autoridade? Para Smirnov, o czar era Deus na Terra, intocável e onisciente. Ser contra seus desejos e sua política era uma heresia. Esses pessoas, deve ter pensado Smirnov, estavam tentando minar o czar Alexandre II e suas reformas – as mesmas que haviam permitido seu sucesso. Deve ter ficado feliz quando a polícia prendeu os protagonistas e extinguiu sua campanha.

Outras pequenas manifestações e insurreições sucederam a *Narodnichestvo*, mas foram abafadas e vistas como incômodos esporádicos e não ameaças de fato à estabilidade da nação. De maior interesse, pelo menos para Smirnov, era a crescente agitação entre os operários. A década de 1860 não teve mais que umas poucas paralisações trabalhistas por ano, mas na de 1870, esses incidentes se multiplicaram, chegando ao ponto mais alto no fim do período, com perto de 60 greves registradas por autoridades e um número desconhecido de outras realizadas sem o conhecimento do governo.[11]

O aumento se devia, ao menos em parte, ao crescimento no número de fábricas, consequência da industrialização. Mas o crescente descontentamento com o tratamento injusto e a falta de direitos trabalhistas básicos também tinha sua parcela de culpa. Salários insignificantes e a falta de regularidade de pagamento estavam entre as principais queixas. O típico salário em uma fábrica russa era duas vezes mais baixo que na Inglaterra e quase quatro vezes menor que nos Estados Unidos.[12] Mas talvez pior fosse a maneira aleatória com que empregadores pagavam os empregados. Atrasos sem explicações eram rotineiros. Em uma fábrica de Moscou, por exemplo, uma mensagem afixada por um gerente depois do dia habitual de pagamento, 22 de outubro, dizia: NÃO HAVERÁ PAGAMENTO ANTES DE 20 DE NOVEMBRO. QUEM OUSAR PEDI-LO ANTES DESSA DATA SERÁ DEMITIDO.[13]

Além dos salários baixos, os empregados também reclamavam das duras condições de trabalho. O dia útil médio era de 13 horas, e algumas fábricas exigiam até 18 horas seguidas. Outro problema eram as multas excessivas dadas a trabalhadores por infrações que podiam ser por atraso, por não comparecer à igreja, por fumar em local de trabalho ou por não tirar o chapéu diante do patrão.

O padrão de vida era mais um problema. À medida que camponeses pululavam nas cidades à procura de emprego sazonal, dependiam dos patrões para conseguir não apenas emprego, mas também comida e abrigo. Frequentemente as camas não eram mais que fileiras de tábuas sujas onde dormiam dois ou três homens lado a lado. Na fábrica de uma confeitaria, trabalhadores dormiam nas mesmas mesas em que faziam os doces. As refeições servidas também podiam ser abaixo da crítica – e caras –, e muitas vezes o custo dessa comida era descontado do salário pelos patrões.

Smirnov observava seus companheiros, algumas das principais figuras do mundo dos negócios daquela época, enfrentarem questões como essas. Em uma das fábricas dos Morozov, em 1876, cerca de 540 operários participaram de uma greve em grande parte motivada pelas multas excessivas. Uma fábrica têxtil dos irmãos Tretyakov assistiu a 1.500 trabalhadores se levantarem para protestar contra os baixos salários em 1878. Porém, os problemas que mais atraíam a atenção de Smirnov eram aqueles enfrentados pelos demais fabricantes de vodca.

Duas greves ocorreram em dezembro. A primeira na Keller & Co., em São Petersburgo. A empresa operava a maior fábrica de vodca do país, arrecadando 2,5 milhões de rublos anuais e produzindo aproximadamente 7 milhões de litros de álcool. Para se ter uma ideia, Smirnov fazia 1 milhão de rublos e menos de 2,5 milhões de litros anuais. Durante a greve, 250 trabalhadores protestaram contra o atraso de um mês e meio no pagamento dos salários, o tratamento cruel e a obrigação de trabalhar nos feriados. De acordo com um relatório oficial, um trabalhador apanhou tanto que não pôde mais voltar ao trabalho e teve que regressar à sua aldeia. Outro foi encontrado morto depois de ser acidentalmente estrangulado pelo maquinário sem segurança. "Toda noite, depois do trabalho, os empregados se reúnem em multidões para fazer algazarra e protestar contra a opressão", dizia o relatório.[14] Outra greve aconteceu na fábrica de Shtriter, em São Petersburgo, também sob alegação de tratamento vil. Shtriter fornecia vodca para o czar. Produzia maior quantidade de álcool que Smirnov, seu rival em competições internacionais.

Smirnov ainda não tinha enfrentado rebeliões e deve ter se felicitado secretamente por isso. Muito antes que o cuidado com o trabalhador se tornasse moda na Rússia ou onde quer que fosse, Smirnov já havia entendido que a satisfação deles significava maior produtividade, eficiência e dedicação. Consequentemente, via seu papel mais como o de protetor que de administrador dos trabalhadores. Pelo menos assim recordou seu filho Vladimir.[15]

A educação que Smirnov teve na aldeia lhe serviu muito a esse respeito. Ele era uma figura paterna para os empregados. Provinha as modestas necessidades da vida em troca de lealdade e obediência. Era uma troca justa e digna. A fábrica de Smirnov era ainda pequena o bastante para que ele conhecesse pessoalmente a maioria deles ou pelo menos para que lhe fossem familiares. Os gerentes eram de preferência parentes ou amigos chegados, e os 140 empregados em 1878 eram na maior parte conhecidos trazidos de sua aldeia ou de outras da região.

Havia igualmente razões empresariais sólidas por trás das escolhas de Smirnov. Ao promover a si próprio e a sua marca, compreendeu que seria uma vantagem que os empregados falassem bem do trabalho, em lugar de reclamar. Fazer os empregados mais humildes sentirem orgulho de sua ligação com a fábrica só poderia ajudar na construção da imagem de Smirnov como homem benevolente e generoso.

Smirnov também pagava melhor que muitos outros industrialistas. Operadores de máquina e engarrafadores, por exemplo, podiam ganhar até 25 rublos anuais com Smirnov e somente 18 trabalhando para a concorrência.[16] Smirnov tampouco empregava crianças ou mulheres, o inverso do que era prática relativamente comum entre os rivais e até em indústrias maiores. Alguns anos mais tarde, Smirnov também pagaria pela educação dos filhos dos empregados menos afortunados.[17]

Talvez a mais clara demonstração das atitudes de Smirnov com os trabalhadores tenha sido a que veio à tona durante uma briga em frente à sua casa. Certa noite, Piotr e Mariya tomavam chá e conversavam com convidados na espaçosa sala de visitas da mansão quando dois trabalhadores irromperam pela porta. Um deles tinha um olho roxo; o outro, o rosto ensanguentado. De acordo com as memórias de Vladimir, os dois correram diretamente para Smirnov.

"Piotr Arsênievich! Pai! Perdoe-nos por ousar perturbá-lo. Mas é um caso urgente. Permita-nos falar com o senhor, senhor Piotr Arsênievich", implorou um deles.

Smirnov sobressaltou-se, assustado. "Qual é o problema? Falem!"

"Estão batendo em nossos meninos, Piotr Arsênievich. [Juro] sobre a cruz que não vamos conseguir nos livrar sem ajuda. O grupo [opositor] formou uma grande muralha e nossos homens mais fortes estão trabalhando na fábrica para cumprir uma encomenda urgente. Eles são três vezes mais numerosos que nós."

"O quê?", Smirnov respondeu. "Estão batendo nos nossos meninos? Isso não pode acontecer."

As brigas de socos entre trabalhadores jovens de fábricas concorrentes eram bastante comuns. Mais um esporte que qualquer outra coisa, consistiam no duelo entre equipes segundo regras rígidas, que proibiam acertar o oponente abaixo da cintura ou no chão.

Smirnov imediatamente mandou uma mensagem para seu contramestre. "Permita que todos que queiram ir [à luta] saiam rapidamente." Então voltou-se para seus homens. "Voltem lá. Com a ajuda deles, vocês vão vencer a outra equipe. Se vocês os derrotarem, vou lhes presentear com uma boa refeição e folga remunerada até as duas da tarde de amanhã."

"Viva, Piotr Arsênievich, viva! Não duvide de nossa capacidade. Não vamos falhar." E os homens se foram.

Quando retornaram, bem mais tarde, estavam ensanguentados e feridos, mas também felizes e orgulhosos com a vitória. E foram recompensados por seu desempenho com vodca, comida e tempo livre. Smirnov "estava como uma criança feliz". Vangloriou-se com seus convidados: "Vejam como nossos meninos mostraram seu caráter." Então chamou o contramestre, repreendeu-lhe por não ter respeitado o direito de os trabalhadores defenderem seus nomes – e o de Smirnov. "Você queria tornar nossos meninos motivo de risos?", ralhou. "Se os operários marcaram uma briga, é porque ela é uma questão de honra para eles. Por isso, você deveria tê-los deixado sair e ponto final."[18]

Smirnov compreendia o que a disputa representava para seus homens. Compartilhava com eles o espírito competidor e sabia que ganharia mais ficando a favor deles do que os contrariando por causa de uma encomenda de emergência. Demonstrou seu apoio incondicional à causa dos trabalhadores e os recompensou por sua determinação e dureza. Pôs as necessidades deles antes das da companhia. "Meu pai sabia como tratar seus subordinados. Operários e gerentes o respeitavam e o amavam. Cumpriam suas ordens não por medo, mas por consciência", diria Vladimir a sua mulher, Tatiana Smirnova-Maksheyeva, que registrou as memórias do marido.

Com o tempo, o relacionamento harmonioso de Smirnov com a força de trabalho se tornaria um ponto positivo em um ambiente que, de outro modo, seria conflituoso e cada vez mais inflamável. A distância entre ricos e pobres havia aumentado. Ideias revolucionárias ganhavam força em pequenos focos de líderes de oposição e seus seguidores. Defensores do movimento da temperança ganhavam voz. E uma série de atentados contra a vida do czar, o último em abril 1879, alarmou a monarquia reformista com inclinação liberal. Aleksandr Solovyov, um participante do movimento "ir até o povo" alguns anos antes, estava envolvido nisso. Ele seguiu o czar durante uma caminhada perto do palácio de inverno, em São Petersburgo, deu cinco tiros de revólver e feriu um policial, mas errou o alvo real. Capturado com facilidade, foi enforcado um mês depois do episódio.

Com tanta confusão, Smirnov deve ter se perguntado quanto tempo duraria sua boa sorte. Pouco sabia que já estava sob o minucioso escrutínio de defensores da sobriedade e de seus rivais da indústria. Até Anton Tchekhov, então um jovem e desconhecido jornalista, voltava os olhos para Smirnov. E logo ele descobriria por quê.

8. As guerras da vodca

O czar Alexandre II foi um reformista. Empurrado para o papel de líder do país na esteira da Guerra da Crimeia, que expôs as fraquezas da Rússia para o mundo, saiu da experiência com uma nova convicção. Por mais atemorizante que fosse a tarefa, empreenderia uma campanha para modernizar seu país e motivar o povo.

Seu primeiro ato importante foi libertar os 22,5 milhões de servos cerca de dois anos antes de Abraham Lincoln libertar os escravos nos Estados Unidos, em janeiro de 1863. O czar prosseguiu: reformou o sistema judiciário, sancionou a criação de governos locais, diminuiu a censura, estabeleceu políticas econômicas mais progressistas e aboliu o sistema de coleta privada de impostos sobre o vinho. Em resumo, Alexandre II presidiu um dos períodos mais prolíficos da história da Rússia. Por vezes chamado de "Degelo", "Renascimento Russo" ou de "Quebra-Gelo" pelos meios de comunicação do país, seu reinado foi marcado por rápida industrialização e um despertar artístico sem precedentes.[1] As obras-primas de Tolstoi, Dostoievski, Turguêniev, Repin e Tchaikovski foram escritas durante seu governo. Agora, o czar estava a ponto de ratificar a primeira constituição da Rússia, e negociava para formar um tipo de parlamento com representantes de todas as províncias.

Tais mudanças foram fundamentais para o avanço da indústria e para que homens como Smirnov fizessem fortuna. Entretanto, Alexandre II superou sua cota de inimigos. Muitos intelectuais estavam insatisfeitos com a suposta lentidão e desigualdade das reformas do czar e por isso queriam acabar com a monarquia. Os camponeses e integrantes da pequena burguesia estavam irritados porque não viam nenhum benefício pessoal na modernização do país. Eles não tinham recebido a terra prometida depois da emancipação, o que significava que suas outras liberdades também estavam limitadas. Os nobres, temendo que sua posição privilegiada estivesse se corroendo, preocupavam-se com as concessões excessivas feitas aos conselheiros liberais do czar. Os opositores mais radicais levaram o ressentimento ao extremo: Alexandre II escapou de sete tentativas de assassinato. A oitava veio no dia 1º de março de 1881.

Naquela manhã, o czar se encontrou com o ministro do Interior, o progressista conde Loris-Melikov, e aprovou o esboço de um pronunciamento que colocava a Rússia um passo mais perto de uma constituição. Então, marcou uma reunião com o Conselho de Ministros para o dia 4 de março, quando daria prosseguimento ao assunto. Quando o czar se preparava para deixar o Palácio de Inverno em São Petersburgo, o chefe de polícia se aproximou em um trenó para acompanhá-lo em seus compromissos. Alexandre II subiu em uma carruagem fechada, acompanhado pelo chefe da guarda real e sete de seus homens.[2] A segurança estava obviamente mais acirrada, como medida de prevenção a futuros atentados contra a vida do czar.

Alexandre II compareceu a compromissos oficiais antes de ir tomar chá com o primo no palácio de Mikhailovski. Depois, pegou de volta a carruagem para voltar para casa. No caminho, um jovem se aproximou da comitiva real segurando um pequeno pacote branco, que arremessou para dentro do veículo. Segundos após a explosão, uma fumaça branca cobria o local. Quando ela se dispersou, o czar, ileso, pôde ver que um de seus guardas havia morrido e um menino jazia na rua, quase morto. Saltou então da carruagem, curvou-se sobre a criança e fez o sinal da cruz sobre ela.

Apesar da súplica dos assistentes para que retornasse à carruagem, o czar primeiro se moveu em direção a quem o atacou e, depois, em direção à cratera deixada pela bomba. De repente, a força de outra explosão ensurdecedora derrubou Alexandre e seus protetores. Dessa vez, cerca de 20 pessoas ficaram feridas, incluindo o czar. Suas pernas foram quase pulverizadas e sangravam copiosamente. Consta que, com voz fraca, Alexandre ordenou: "Levem-me para casa, rápido." Morreu pouco mais de uma hora depois, em seu gabinete no Palácio de Inverno, apenas um mês antes de seu 63º aniversário.

A notícia do assassinato se espalhou como uma epidemia, contaminando milhares de pessoas. Para Smirnov, tradicionalista e conservador por natureza, deve ter sido devastadora. Tinha o czar como algo sagrado, um pai e um protetor que representava a sabedoria e a ordem, e era a própria autoridade e o poder personificados. Como era tradição, acredita-se que Smirnov, a exemplo de muitos comerciantes, mantivesse um retrato do czar pendurado na parede de seu escritório, uma homenagem permanente ao monarca querido.

Aquele czar, pensava Smirnov, tivera um papel central em seu destino. Se outra pessoa estivesse sentada no trono russo, Smirnov poderia nunca ter conseguido tanto ou ter ido tão longe. Agora, a incerteza consumia o ex-servo e toda a nação.

Apenas uma semana depois da morte de Alexandre II, seu filho mais velho, o czar Alexandre III, descartou o ímpeto constitucionalista do pai. Seu governo, determinou, deveria restaurar a disciplina no país. O legado de reformas havia sido perigoso e prejudicial, concluiu. Afinal de contas, tinha produzido repetidas tentativas de homicídio. Após a ascensão ao trono, Alexandre III emitiu um manifesto atestando sua "crença na força e na verdade do poder autocrático". Queria "pôr fim aos abomináveis liberais".[3]

A revolução esperada pelo assassinos e seus simpatizantes com a morte do imperador não se materializou. Ao contrário, Alexandre III rapidamente tomou medidas enérgicas, como dar à sua força policial autoridade especial para localizar elementos indesejados e revolucionários. Os autores da morte de seu pai foram presos e executados em local público. E então, em pronunciamento oficial, Alexandre III apresentou um plano para o futuro. Jurou fechar escolas liberais, transferir determinados processos legais dos tribunais civis para os tribunais militares e frear a disseminação de alguns jornais e revistas independentes.

Smirnov deve ter apoiado tal retrocesso, imaginando que a Rússia tinha se tornado demasiado instável e imprevisível. A ordem era sempre primordial para ele. Mas até onde iria esse novo czar? Será que voltaria à questão da vodca? E se ele determinasse que a bebida mais popular da Rússia estaria melhor sob um firme controle governamental? E se decidisse reintroduzir o monopólio? Ou a coleta privada de impostos? E se a preocupação com o abuso da bebida se tornasse parte da política de Estado?

As preocupações de Smirnov se justificavam. A indústria da vodca já passava por dificuldades consideráveis. O aumento da concorrência e a proliferação de fabricantes gananciosos e desonestos transformaram os rivais antes tolerantes em inimigos ferozes. Na verdade, toda a situação do setor de bebidas havia mudado.

Na década anterior, o número de fabricantes de álcool legalizados na Rússia tinha crescido mais de 40%, ao menos a julgar pelo número de participantes do setor na Exposição Industrial e Artística de Todas as Rússias de 1882.[4] O inchaço se devia, pelo menos em parte, à contínua febre nacional por álcool. O autor Ivan Turguêniev comentou que a bebida "estava saturando a Sagrada Rússia".[5] Mas o crescimento era, na mesma medida, gerado pela facilidade do próprio negócio. Produzir destilados era relativamente barato e simples, especialmente as vodcas aromatizadas, para as quais não se exigiam os 40 graus necessários na vodca pura. Os produtores geralmente diluíam a vodca duas ou três vezes, aumentando o volume total a ser vendido. Isso significava que os preços de varejo podiam chegar a dez vezes o custo de produção.[6]

A indústria também não era muito regulamentada. Os destiladores pagavam impostos sobre a circulação de mercadorias e outros tipos de tributos cada vez mais robustos, e os varejistas pagavam taxas de licenciamento. Havia igualmente cobrança sobre os selos obrigatórios afixados às garrafas de bebidas alcoólicas. Fora isso, as partes eram livres para agir como bem entendessem. Esse sistema transformava hábeis empreendedores como Smirnov em homens ricos, e contribuía para a boa saúde fiscal da Rússia. A vodca continuava a ser a maior fonte individual de receita do Tesouro, contribuindo com uma média de 30% ou mais do total ao longo do século XIX.[7]

Com tanto dinheiro fácil rolando solto, a corrupção se entranhou ainda mais no comércio de álcool. Destiladores ilegais, fabricantes de fundo de quintal e outros aproveitadores inescrupulosos inundaram o mercado. Eles não pagavam impostos, não tinham licença, nem compravam os selos exigidos para seus produtos. Produziam suas bebidas e as vendiam a preços baixos para as tabernas, diretamente aos consumidores ou a distribuidores não autorizados. No quesito preço, batiam os fabricantes legalizados, como Smirnov. O governo, ao ver que estava perdendo uma boa fatia de rendimento, esforçou-se para atacar o problema provocado por esses produtores e instituiu algumas leis sem importância. Mas era como tentar tapar o sol com a peneira. Como um observador afirmou: "Sabemos muito bem quantos casos de fabricação secreta de vodca acontecem, quantos casos de fraude e engodo são descobertos todos os dias nas destilarias. Fabricar bebida ilegalmente é tão inacreditavelmente fácil que não temos nenhuma possibilidade nem de sonhar acabar com as violações."[8]

O problema era simplesmente grande demais. Dados mostram que o número de armazéns usados para esconder bebidas ilegais aumentou impressionantes 31%, passando de 4.896 em 1878 para 6.395 apenas oito anos depois.[9] Entre outros graves delitos estava a prática de apimentar a comida vendida nas tabernas. Era rotineiro exagerar no sal ou na pimenta na tentativa de aumentar a sede dos farristas. Ao mesmo tempo, mais varejistas abriam as portas ilegalmente, e o horário de funcionamento ia muito além dos limites permitidos.

Para Smirnov, a situação era mais um incômodo do que uma grande preocupação. Ele ocupava uma posição de grande força na indústria do álcool. Àquela altura, era o maior fabricante de vodca em Moscou, e faturava quase 3,2 milhões de rublos anuais, com 280 empregados. Era superado em tamanho somente por um punhado de rivais baseados em São Petersburgo. A marca de Smirnov era conhecida e estável, sinônimo de alta qualidade e bom gosto. Um resenhista da Exposição Industrial e Artística de Todas as Rússias de 1882 qualificou suas bebidas como "excelentes". Sua fábrica foi destacada como "respeitável".[10] Sua participação no mercado era forte, vendendo tanto para aristocratas quanto para as massas. E podia cobrar a mais pelas mercadorias de melhor qualidade. Sabia que perdia algum dinheiro por conta do comércio ilegal, mas isso não era o bastante para incomodar Smirnov ou levá-lo a agir. Além do mais, o tráfico paralelo de álcool sempre fora um problema na Rússia, mesmo antes da remoção do controle estatal.

Smirnov teria resistido a esse aborrecimento sem importância. Poderia até usar a oportunidade para apregoar seus produtos como os mais genuínos e confiáveis do país. Mas não tolerava os falsificadores. A vodca era o produto favorito dos fraudadores do país no século XIX. E, cada vez mais, era a marca de Smirnov que estava sob ameaça. Ela tornara-se o alvo preferido porque, ironicamente, era das poucas marcas trabalhadas de forma agressiva por seu dono até se tornar expressiva.

As garrafas falsas exibindo seu rótulo no mercado o enfureciam. Ao consumidor ocasional, esses produtos eram praticamente indistinguíveis dos originais. Vistos de perto, entretanto, o nome do imitador às vezes aparecia em uma notação que dizia que a garrafa havia sido produzida "a pedido de P. Smirnov". Essa distinção tinha pouco efeito em dissuadir os clientes, já que muitos apreciadores dos produtos Smirnov eram incapazes de ler ou muito distraídos para perder tempo identificando a garrafa.

Insulto maior do que a própria fraude era a qualidade inferior do produto. Sempre de olho no título de fornecedor do czar, Smirnov sabia que a boa reputação da bebida era primordial. Não ganharia tal prêmio se os clientes se queixassem da qualidade da vodca. Smirnov ponderava: não poderia processar os transgressores porque não existia lei que impedisse a falsificação ou protegesse os direitos de patente e de marca; não poderia arrolar a ajuda dos policiais – alguns provavelmente em conluio com os delinquentes – porque fabricar imitações também não era crime; e tampouco conseguiria perseguir os destiladores sem nome, pois eram muitos. Ainda assim, Smirnov estava determinado a defender seu território.

Planejou uma campanha meticulosa em duas frentes. Primeiro, faria tudo ao seu alcance para distinguir seus produtos das cópias e confundir os imitadores. A partir de 1881, no mais tardar, Smirnov acrescentou uma tampa a suas garrafas, passando a gravar o emblema do Estado e a assinatura da fábrica na rolha e a selá-la com resina. A segunda parte da estratégia de Smirnov era mais original. Pela primeira vez, decidiu investir em propaganda.

Smirnov, juntamente com a maioria dos demais comerciantes de bebidas, sempre teve uma ideia um tanto obscura sobre publicidade. Para eles, era um desperdício de dinheiro e uma maneira ineficaz de alcançar clientes em potencial. Historicamente, o Estado controlava a maior parte do conteúdo dos meios de comunicação, dos anúncios às notícias. Além disso, o leitor de jornais e periódicos se restringia à aristocracia.[11] Poucas publicações se dirigiam a outras classes, que eram demasiado difusas ou dominadas por analfabetos. De acordo com as memórias de Vladimir, Smirnov disse um dia: "Nossa empresa é conhecida em toda parte. Não há nenhuma necessidade de falar sobre ela nem em anúncios, nem gritando nosso nome por aí."[12]

Mas nos anos 1880 muita coisa mudara, em parte graças às reformas de Alexandre II. Grande quantidade de novas publicações mais independentes tinha surgido, atingindo todos os níveis da sociedade. E mais: agora estavam repletas de anúncios comerciais de toda sorte de produtos, de perfumes a remédio para sífilis. Smirnov foi um dos primeiros da indústria do álcool a entrar na briga. E o fez em grande estilo, transformando-se em figura central do que mais tarde veio a ser conhecido como as guerras da vodca.

O PRIMEIRO ANÚNCIO DE SMIRNOV de que se tem conhecimento saiu no dia 27 de abril de 1881, menos de dois meses após o assassinato do czar. Disposto com grande destaque, tomava cerca de um sexto da primeira página do *Correio Russo*, um jornal progressista com muitos leitores. Smirnov, como de costume, foi direto e inequívoco.

> Do escritório principal da empresa de vinhos de P.A. Smirnov em Moscou, na Ponte de Ferro:
>
> Em consequência da imitação dos rótulos de nossa fábrica, nosso escritório recentemente teve que substituir as tampas das garrafas de nossos vinhos de números 20, 31 e 21, que agora são seladas com cera e trazem a marca de nossa fábrica de vodca. Os imitadores logo começaram a pôr o mesmo tipo de lacre nas garrafas com imitações de nossos rótulos e com vinho de má qualidade dentro delas.* Dessa maneira, confundem nossos clientes. Agora, a fim de escapar deste mal, achamos necessário também usar rolhas, nas garrafas pequenas e nas grandes, com selos de nossa empresa. A rolha será revestida de uma camada selante que também terá o selo de nossa fábrica. Esses são os novos itens que nosso escritório tem a honra de anunciar.

* Vale lembrar que, na Rússia, a palavra vinho era usada para se referir à vodca.

Foi o primeiro de uma série de anúncios em estilo informativo pagos por Smirnov durante anos em várias publicações e regiões. Alguns deles divulgavam a localização de lojas ou produtos à venda; outros atacavam os fabricantes de álcool falsificado. Smirnov ficou cada vez mais sofisticado, comprando espaço em jornais para se vangloriar de sua reputação na indústria e da superioridade de suas bebidas. Os anúncios apareceram em diversas edições da *Folha de Moscou* a partir de 1881 e tomaram conta do jornal. Em um anúncio de 1882 (7 de janeiro de 1883, segundo o calendário gregoriano) na *Gazeta de Moscou*, Smirnov usou o problema dos falsificadores como oportunidade para apregoar o próprio sucesso.

> Em virtude da necessidade de acabar com a imitação dos rótulos de nossa empresa, vamos retratar dois brasões de Estado, recebidos em 1877 e em 1882 na Exposição Industrial e Artística de Todas as Rússias, em Moscou, pela excelência de nossos produtos. Além disso, o escritório pede humildemente que os cavalheiros compradores atentem para as rolhas, que também contêm o selo de nossa firma e a representação dos brasões de Estado.[13]

As prepotentes reivindicações de Smirnov não ficaram sem resposta – ou sem imitação. Seus principais rivais, também vítimas de falsificação em maior ou menor grau, juntaram-se à batalha pela opinião pública. Todos os fabricantes criticavam os falsificadores e tentavam fazer parecer que suas criações eram as mais puras, mais saborosas e mais reverenciadas. Logo, praticamente do nada, a propaganda na indústria do álcool tornou-se onipresente, aparecendo quase diariamente em publicações de todas as principais províncias da Rússia.

Shtriter, concorrente de Smirnov, por exemplo, propagandeou o fato de empregar um médico em sua fábrica, um homem, dizia aos leitores, que não apenas controlava a qualidade da vodca, mas também podia atestar sua maior pureza. E prosseguiu, vangloriando-se de que sua vodca de quina (planta da qual se extraem o quinino e outros alcaloides), submetida à administração médica em São Petersburgo, podia fazer parte de qualquer dieta saudável.[14] Outro rival, Koshelev, usou os jornais para alardear sua grande perícia técnica, dizendo que sua bebida era melhor graças à maquinaria de ponta com que era produzida.[15] Popova, que publicou imagens de seus prêmios, destacou o sabor superior de sua vodca, decorrente de uma "suavidade especial". Popova protagonizou também uma disputa feia com outro fabricante através dos anúncios impressos. Alegava que rótulos de sua marca estavam sendo utilizados ilegalmente por um concorrente com o mesmo sobrenome.[16]

Smirnov também tinha contendas públicas. Em 1884, acusou uma fabricante chamada Zimina de promover falsamente seu vinho de mesa como tendo sido feito "a pedido especial de Piotr Smirnov". Smirnov afirmou que todos os seus vinhos eram produzidos em sua própria fábrica. "Nunca fizemos pedidos a outras companhias", dizia um anúncio. Então começou a se queixar da péssima qualidade das imitações, que pretendiam se passar por suas incomparáveis misturas. Ele também teve que desmentir um concorrente que anunciava que "um químico especialista tinha encontrado turvação no vinho de uma famosa fábrica de Moscou", um ataque evidente à clareza da popular vodca nº 21.[17]

Na verdade, a bebida alcoólica na Rússia era em geral tão corrompida quanto o mundo dos negócios por trás dela. Nenhum produtor, nem mesmo Smirnov, escapava das críticas. Um relatório emitido alguns anos mais tarde pelo Congresso dos Destiladores, um grupo industrial organizado para melhorar a imagem e as operações do negócio do álcool, dizia ter encontrado traços de anilina, um derivado venenoso do benzeno usado para a coloração, na *nalivka* Smirnov nº 15 de framboesa.[18] O licor de tramazeira nº 1 de Ivan Smirnov continha ácido sulfúrico, composto químico que, juntamente com o óleo fúsel, era encontrado na bebida da maioria dos destiladores. Além desses elementos potencialmente prejudiciais, o relatório também denunciava o excesso de água adicionada, ao ponto de uma grande quantidade de vodcas aromatizadas conter um terço menos de álcool que a vodca pura.

O alvoroço causado pelas acusações, a intensidade das difamações e o ambiente altamente competitivo eram novidade na vida dos russos. As políticas mais liberais do último czar trouxeram os benefícios de uma economia mais voltada para o mercado, particularmente em indústrias voltadas para o consumidor e sem grandes barreiras para novos concorrentes, como a de bebida. A competição instigou os comerciantes mais espertos a desenvolver atrativos e outros truques para ganhar os clientes. O fabricante de chocolate Abrikosov foi especialmente criativo, anunciando que lindas louras venderiam seus doces em uma loja, e belas morenas assumiriam o balcão em outra. Os subprodutos desse capitalismo russo nem sempre eram engraçados ou positivos. Alguns, como a corrupção endêmica e as guerras da vodca, eram extremamente feios. Smirnov representava ambos os lados.

Um homem então com 25 anos de idade notou a movimentação incomum. Era Anton Tchekhov, que viria a ser um dos dramaturgos mais celebrados da história da Rússia. Ele deixara sua cidade natal em Taganrog, na costa sul do país, para viver em Moscou. Seus primeiras experiências literárias foram principalmente as histórias satíricas publicadas em tabloides e jornais humorísticos. Formado em medicina, gostava de zombar de situações sociais constrangedoras e criticar a mesquinharia que sempre encontrava nos detalhes mundanos e rotineiros da vida. Exemplo disso eram as guerras da vodca, fenômeno que foi tema de crônicas suas.

A obra de Tchekhov sobre as guerras apareceu em maio de 1885 em uma revista humorística de São Petersburgo chamada *Estilhaços*. Ele era um colaborador contumaz da publicação semanal, na qual zombava de tudo, de parentes desagradáveis à comilança dos feriados, passando pelas divertidas fraquezas que acompanham a arte de cortejar. Em uma coluna intitulada "Estilhaços da vida moscovita", Tchekhov encarregou-se dos fabricantes de vodca. Foi implacável em sua avaliação de Smirnov e de seus companheiros, referindo-se grosseiramente a eles como mascates do "sangue do diabo".

> Não temos qualquer notícia sobre as fronteiras do Afeganistão [onde havia um conflito] mas temos uma guerra em Moscou. ... Os ingleses não estão envolvidos. Nem os russos. Mas os fabricantes do sangue de Satanás: os donos de taberna e fabricantes de vodca. O *casus belli* é uma competição.
>
> Cada inimigo, tentando mostrar que a vodca dos concorrentes não tem valor, lança torpedos sobre os demais, arrasa-os e os exaspera com política. Vale qualquer coisa para jogar pimenta nos olhos do inimigo adormecido,

derrotá-lo e macular sua reputação. O fabricante Shustov delatou todas as vodcas existentes e criou, para o temor de seus inimigos, o bitter inglês.

Zimin come Smirnov, Smirnov come Zimin. E certa Avdotya Zimina, a fim de eliminar Piotr Smirnov, criou a vodca nº 21, uma clara imitação da nº 21 de Smirnov. A garrafa e o rótulo são exatamente como os de Smirnov. Para completar o quadro, escreveu no rótulo: "a pedido de Piotr Smirnov" (Piotr Smirnov é um dono de taberna cuja fama Zimina usou para seus propósitos). Pouco acima da inscrição, escreveu em letras bem pequenas 'Por encomenda'. Para demonstrar que ela, Zimina, sabe francês, pôs seu nome nos cantos do rótulo: Eudoxie Zimina. Dizem que por causa dessa inscrição, a vodca recebeu um sabor especial, específico.

Os irmãos Popov empregaram um especialista para o cargo de químico responsável que achou turvação no vinho de mesa nº 21 de uma famosa fábrica de Moscou (traduzindo: de Smirnov) e no vinho nº 20 de outra empresa que tentava se promover com propagandas.

O fabricante de vodca Koshelev se vangloria de seu destilado retificado. Em uma ávida rivalidade, todos publicam anúncios enormes e mensagens publicitárias nos jornais para difamar concorrentes. Mesmo os irmãos Popov, que acusam Smirnov de querer tornar-se ainda mais próspero, compram páginas inteiras. Smirnov ocupou um espaço da *Folha* [de Moscou] e ninguém consegue tirá-lo de lá.

Com toda a probabilidade, a guerra terminará com os fabricantes trocando tapas e processos judiciais. As aranhas em luta comem umas às outras, de modo que, no fim, sobram apenas as pernas.

Se tudo isso tiver resultado positivo, poderemos agradecer a nossa boa sorte. Os talentos não serão arruinados pela bebida; os empregados da pequena imprensa [aqui Tchekhov se refere a si mesmo] não terão inspiração [para escrever sobre assunto]; e um reinado de sobriedade terá chegado.[19]

A crítica afiada apareceu sob o nome de Ulysses, um dos 60 pseudônimos usados pelo autor durante sua carreira. As táticas que os produtores de vodca empregavam contra os demais, assim como as emocionadas manifestações públicas sobre como eram deliciosas e saudáveis suas bebidas, enojavam Tchekhov. Sua visão negativa era profundamente arraigada. Os males do álcool eram tema constante de seus escritos, que incluíam diversas referências específicas às bebidas mais populares de Smirnov. Em *Estilhaços*, um ano antes, Tchekhov resumiu sua atitude: "A vodca é uma bebida incolor que pinta seu nariz de vermelho e enegrece sua reputação." O nome do autor, dessa vez, seria traduzido por "Homem sem Ressentimentos."[20]

Se as estatísticas forem confiáveis, os russos não eram os bebedores mais prodigiosos da Europa. Essa distinção ficava com a França, onde o consumo de álcool anual per capita era de 15,7 litros, comparados a somente 2,7 litros na Rússia.[21] Mas o álcool foi construído na cultura francesa e em outras da Europa Ocidental um pouco como a cerveja nos Estados Unidos. Um copo ou dois de vinho junto com a refeição todos os dias era a norma, parte de uma tradição epicurista. Na Rússia, por sua vez, o objetivo de beber era diferente. "O consumo per capita era mais baixo [na Rússia] que na maioria dos países europeus. O verdadeiro problema não era tanto a quantidade absoluta consumida, mas a maneira como era consumida. Em vez de beber pequenas quantidades regularmente, os camponeses concentravam a bebida em algumas ocasiões festivas, quando bebiam até perder os sentidos."[22]

A acusação de Tchekhov de que Smirnov estava relacionado ao excesso de consumo de álcool na Rússia – sem mencionar ter chamado os fabricantes de vodca de "aranhas em luta" – deve ter irritado Smirnov. Ele nunca viu conexão entre seus negócios e o alcoolismo, pelo menos não que tenha reconhecido publicamente. A imagem que Smirnov tinha de si mesmo era a de um proprietário ético, totalmente moral. Via-se como um homem humilde, vencedor, que tinha, com trabalho duro e perseverança, obtido grande sucesso. Ser comparado aos elementos mais inescrupulosos do setor era injustificável, um insulto imperdoável. Gostando ou não, entretanto, muitos intelectuais não viam diferença entre eles. Para eles, Smirnov, assim como os demais, tinha crescido à custa da parte mais fraca da sociedade.

Não há nenhum registro de que Smirnov tenha respondido diretamente aos ataques de Tchekhov, mas deve ser mais do que uma coincidência o fato de que seus anúncios, depois do artigo de Tchekhov, tenham mudado de teor. Durante algum tempo, Smirnov parou de chamar atenção para seus concorrentes ou para os falsificadores, de maneira geral e pelo nome. Em lugar disso, concentrou-se mais em seu próprio negócio, em seus próprios números notáveis e em sua própria linha de produtos.

Talvez Smirnov tenha imaginado que as controvérsias espinhosas da indústria já haviam tido atenção suficiente. O governo interveio, tomando medidas em relação a algumas das queixas levantadas por Smirnov e outros fabricantes. O Estado aumentou o valor do imposto sobre circulação pago pelo destiladores de sete copeques em 1880 para oito em 1881, e nove em 1885. A ideia, além de arrecadar mais dinheiro para o Tesouro, era tornar o processo mais caro e oneroso para desestimular a entrada de novos participantes na indústria.* O Estado também estabeleceu uma série de penalidades direcionadas ao consumo abusivo de álcool. Quem tentasse vender álcool sem licença seria multado em 300 rublos. Quem produzisse vodca ilegalmente teria que pagar até 1.000 rublos e poderia ficar preso por até três meses. Por esconder bebidas que deveriam pagar impostos, a pena eram multas pesadas ou mesmo a condenação a até 16 meses de prisão, além da proibição de voltar a atuar no ramo pelo resto da vida. Na década de 1880, uma comissão foi formada para tentar abordar o problema da falsificação desenfreada, que também afetava produtos como o chá, o fermento e o chocolate.

Smirnov praticamente não foi afetado por esses esforços, que, na melhor das hipóteses, eram superficiais. Mais importante para ele era a lenta mudança da mentalidade no Palácio Imperial. Depois dos passos firmes em direção a uma maior abertura desde os anos de 1860, a agenda do novo czar passou a reduzir algumas liberdades que seu pai estabelecera. Além disso, o governante mostrava um desejo renovado de abordar novamente a questão do álcool, incluindo examinar se as mudanças das duas últimas décadas tinham contribuído para o que muitos alegavam ser uma epidemia alcoólica. Os temores de Smirnov começavam a se concretizar.

* Na realidade, a lei acabou incentivando a entrada de mais produtores ilegais. Como os fabricantes se negavam a pagar taxas mais altas, começaram as operações fora da lei.

Entre as primeiras iniciativas empreendidas pelo Estado com relação ao problema do álcool está a proibição dos bares, onde só se podia vender bebidas. O governo decretou em 1885 que bebidas alcoólicas só poderiam ser vendidas em tabernas juntamente com comida. O pensamento seguia as tradições de outras partes da Europa, onde a combinação de alimento e bebida gerava menos casos de embriaguez. Os funcionários do governo também tentaram resolver o problema de outra maneira, aprovando uma lei em 1886 que tornava crime grave a prática corrente de pagar parte dos salários com vodca ou outro substituto não monetário. Os violadores poderiam ser multados em até 300 rublos.

Eram passos pequenos, sem nenhum impacto visível no consumo. Ainda assim, antecipavam o futuro da Rússia imperial. Naquele momento, Smirnov estava confortável e não era diretamente ameaçado. Sabia, entretanto, que precisaria monitorar de perto o reinado de Alexandre III. Na medida do possível, precisava se interessar por política. Mas principalmente precisava se concentrar em tornar sua empresa uma potência ainda mais descomunal, com peso e capacidade de resistência.

O fabricante de vodca agiu rapidamente. Havia 13 anos desde que começara a fornecer seus produtos ao palácio, bem mais que os oito exigidos para requisitar o título de fornecedor do czar. Tinha perseguido e conquistado condecoração atrás de condecoração, ganhando prêmios de Filadélfia a Paris por seus feitos alcoólicos. Do ponto de vista filantrópico, Smirnov se considerava um cidadão modelo, um candidato ideal para fornecedor. Era hora de descobrir se o czar pensava o mesmo.

9. O rei da vodca

Em 23 de maio de 1885, Smirnov era todo confiança quando se sentou para escrever uma carta ao czar. O empreendedor principiante que 15 anos antes havia implorado pela possibilidade de vender suas bebidas ao czar já não existia. Agora Smirnov era um titã sem medo, um homem amplamente reconhecido por suas muitas realizações. Produzia implacavelmente. Estava à frente de um império de 3,2 milhões de rublos (34,8 milhões em dólares de hoje) – de acordo com um diretório governamental de indústrias –, que continuava a se multiplicar a velocidade espantosa. Agora, ao escrever à corte de Alexandre III, Smirnov dava a impressão de um aluno que havia visto as respostas da prova.

> Por muitos anos tenho vendido vinhos russos e estrangeiros em Moscou. Meu vinho é consumido em todos os cantos do império e vendido até no exterior. Com incansável empenho pessoal, fiz minha empresa crescer o máximo possível. Pago ao Tesouro Nacional, sob a forma de impostos sobre circulação e encargos alfandegários, mais de 2,5 milhões de rublos por ano. Tive a honra de receber as mais altas premiações pela qualidade do meu vinho – dois brasões de Estado, na Exposição Universal da Filadélfia de 1876 e na exposição russa de 1882. É de meu desejo alcançar a maior das alegrias: tornar-me fornecedor de vinhos e vodcas para a corte de Sua Majestade. Minhas qualidades morais são conhecidas além dos limites de Moscou. Nesta cidade, tenho a honra de ser um benfeitor da Faculdade da Corte e fornecedor de vinho para a Igreja da Corte. Eis por que pesquisar sobre minha personalidade, a começar pelo Departamento de Impostos de Moscou, dará a Sua Alteza segurança [sobre mim]. ... Sua Alteza é conhecida em toda a Rússia pela atenção clemente ao espírito empreendedor russo.
>
> Quanto a meus vinhos e vodcas, não tenho dúvidas de que são de alta qualidade com preços moderados e que são conhecidos. ... A atenção de Sua Alteza a um comerciante russo [Smirnov] incentivar-me-á a aperfeiçoar ainda

> mais meu negócio. Tenho minhas atividades em Moscou, na Ponte do Ferro, endereço de minha própria residência.[1]

Smirnov provavelmente consultou um membro mais letrado de sua equipe de funcionários para ajudar com a gramática e assegurar que sua prosa elementar e a caligrafia estivessem adequadas. Mas o conteúdo da carta, assinada de próprio punho pelo ex-servo sob o título de Comerciante da Primeira Guilda de Moscou, era todo de Smirnov: formal, respeitoso e direto ao ponto.

Fazer uma petição ao czar era um processo especialmente trabalhoso e burocrático. Todo o histórico dos negócios durante a última década tinha que ser informado. Era uma tarefa levada a cabo por muitos, mas dominada por poucos. Pelo menos metade das candidaturas submetidas era rejeitada de imediato por estar incompleta ou ser indigna de consideração. Fabergé, que já tinha ganhado notoriedade por suas joias em forma de ovos de Páscoa glamourosos, teve que esperar um ano inteiro para ganhar o título de fornecedor em 1885, porque se esqueceu de incluir uma informação contábil. E a documentação não era a única dificuldade. Uma fila de altos funcionários, incluindo o próprio czar, tinha que aprovar cada pretendente. Essa exigência em geral acrescia meses à concessão dos títulos, que ocorria somente no fim do ano ou durante a Páscoa.

As mercadorias de Smirnov eram conhecidas da corte àquela altura. Elas abasteciam sobretudo o palácio em Moscou. Mas a residência real principal, em São Petersburgo, não estava tão familiarizada com elas e, por isso, em junho 1886, Smirnov foi requisitado a enviá-las à corte para uma apreciação adicional. Embora mais de um ano tivesse se passado desde que o fabricante de vodca fizera o requerimento, ele ficou deleitado em receber e atender o pedido. Era o primeiro sinal tangível de que o czar e seus conselheiros estavam levando sua solicitação a sério.

Smirnov ficou tão exaltado com a mensagem de São Petersburgo, que escreveu ao conde Illarion Ivanovich Vorontsov-Dashkov, um amigo do czar que atuava como chefe do estado-maior. Na carta de junho de 1886, Smirnov recomendou seus vinhos e vodcas mais uma vez, dizendo serem incomparáveis. Também aproveitou a oportunidade para reverenciar o trono e demonstrar sua profunda e inabalável devoção. Foi uma desajeitada demonstração de respeito, mas a intenção era clara.

> Serei ousado e direi a Sua Majestade, grandioso e verdadeiro nobre que é, que para mim, cidadão russo, não há maior recompensa neste mundo para meu trabalho pessoal, o qual executo há quase meio século, que as generosas palavras de nosso Grande Czar sobre o mérito dos meus produtos, famosos para além de nossa pátria. Fui agraciado com muitas das mais altas premiações: um primeiro brasão do Estado em 1877 e um segundo em 1882, na Exposição Industrial e Artística de Todas as Rússias, em Moscou. Além disso, também recebi os seguintes prêmios: Diploma da Exposição de Viena em 1873; Grande Medalha de Ouro da Exposição da Filadélfia, em 1876; e Grande Medalha de Ouro e Pequena Medalha de Ouro na Exposição Universal de Paris, em 1878. Mas todos esses prêmios nada significam para mim em comparação com uma palavra de elogio do Czar.[2]

Antes de receber notícias da corte, Smirnov deve ter se perguntado se houvera algum imprevisto. Teriam seus adversários sabotado sua campanha? Teriam os artigos de Tchekhov influenciado a corte? Ou, pior, teria Smirnov se equivocado no tom, parecendo ansioso e pomposo demais, em lugar de agradável e deferente? A incerteza pode ter sido o que levou Smirnov a buscar reforçar suas qualificações.

Solicitou e recebeu a Ordem de São Estanislau, de terceira classe. Era a mais baixa na hierarquia na Rússia, mas ainda assim uma honraria prestigiada. Mais importante, àqueles que a obtinham também era concedido o título hereditário de cidadão honorário, uma distinção centenária também conhecida como "cidadão eminente". Smirnov sabia que nunca seria aceito como membro da nobreza; faltava-lhe uma linhagem. Mas esse título era quase tão grandioso quanto. Era um reconhecimento vindo diretamente do palácio que elevava a estatura de quem o possuísse para os mais altos patamares sociais. E também dava a Smirnov a possibilidade de tentar uma posição de maior prestígio dentro da instituição de caridade em que atuava havia tanto tempo, o Comitê Moscovita para Pedintes.

Smirnov era membro do Comitê desde 1870, doando até 200 rublos por ano para ajudar na recolocação dos trabalhadores sem-teto e indigentes em empregos dignos. Era uma causa admirável, mas se juntar ao grupo de elite de dez pessoas que administravam a entidade trazia outras vantagens. A mais evidente era que o czar tinha que aprovar pessoalmente as indicações. O fabricante de vodca achou que, se o czar o associasse a uma instituição de caridade séria e tradicional, isso poderia auxiliá-lo com o pedido do título de fornecedor. Ao candidatar-se ao posto no Comitê, Smirnov se comprometeu a contribuir com 500 rublos anuais. Ele também forneceu seu histórico completo: trabalho, religião, educação, procedência familiar e situação financeira. Sobre sua origem, Smirnov foi, como sempre, um estrategista, dizendo apenas ser filho de um comerciante de Moscou. Não mencionou nada sobre suas raízes servis.[3]

Os meses se passaram enquanto Smirnov aguardava notícias de São Petersburgo. Ele sabia que o governo estava preocupado. A Rússia, assim como a indústria de vodca, estava em transição. O mais recente exemplo da turbulência viera na forma de uma greve industrial organizada e de grande escala. A algodoaria dos Morozov foi o cenário do triste acontecimento. O salário de cerca de 11 mil trabalhadores tinha sido cortado cinco vezes entre 1882 e 1885. Multas excessivas impostas por uma série de delitos comiam até a metade do que levavam para casa. Os operários estavam fartos. Quase imediatamente, a greve de 8 mil pessoas se tornou violenta: os apartamentos dos gerentes foram saqueados, os escritórios foram destruídos e a loja de alimentos ficou arrasada. Os danos causados pela agitação foram estimados em mais de 300 mil rublos. O czar e o governador da província de Vladimir, com medo de que a revolta se alastrasse, chamaram os militares.

A greve foi reprimida e seus dirigentes, presos, mas, para os oprimidos, o incidente foi um sucesso. Morozov foi obrigado a fazer concessões e, mais importante, o Estado reconheceu o poder coletivo dos trabalhadores. Em pouco mais de seis meses, as reformas, embora apenas nominais, foram aprovadas, incluindo leis que limitavam as multas a não mais de 5% do salário. Foi uma primeira e decisiva vitória para o movimento operário da Rússia.

Smirnov sem dúvida assistia aos acontecimentos enquanto esperava uma resposta de São Petersburgo. O assunto prendeu sua atenção, mas não conseguiu desviá-lo de seu grandioso projeto. Estava concentrado em ser no futuro não apenas fornecedor do czar, mas também da realeza de toda a Europa. Com o título na mão, via uma infinidade de oportunidades para si. Já havia encomendado a um arquiteto renomado um projeto para ampliar e renovar sua casa, de maneira a torná-la mais adequada a um fornecedor do czar. Pretendia acrescentar um terceiro andar com 13 novos quartos à já espaçosa mansão, que tinha um salão de bailes de gala. Também aperfeiçoaria o projeto interior com a instalação de vários banheiros internos, uma conveniência de que apenas os ricos podiam desfrutar.[4] Mas a mudança mais significativa, pelo menos para Smirnov, estaria estampada no exterior da casa, onde pretendia colocar a inscrição em letras garrafais "Fornecedor da Corte Imperial de Sua Majestade – Piotr Arsênievich Smirnov". As grandes letras cirílicas seriam postas nos dois lados da casa voltados para a rua, tornando absolutamente impossível que algum transeunte pudesse não percebê-las.

Mariya também estava pronta para assumir um lugar mais proeminente na sociedade. Ela havia penetrado com facilidade a elite de mulheres de mercadores. Deixara o trabalho doméstico pesado e a educação dos filhos nas mãos de empregados para poder se concentrar nas próprias atividades culturais e filantrópicas. Como seu filho Vladimir diria mais tarde à mulher, sua mãe "tinha pouco interesse nas crianças; preferia levar a vida de uma mulher da sociedade".[5]

Não que alguém sofresse, pelo menos não externamente. Os filhos de Smirnov aproveitavam o melhor que o dinheiro podia comprar. As filhas quando pequenas provavelmente foram educadas em casa por tutores particulares, e mais tarde frequentaram escolas de ensino médio onde aprenderam tudo o que era necessário para assumirem seu lugar entre os escalões mais sofisticados da sociedade. Os meninos frequentaram uma das melhores escolas de Moscou, uma instituição privada alemã afiliada à Igreja luterana que servia a meninos de famílias ilustres de Moscou. Um dos alunos famosos da escola foi Boris Pasternak, autor de *Doutor Jivago*, que recebeu o Prêmio Nobel de Literatura em 1958. A escola era muito rigorosa, com aulas ministradas em alemão e russo. Os alunos aprendiam sobre linguagem, música, matemática e religião. Uma vez concluídos os estudos iniciais, os meninos eram divididos em dois níveis: ou iam para escolas de ensino médio, que ofereciam uma educação tradicional, incluindo literatura e artes; ou iam para as chamadas "escolas reais", assim nomeadas por sua abordagem prática do aprendizado. Essas instituições funcionavam mais como escolas profissionalizantes, preparando os alunos para carreiras no comércio e na indústria. Esse foi o caminho escolhido para os filhos de Smirnov.

Smirnov acreditava piamente que os filhos seriam seus sucessores. Depois de trabalhar tão duro para deixar para trás suas raízes camponesas, não podia imaginar que seus próprios descendentes não fizessem tudo o que fosse necessário para manter seu lugar na elite da sociedade. Eles haviam tido muito mais contato com um bom padrão de vida que Smirnov: conheciam romances, línguas estrangeiras, artistas e compositores. Agora precisavam aprender a administrar uma grande empresa.

Smirnov deve ter se preocupado com o futuro dos filhos. Em relação a Piotr, o mais velho, sentia-se confortável. Ele parecia ter herdado a alma séria de Smirnov. E era vistoso, exatamente como seus dois irmãos imediatamente mais novos. Aos 17 anos de idade, era mais baixo que o pai. A cabeleira e o espesso bigode com pontas recurvadas seguiam o mesmo estilo de Smirnov. Também era inteligente e estudava muito. Melhor ainda, era o filho que parecia genuinamente interessado em fazer o papel de herdeiro natural. O mesmo não se podia dizer de seus irmãos Nikolai, de 12 anos, e Vladimir, de dez. Eram bons alunos, tiravam notas na média ou acima dela na maior parte das matérias, como atestam os registros escolares.[6] Mas ambos contavam mais com carisma do que com inteligência. Eram belos rapazes, com um comportamento brincalhão, quase frívolo. Administração não era necessariamente uma escolha automática ou óbvia para eles.

O título de fornecedor, no entanto, poderia facilitar as coisas para todos. Era o maior símbolo de sucesso, uma conquista que poucas pessoas poderiam igualar. A insígnia de fornecedor representava qualidade impecável, longevidade no mercado e incomparável ética pessoal. O titular era imediatamente elevado em status, tanto nos negócios quanto na sociedade.

Os dias ficavam mais curtos e mais frios, pois já era fim de novembro. Dezoito meses haviam se passado desde a primeira petição de Smirnov ao czar. Finalmente, a resposta chegou. Ela não veio da maneira habitual, por via postal. Smirnov teve a honra de ouvir a notícia pessoalmente do governador-geral de Moscou. À notificação informal do chefe de Moscou, no dia 22 de novembro, seguiu-se uma carta formal, de 26 de novembro de 1886, assinada pelo ministro Vorontsov-Dashkov.

> O Imperador condescendeu em que o comerciante da primeira guilda de mercadores de Moscou Piotr Smirnov seja nomeado fornecedor da Altíssima Corte com o direito de usar o emblema do Estado em seus letreiros. Esta honraria maior foi relatada ao chefe do departamento da Corte em Moscou.[7]

Já no dia seguinte, Smirnov ordenou que todos os rótulos fossem alterados para levar a nova distinção. Ele também começou a publicar grandes anúncios de primeira página para notificar seus conterrâneos da excitante novidade. "Tenho a honra de informar a meus clientes que fui agraciado com o título de Fornecedor da Altíssima Corte. Essa é a razão pela qual comecei o processo de troca dos rótulos dos vinhos de mesa, vodcas, aguardentes e vinhos de uva de minha empresa. Os clientes serão avisados quando a troca for concluída. Assinado: Piotr Smirnov, Fornecedor da Corte Imperial de Sua Majestade."[8]

Não havia mais dúvidas: ninguém tinha interferido. Os bombásticos discursos de Tchekhov não haviam azedado a corte. E Smirnov não errara no tom. Depois de 1886, Piotr Smirnov podia reivindicar o título de rei da vodca.

10. Da procura à preservação

Piotr Smirnov era um homem motivado pelos momentos decisivos do jogo de resultados. Dedicava-se ao ato de lutar, avaliando estrategicamente as circunstâncias e, em seguida, olhando além delas para determinar com precisão sua próxima manobra. Havia sempre um objetivo quase inalcançável o incentivando, o que era essencial para o ciclo contínuo de desenvolvimento. Foi assim que ele, o mais improvável dos campeões em um mar de sólidos rivais, atingiu o topo do seu setor industrial.

Agora, com o título de fornecedor garantido, Smirnov achava-se em terreno desconhecido. Sua constante e incansável escalada em direção ao cume do poderoso mundo da vodca parecia ter chegado ao fim. Por muito tempo, essa busca dera forma a cada movimento seu, dos trabalhos filantrópicos às participações em exposições e até na escolha de sua esposa. Ela renovava sua energia e dava estrutura onde antes não havia nenhuma. Evidentemente que havia mais medalhas a conquistar, mais honrarias a obter, mais dinheiro a ganhar. Mas Smirnov parecia já não ansiar por nada disso. Ele dominava o mercado de vodca, empregando mais de um terço de todos os empregados da indústria na província de Moscou e produzindo mais de duas vezes e meia mais bebidas alcoólicas do que o seu concorrente mais próximo. As extensas operações, que agregavam produtos fabricados a partir de cerca de 300 receitas diferentes, arrecadavam 3,2 milhões de rublos por ano, quase dois terços de todo o álcool comercializado na metrópole.[1]

Com presença tão imponente, Smirnov precisava de nova inspiração. Aos 56 anos, entrava na fase final de sua carreira. Sua ascensão acontecera durante um período singular, quando os servos russos, a impotente e vulnerável parcela sem rosto da população, ganharam sua liberdade. A mudança em direção aos direitos das massas veio a reboque, parte do programa do czar para modernizar e democratizar a nação. Os comerciantes também desfrutaram de uma espécie de renascimento, passando de flagelo da sociedade a empresários ricos, influentes e filantrópicos. Em contrapartida, nobres e latifundiários, os personagens dominantes em todos os tempos, tiveram que aceitar papéis um pouco menores. A rígida hierarquia sobre a qual tinham reinado era estigmatizada como desatualizada e retrógrada por um coro cada vez mais sonora. Os limites entre as classes eram agora tão pouco definidos como tinta borrada.

Mas um novo czar estava no leme, e Smirnov podia ver o pêndulo se afastando. Havia se tornado um mestre na leitura das maquinações da nação e seus líderes, usando-as para guiar seu próprio comportamento e traçar seu curso. Smirnov sabia, antes de muitos outros, que, dentro de um punhado de anos, estaria diante de um governo muito mais antagônico e de um povo bem mais crítico.

Alexandre III lutava contra um enorme déficit orçamentário decorrente de uma série de colheitas ruins, gastos excessivos com burocracia e despesas militares e progresso lento no setor industrial. O país estava em apuros financeiros. "A debilidade econômica em toda a Rússia alcançou uma dimensão enorme", concluiu um jornal.[2] No fim de 1886, o czar convocou o novo ministro das Finanças, Ivan Vishnegradski, um descendente do clero com mente afiada para os negócios, e exigiu que encontrasse uma solução. Não demorou muito para Vishnegradski propor uma. Entre outras coisas, o ministro sugeriu a introdução do monopólio do tabaco e da vodca. A ideia tinha sido lançada em anos anteriores, mas desta vez ela rapidamente ganhou importância, fazendo o jogo da antiga e difundida noção de um Estado onisciente.

De certa perspectiva, mesmo Smirnov precisava reconhecer que a proposta tinha mérito e forte apoio. A aristocracia, os principais beneficiários do comércio de vodca antes de o imposto sobre circulação ser implementado em 1863, gritava pela necessidade de mudança. Juntamente com funcionários do Estado, os nobres reclamavam que a indústria de bebidas alcoólicas estava mais corrupta do que nunca. Destiladores, fabricantes e varejistas, acusavam eles, haviam se tornado mentirosos contumazes sobre o nível de produção e vendas, uma situação que fazia com que o governo recolhesse uma quantidade substancialmente menor em impostos. Além disso, argumentavam que a qualidade da bebida decaía: ou era demasiado diluída ou reforçada com substâncias químicas e aditivos nocivos. Proponentes do monopólio alegavam que dar ao governo a responsabilidade pelo comércio de bebidas alcoólicas não só sustentaria o Tesouro como também livraria a indústria de trapaceiros gananciosos e ordinários.

Se essas fossem as únicas motivações para a pressão pelo monopólio, Smirnov poderia ter apoiado ou até mesmo promovido a medida. Afinal, o Estado faria o trabalho sujo, eliminando os inescrupulosos produtores de bebida Smirnov falsa e outros fabricantes ilegais. O controle do governo e os impostos mais altos reduziriam o número de fabricantes e consolidariam as vendas, provavelmente a favor de Smirnov. Mas, infelizmente para Smirnov, havia muito mais por trás desse debate.

A imprensa conservadora, pró-autocracia, que difundia as irregularidades do imposto sobre circulação, também defendia o retorno do firme controle imperial. Vários artigos caracterizavam como fracassadas as tentativas do Estado de combater o alcoolismo e reformar o comércio de vodca. Mais e mais editoriais consideravam o monopólio essencial para corrigir a crescente crise moral e sanitária, inspirados por esforços semelhantes de outros países europeus, como Suíça, Alemanha e França. Para sustentar suas convicções, analisavam dados brutos, muitas vezes considerados pouco confiáveis ou contraditórios: a Rússia, por exemplo, teve cinco vezes mais mortes relacionadas ao álcool entre 1870 e 1887 que a França, embora as estatísticas mostrassem que o consumo per capita francês era mais elevado.[3] No entanto, a alta sociedade, apoiada por um número crescente de representantes do clero, médicos especialistas, defensores da temperança e funcionários do Estado, acreditava que o consumo excessivo contribuía amplamente para os problemas da Rússia.

Lev Tolstoi, provavelmente o indivíduo mais famoso da Rússia, compartilhava desse ponto de vista. Tolstoi escrevia incessantemente sobre os males das bebidas e de outros comportamentos imorais, tentando converter as pessoas a suas convicções sobre a abstinência. Ele sustentou que 90% de todos os crimes eram cometidos por bêbados e que metade de todas as mulheres perdia a virgindade enquanto estava sob o efeito de álcool. Em parte, chegou a essa conclusão após ouvir um motorista de táxi discutir um crime: "Se a pessoa não estivesse bêbada, seria uma vergonha", ponderou o motorista.[4] O comentário foi uma epifania para Tolstoi, convencendo-o de que as pessoas que planejavam praticar um ato criminoso usavam a bebida para tomar coragem. O álcool os deixava livres para roubar, estuprar, assassinar ou cometer outros atos hediondos que não conseguiriam praticar se estivessem sóbrios. "Eles bebem e fumam não por tédio, não para ficarem alegres, não por ser agradável, mas a fim de sufocar a consciência", concluiu Tolstoi, lembrando seus próprios sentimentos e comportamentos durante a Guerra da Crimeia.

A questão do romancista fazia sentido. Um estudo realizado por um respeitado acadêmico russo observou a ligação entre o consumo de bebidas e atividades ilegais por um período de dez anos. Ele concluiu que o número de crimes praticados por pessoas que haviam bebido havia aumentado 10% entre os homens e 25% entre as mulheres.[5] A relação entre o abuso do álcool e infrações penais ou violência foi particularmente notável nas comunidades mais pobres e nas fábricas. "Eles se socam, se cortam e brigam por nenhuma razão em particular. A vida não vale nada. Se uma briga começa, você pode esperar um assassinato, especialmente durante os feriados. Os jovens aqui tendem a agir como arruaceiros. Geralmente, eles se reúnem nas várias zonas industriais e organizam brigas em massa. Tem sido um fenômeno diário."[6]

Para Tolstoi, as provas eram irrefutáveis: os russos se afogavam na bebida, destruindo-se a cada garrafa. Em 1887, ele renunciou publicamente à bebida e lançou uma organização popular, a Liga Contra a Embriaguez, um dos primeiros movimentos pela sobriedade. Um punhado de outros surgiram, mas nenhum teve a força do de Tolstoi. Ele era uma figura pública, amado e admirado por um número impressionante de compatriotas. Suas atividades eram fartamente cobertas pelos jornais e conhecidas fora de sua pequena aldeia de Yasnaya Polyana. Mesmo entre os muitos que se opunham a suas opiniões, as palavras de Tolstoi tinham grande peso e inflamavam debates apaixonados.

Por causa de Tolstoi e dos apaixonados discursos conservadores, Smirnov provavelmente estava tenso. Ele via que a vodca era tida tanto como solução para os muitos males do país quanto causa deles. Ele percebeu que era apenas uma questão de tempo antes que o monopólio vingasse, pondo em risco seu império e seu luxuoso estilo de vida. Smirnov precisava considerar cuidadosamente como proceder nesse ambiente cada vez mais traiçoeiro. Seu relacionamento com o Palácio Imperial o protegeria das tempestades que viriam, assim como a boa reputação conquistada com suor. Mas isso não seria suficiente para deter um governo financeiramente carente, um crescente coro de detratores do álcool e os cidadãos que cada vez mais viam a indústria de bebidas como algo sujo, corrupto e imoral.

Por necessidade, Smirnov estava em transição. Evoluía de um homem que perseguiu seu futuro para um voltado para a preservação dele. Nunca antes seus interesses privados haviam se chocado tão diretamente com as posições do czar. Dada a disposição patriótica de Smirnov, que aos olhos da aristocracia e do Estado ainda não passava de um ex-servo, o fabricante de vodca tinha opções limitadas. Não podia levantar a voz contra o monopólio da vodca. Tal movimento o tacharia de rebelde ou, pior, de anticzarista. Ele seria visto como o pior tipo de capitalista, um aproveitador indiferente aos menos afortunados. Como um fornecedor da corte, não poderia sobreviver a tal golpe contra sua reputação; tampouco podia deixar a impressão de que se importava mais com seu próprio sustento e seu futuro do que com a Mãe Rússia. Smirnov quase certamente perderia o apoio real e, com ele, um grande fluxo de receita vinda da corte imperial.

Ele também não poderia destacar seus próprios hábitos de consumo para melhorar sua imagem. Nunca se soube que bebesse em excesso. Suas práticas pessoais e o olho atento que mantinha sobre os empregados para desencorajar farras alcoólicas teriam agradado ao governo, que estava interessado em ensinar as pessoas a beber com moderação e bom senso. Ostentar uma postura de abstinência radical, no entanto, poderia ser interpretado como um ato de arrogância e ofender uma grande quantidade de seus melhores clientes, os beberrões desordeiros formados, em sua maioria, por camponeses e operários, a quem ele também servia.

Mas Smirnov, sendo Smirnov, não conseguia ficar inativo. Embarcou em uma estratégia imperceptível em várias frentes que não era nem abertamente política nem confrontante. Era puramente pessoal, vantajosa apenas para seus próprios planos. Permaneceria absolutamente leal ao czar, criando uma imagem impecavelmente moral e devotadamente cristã de que poucos poderiam duvidar. Desta forma, acreditava que se sairia melhor que os demais fabricantes de bebida e, assim, manteria sua posição privilegiada quando o inevitável monopólio se tornasse realidade.

Foi uma aposta calculada, e provavelmente a única que pode ter acreditado ser razoável fazer. Em 1888, Smirnov se candidatou ao título de conselheiro comercial e foi aprovado.[7] Era uma honraria prestigiada de 88 anos de idade que representava a mais alta distinção que um comerciante poderia receber. Concedida sobretudo devido a grandes doações para a caridade, era, porém, seu significado mais amplo o que Smirnov mais prezava naquele momento. Os que a recebiam eram considerados especialistas de destaque e bem-sucedidos em sua área. Passavam a ocupar os mais altos patamares profissionais e integravam um grupo de elite de honrados filantropos.

Smirnov intensificou sua atividade caritativa, dando fundos para várias causas, incluindo aquelas associadas e apoiadas pela corte imperial e pela aristocracia. Já de posse de sua primeira honraria, a Ordem de São Estanislau de terceira classe, Smirnov decidiu tentar a Ordem de Sant'Anna de terceira classe, uma distinção com o nome da filha de Pedro o Grande, Anna. Para obtê-la, Smirnov elevou suas contribuições para o Instituto da Corte de Moscou, uma escola profissionalizante também apoiada pelo czar. Smirnov escreveu que suas doações foram feitas "para apoiar crianças, de toda maneira possível, em seus estudos de artes e comércio ..., atribuindo bolsas de estudos para os melhores alunos do sexo masculino e melhores alunas do sexo feminino. Desta forma, as crianças terão a chance de continuar seu curso e se preparar para ser úteis em sua profissão."[8] Em pouco tempo, Smirnov recebeu a ordem, outro claro sinal de que não era um comerciante qualquer de classe baixa.

Smirnov também procurou enfatizar sua fé. Sempre havia sido cristão. Frequentava a igreja regularmente, contribuía para suas necessidades financeiras e passava seus ensinamentos para os filhos. Como muitos comerciantes, também era colecionador de ícones religiosos. Um deles lhe era particularmente precioso. Seu pai o trouxera consigo quando se mudou para Moscou. A imagem, que representava o rosto de Cristo, se baseava na passagem da Bíblia que descreve o modo como suas feições ficaram impressas na toalha que usou para limpar a face. Na antiga pintura sobre madeira, dois anjos seguravam os cantos da toalha sagrada. O ícone foi colocado em uma moldura dourada reluzente que, de acordo com as memórias de Vladimir, pesava dois quilos. No início de cada ano, Arsêni e Smirnov acrescentavam à moldura uma joia preciosa, como uma pérola ou uma safira. A relíquia de família ocupava um lugar de destaque na casa.[9]

Essa devoção, no entanto, não era suficiente para ganhar a admiração e o apoio aberto do clero e de outros líderes religiosos. Para isso, Smirnov teria que ir muito além de gestos rotineiros. Assim, doou dinheiro para restaurar um altar para um santo russo em uma das catedrais do Kremlin. E em duas delas assumiu a posição de prestígio de representante da igreja.[10] O trabalho, que envolvia administrar os negócios e supervisionar e pagar pela manutenção do prédio, era um caminho típico de comerciantes de destaque. Mais da metade das igrejas e catedrais de Moscou tinha comerciantes como representantes no último quartel do século XIX. Para Smirnov, em particular, esse ato foi inteligente e essencial. "A participação pessoal da elite empreendedora na vida da igreja tornou-se uma demonstração de religiosidade por um lado, e um meio de reforçar a imagem social de outro", escreveu um pesquisador.[11] O ponto de vista dos camponeses era mais cínico. "Quanto mais pesado na consciência o pecado por maltratar os compatriotas ..., mais alto tocam seus sinos, e maiores são as igrejas que ele constrói." Para eles, o cargo era uma panaceia para os atos pecaminosos do capitalismo, um antídoto para o egoísmo.

Sublinhar sua devoção ao cristianismo foi oportuno. A perseguição religiosa na Rússia, em outras palavras, o antissemitismo, aumentava desenfreadamente. O czar já havia proibido judeus de residir em São Petersburgo, e, em 1891, o governador-geral de Moscou expulsou muitos deles da cidade, dizendo que era hora de "proteger Moscou dos judeus".[12] Perto de 20 mil judeus foram enviados para os subúrbios ou para fora da cidade, juntamente com criminosos e outros indesejados. É possível que Smirnov conhecesse pessoalmente algumas dessas pessoas. Muitos judeus trabalhavam na indústria de bebidas como destiladores, fabricantes de cerveja ou varejistas. Manter-se afastado de problemas pode não ter sido o objetivo de Smirnov; ele pode nem ter apoiado essas iniciativas fanáticas. Mas era um ponto político a seu favor ser visto inconfundivelmente como um devoto da religião nacional oficial.

Smirnov então voltou sua atenção para a família mais próxima, em particular para o filho mais velho, Piotr Pietróvich. O acalorado debate sobre a vodca tornava necessário treinar adequadamente um sucessor competente e socialmente capacitado. Smirnov recordava muito bem as dificuldades que enfrentara quando não tinha nem pedigree, nem credenciais sociais apropriadas. Estava determinado a proteger o filho de semelhante humilhação. O Smirnov mais novo, que acabara de fazer 20 anos, estava muito mais bem-preparado do que seu pai. Além de herdar o intelecto e o talento para os negócios, tinha a vantagem de uma educação de primeira classe. Ele conhecia o negócio da família. Estava envolvido com o empreendimento trabalhando ao lado do pai na administração da fábrica. O que o Piotr mais novo não tinha, porém, era currículo público. Smirnov decidiu patrocinar o filho para um lugar no Comitê Moscovita para Pedintes. Piotr Pietróvich tornou-se membro da organização em junho de 1889. Smirnov, então, voltou-se para os empregados.

SMIRNOV QUERIA TER CERTEZA, na medida do possível, de que nenhum trabalhador da fábrica ou de uma das lojas pudesse constrangê-lo ou trazer vergonha para a empresa. Essa é a razão pela qual sempre manteve sua presença na contratação de pessoal. Ele aperfeiçoou um processo de seleção simples mas revelador. De acordo com as histórias da família e um livro escrito por descendentes de Smirnov, um diálogo típico se desenrolava da seguinte maneira: Smirnov descia de seu escritório no segundo andar para encontrar um candidato ao emprego de, digamos, balconista. Depois de alguns gracejos, ele lhe oferecia uma bebida. "Quer um pouco?", perguntava. O candidato não hesitaria: "Não, não, Piotr Arsênievich", respondia. "Deus me livre. Dou minha palavra de que não bebo, senhor."[13]

O homem mais do que provavelmente sabia do conservadorismo do rei da vodca e tentava passar boa impressão. Mas Smirnov poria à prova a firme recusa do candidato antes do fim da entrevista. Fazia uma série de perguntas rotineiras sobre formação, experiência e expectativas para o futuro. Smirnov dava pouca atenção às respostas previsíveis. Preferia olhar para o jarro sobre a mesa diante dele. "Tem certeza de que não vai mudar de ideia?", Smirnov diria, sorrindo calorosamente. "Que pena que não quer. Esta vodca é muito boa."

Sentindo-se confiante e certo de que seria contratado, o homem cedia: "Bem, Piotr Arsênievich, vejo que você poderia convencer até um homem morto. Pode servir então", diria ele, devolvendo o sorriso. O homem tomava uns goles da ótima vodca, o tempo todo à espera de um aceno de seu futuro patrão. Mas, em vez disso, Smirnov se levantaria e diria suas palavras inequívocas. "Por que você estava me enganando?", perguntava. 'Eu não bebo, eu não bebo.' Por que você simplesmente não disse logo 'Por favor, pode servir'? Pelo que vejo, não há como fazer negócio com você. Você não mantém sua palavra." Com isso, Smirnov daria as costas e retornaria ao escritório. O candidato ficava sozinho, confuso e abalado. Isso era Smirnov por excelência: inabalável em sua convicção, implacável em sua crítica.

Mesmo ocupando o primeiro lugar nos negócios do robusto ramo de bebidas alcoólicas na Rússia, Smirnov e seus muitos vinhos e destilados, e também outros produtores e seus produtos, estavam cada vez mais sob ataque. Não era apenas a noção de um monopólio que os ameaçava. O verdadeiro problema vinha do que o Estado fazia para alcançá-lo. A corte imperial não estava disposta a mexer com um produto tão importante para a cultura e a economia russa sem primeiro convencer o povo de que a mudança era vital. M.G. Kotelnikov, um funcionário que trabalhava nessa questão, disse que a reforma proposta "tocava os interesses de um considerável número de empresários e pessoas. Foi determinado que era necessário formar a opinião pública de modo a favorecer o estabelecimento de um monopólio do vinho [vodca]."[14]

A ofensiva do czar, realizada ao longo de vários anos no final da década de 1880 e início dos anos 1890, era uma campanha de marketing tão direta, convincente e abrangente quanto qualquer coisa que o próprio Smirnov poderia ter feito. Era como um ataque militar de elite, impecável na execução e avassalador em âmbito e mensagem. O governo espertamente retirou a ênfase de seu principal motivo para querer o monopólio: dinheiro. Em lugar disso, retratou-se como salvador, protetor do povo contra inescrupulosos vagabundos que incentivavam a bebida em excesso, envenenavam os produtos oferecidos e escondiam os lucros que pertenciam de direito à Rússia e a seu povo.

Mikhail Fridman, um notável economista russo próximo do ministro das Finanças que mais tarde escreveu uma obra definitiva sobre o monopólio da vodca, publicada em 1914, resumiu as declaradas intenções do governo como altruísmo e amor paternal. O ministro, escreveu Fridman, realmente acreditava que "todas as medidas tomadas pelo Estado para regulamentar o consumo de bebida foram de caráter paliativo; que o livre-comércio de vinho [vodca] prejudicou a economia e a força moral do país e de sua população, e devastou e desmoralizou o povo. Comerciantes particulares de vinho influenciavam negativamente as pessoas, induzindo-as a competir umas com as outras para ver quem conseguia beber mais. E eles voluntariamente vendiam vinho a crédito, permitindo que as pessoas garantissem a compra com pertences pessoais, futuras colheitas ou futuros salários."[15]

Havia boa dose de verdade nas acusações, mas elas refletiam apenas uma pequena parte da indústria, os elementos mais desviantes e imorais, e ignoravam completamente figuras honestas como Smirnov, assim como as motivações fiscais bem reais e terríveis. Ainda assim, o governo conseguiu convencer as massas a ver a situação de sua maneira. Um dos seus argumentos mais convincentes surgiu depois de um estudo científico inédito sobre o álcool, particularmente a vodca. A ideia era analisar o conteúdo da bebida e desvendar um conjunto de práticas desonestas ou prejudiciais. Que a qualidade da bebida era um problema recorrente, inclusive quando esteve sob o controle do governo décadas antes, era irrelevante. O Estado precisava demonstrar que a ilegalidade era galopante.

Um grupo de destiladores de vodca pura conhecido como Congresso de Destiladores revelou-se uma fonte improvável para o governo defender sua tese. O grupo não gostava do uso de aditivos na vodca pois reduziam a demanda por produtos não adulterados, como os de Smirnov. *Nalivkas* diluídas com água ou de infusão de frutas não exigiam tanto álcool quanto a vodca pura. Desse modo, assim como o governo, o Congresso dos Destiladores viu potencial no financiamento de estudos científicos que pudessem expor as práticas insalubres e repugnantes durante o processo de produção.

Uma comissão de higiene organizada pela Universidade de Moscou se encarregou de alguns desses estudos. Seus membros, acadêmicos e profissionais de saúde, eram responsáveis pelo acompanhamento da qualidade dos produtos consumidos. Um dos testes analisou 13 fábricas produtoras de vodca e descobriu que o processo típico de produção gerava óleo fúsel como subproduto. O óleo, considerado prejudicial à saúde e especificamente proibido pelo código militar da Rússia, estava contaminando a vodca que os consumidores bebiam. Ele era mais facilmente detectável nas bebidas mais baratas, por causa de seu cheiro forte. Mas estava presente em todo o álcool investigado. Outros aditivos encontrados em diferentes graus em vodcas aromatizadas incluíam ácido oxálico, ácido sulfúrico e anilina, ligada a problemas no estômago e na boca e a doenças renais. O Congresso de Destiladores não escondeu sua indignação: "Então essa lama é engarrafada com rótulos bonitos ..., batizada com nomes como *nalivka* de framboesa e enviada primeiro a Moscou e depois, por ferrovias, a todos os confins da Rússia", escreveu um de seus membros.[16]

Outra avaliação testou apenas *nalivkas*, que eram particularmente populares na aristocracia. Óleo fúsel voltou a aparecer, juntamente com fucsina, um corante que pode conter arsênico, cochonilha, um aditivo corante carmesim benigno, e anilina. Na verdade, a anilina era usada como um agente de coloração na *nalivka* de framboesa nº 15 de Smirnov. "Todas as *nalivkas*, sem exceção, estavam, em maior ou menor grau, impuras", relatou Fiódor F. Erisman, um cientista especializado em condições de higiene e sanitárias, autor do relatório sobre a vodca patrocinado pelo Estado.[17]

Na mesma análise, a comissão mediu a quantidade de álcool usada nas bebidas feitas com vodca. Descobriu-se que a maioria delas era feita com cerca de 25% de álcool, muito menos do que os fortes 40% da vodca pura honesta. A *nastoyka* Smirnov de cereja, por exemplo, continha 24% de álcool.[18] *Nalivkas* e *nastoykas*, que eram misturadas com água, frutas ou ervas, não tinham que ter necessariamente um elevado teor de álcool – e, portanto, poderia se alegar serem menos prejudiciais que bebidas mais fortes. No entanto, os pesquisadores expressaram os resultados por um viés negativo. "As *nalivkas* baratas têm péssima qualidade de álcool. Se você deixar o sabor evaporar e esfregar o líquido na palma da mão, vai sentir o óleo fúsel, uma substância indubitavelmente nociva. A indústria da destilação deve fazer o que estiver ao seu alcance para se livrar dele de uma vez por todas."[19]

Apesar das referências depreciativas específicas às bebidas de Smirnov, com a intenção de provar que até os produtores de maior prestígio usavam produtos químicos perigosos, Smirnov também recebeu notícias favoráveis da comissão de higiene. Em 1892, ela conduziu uma análise separada dos produtos dos três maiores e mais caros fabricantes de vodca, incluindo Smirnov e um de seus principais rivais, Popov. A intenção, novamente, era mostrar que mesmo os produtos *premium* continham ingredientes insalubres. As bebidas de Smirnov, embora não isentas de aditivos, foram consideradas as mais puras e de mais alta qualidade. Até sua vodca mais barata e popular, a nº 21, foi considerada melhor do que a linha equivalente dos concorrentes.

Smirnov se saiu melhor do que a maioria, bem o suficiente para reclamar para si o posto de fabricante da vodca mais pura da Rússia. No clima do momento, porém, essa distinção era dúbia. O impulso do governo em direção à monopolização estava dado e não podia mais ser detido. O único consolo para Smirnov deve ter sido poder se diferenciar das empresas mais corruptas no setor. Para levar a cabo seu projeto, a corte planejava realçar esse grupo de maus atores sociais. As conclusões do relatório de Erisman e do Congresso de Destiladores deram um passo importante na comprovação de práticas imorais na indústria. Além disso, o ministério lançou luz sobre as enormes margens de lucro do comércio de bebidas, observando, por exemplo, que um balde de vinho, vendido por mais de seis rublos, tinha o custo de produção de apenas a metade deste valor, incluindo todos os impostos. "O resto do dinheiro vai para o bolso do comerciante."[20]

Antes que o Ministério das Finanças pudesse reivindicar esse dinheiro para a própria conta, decidiu que seria interessante atestar os perigos associados ao alcoolismo cultural da Rússia. Até certo ponto, o Estado fazia eco a Tolstoi, destacando a embriaguez como inimigo de tudo o que era moral e direito, um obstáculo para a produtividade, para a estabilidade econômica e para a civilidade. Ao contrário do famoso autor, no entanto, o Palácio Imperial não pregava a sobriedade. Queria, em vez disso, ensinar a moderação. "Os russos bebem de forma errada", sustentava o governo.[21]

Entre outras coisas, os funcionários oficiais pretendiam promover o consumo doméstico, sob vigilância da família, em lugar dos bares cheios de alcoólatras brigões. Também pretendiam distrair os bebedores pesados oferecendo alternativas de entretenimento mais sóbrio como salões de chá, apresentações teatrais e leituras públicas. O governo planejava até lançar um dia suas organizações próprias em prol do comedimento.

Foi tudo bastante convincente. A proposta do monopólio da vodca teria prosseguido sem tropeços, não fosse uma série de erros alheios à vontade do czar que desviaram sua atenção e a de seus assessores, em especial do ministro das Finanças, Vishnegradski. Desde o início, o ministro, um homem que fez fortuna por conta própria, estava preocupado em eliminar o déficit orçamentário e reforçar a saúde econômica geral do Estado. Seu projeto envolvia aumentar impostos, reorganizar o sistema ferroviário, aumentar as exportações e lançar o monopólio sobre o tabaco e a vodca. Ele esperava, assim, revigorar o perfil da Rússia na comunidade internacional e atrair novos investidores e capital estrangeiro.

O plano de Vishnegradski funcionou até determinado ponto. Ele conseguiu acabar com boa parte do déficit através de impostos mais elevados sobre o açúcar, o tabaco, o álcool e o querosene. Também aumentou as tarifas sobre as importações, adotando as mais rigorosas taxas aduaneiras de toda a Europa. Ao mesmo tempo, Vishnegradski exportou agressivamente as fartas colheitas de grãos, dobrando a quantidade enviada para o exterior. Os agricultores correram para vender não apenas seus excedentes, mas seus estoques domésticos, na esperança de cumprir os prazos impostos pelo Estado, ganhar dinheiro com os bônus de exportação e, deste modo, conseguir pagar todos os novos impostos. A receita estatal aumentou e o rublo se fortaleceu.

Mas os russos, isto é, os camponeses, não participaram da benesse governamental. Ao contrário, sofreram muito com pesadas e crescentes obrigações fiscais e o declínio no preço internacional dos grãos. As condições de vida despencaram. Uma safra devastadoramente ruim em 1892 complicou a situação ainda mais. Vishnegradski não contava com isso – nem com a fome que se instalou em todas as províncias centrais da Rússia. Foi-se o arrogante e míope Vishnegradski, que uma vez disse sobre seu agressivo plano econômico: "Não vamos comer, mas vamos exportar."[22]

No final, Vishnegradski foi forçado a suspender as exportações de grãos e a liberar mais de 160 milhões de rublos para ajudar os famintos. Centenas de iniciativas voluntárias de socorro surgiram pelo país, incluindo as de Tchekhov e Tolstoi, que se apressaram em ajudar os conterrâneos. "Não posso descrever em simples palavras a extrema miséria e o sofrimento destas pessoas", escreveu Tolstoi à esposa, Sonya. Em seguida, o escritor e suas duas filhas mais velhas organizaram refeitórios improvisados nas regiões mais afetadas.[23]

A reputação de Vishnegradski afundou. Os jornais o criticaram por se orientar por uma política construída sobre areia movediça. Pouco tempo depois, talvez devido à crise em si, ao cansaço ou às duras palavras arremessadas em sua direção, Vishnegradski teve um enfarte e sua saúde nunca se recuperou completamente. Em 30 de agosto de 1892, colocou o cargo à disposição, deixando grande parte do planejamento de governo, inclusive o monopólio, ainda por terminar.

Smirnov, provavelmente, apreciou o adiamento, embora soubesse que seria por pouco tempo. As condições favoráveis ao monopólio estavam do lado do czar. Além do mais, o substituto de Vishnegradski não era um homem que se deixaria perder o rumo. O conde Sergei Witte era um nobre de nascimento que viria a se tornar um dos estadistas mais poderosos, progressistas e controversos do país. Desde o início, deixou suas intenções claras. Queria construir uma nova Rússia, uma nação moderna, industrializada e economicamente admirável. O monopólio da vodca, previa, iria ajudá-lo a realizar seu plano.

11. Capitalismo monopolista

Sergei Witte era uma figura imponente em quase todos os aspectos. Era bem mais alto que a média do homem russo e exibia um físico sólido e quadrangular. Os ombros largos pareciam esculpidos a partir de uma gigantesca placa de mármore. A cabeça enorme e a testa grande pareciam fora de proporção com o resto do corpo. O nariz, longo e como que fraturado, fez com que pelo menos uma pessoa o achasse parecido com "um crocodilo".[1] Segundo um dos amigos mais próximos, era impossível não perceber Witte. "Ele era um homem de forte caráter e vontade firme, com uma notável originalidade em sua aparência física, na maneira de pensar e na maneira de agir. Tudo nele demonstrava paixão, inspiração, espontaneidade e energia sobre-humana. Era um guerreiro por natureza, um guerreiro destemido."[2]

Smirnov provavelmente já sabia desse homem e de suas qualidades notáveis. Witte chegou ao Palácio Imperial após uma carreira de sucesso. Era um empresário astuto que fez da Ferroviária Sudoeste uma das mais rentáveis da Rússia. Era também um homem corajoso, com convicções profundas. Uma história, possivelmente apócrifa, diz que Witte mereceu a atenção do czar pela primeira vez quando trabalhava como administrador para a movimentada ferrovia que cobria as regiões da Ucrânia e da Bielorrússia. Apesar de pressionado por funcionários do czar, Witte negou-se a aumentar a velocidade do trem imperial quando ele passou pela estrada de ferro. O trem do czar era conhecido pelo ritmo às vezes excessivo e perigoso. A ousada recusa de Witte em 1888 enfureceu o partido imperial, até que pouco depois, naquele mesmo ano, o trem do czar, ao retornar de São Petersburgo da residência de verão, em Yalta, descarrilou. A família real, felizmente, sobreviveu. Foi naquele momento que Alexandre III recordou e apreciou a teimosia de Witte e sua advertência profética de que "era melhor sacrificar a velocidade que a vida do imperador".[3]

Em um ano, Witte foi recompensado com a nomeação para o importante cargo de diretor de assuntos ferroviários do czar. Ele logo provou seu valor, confiando em sua experiência e em uma licenciatura em matemática para agilizar as operações e melhorar a saúde financeira do departamento. Ele também fez nome ao supervisionar a enorme construção da tão importante ferrovia transiberiana, que começou em 1891, e ao introduzir uma tarifa de frete eficiente para bombear mais dinheiro para o Tesouro e proteger a indústria nacional. Quando Witte tornou-se ministro das Finanças, em agosto de 1892, já tinha uma reputação admirável e a total confiança e apoio de Alexandre III.

Quando se tratava especificamente do monopólio da vodca, Witte também contava com o empenho pessoal do czar. Em suas memórias, Witte sustenta que controlar a venda de bebidas era um dos principais objetivos de Alexandre III. "Ele estava muito triste em ver o povo russo desperdiçar tanto dinheiro em bebida, e via o monopólio como forma de reduzir a embriaguez. ... Ele estava pronto para dar o corajoso passo de substituir o sistema de imposto sobre circulação por um através do qual o governo, como exclusivo comprador de bebidas das destilarias, pudesse regular a produção e depois ser o único vendedor ao público."[4]

Embora Witte estivesse mais fiscal que moralmente motivado, abraçou a causa. Quase imediatamente após a aprovação oficial do monopólio pelo czar, em 6 de junho de 1894, Witte partiu para o ataque. Deu continuidade à política estatal de esvaziar a importância da necessidade orçamentária do governo em prol da noção mais popular de que o monopólio iria "colocar um fim à grave influência dos varejistas de bebidas alcoólicas sobre a condição moral e econômica do povo".[5]

Smirnov não era o alvo dos insultos do ministro, mas teve que reconhecer que o apoio que tinha da monarquia estava em declínio. A indústria de bebidas fora culpabilizada pelo czar e seus principais oficiais – todos apoiavam o monopólio com convicção. O clero também adotava cada vez mais a causa da sobriedade, organizando e liderando grupos de temperança por toda a Rússia. A mensagem antiálcool era a pedra fundamental do nascente movimento da Igreja destinado a melhorar as deterioradas condições de vida de trabalhadores e camponeses. As greves, algumas apoiadas por um novo líder jovem e determinado chamado Vladimir Lênin, reapareceram com o crescimento industrial dos anos de 1890. Essas ocorrências cresciam sem parar e, como um vírus em mutação, se tornavam mais e mais imunes aos esforços do Estado para extingui-las.

Parecia que a única coisa do lado de Smirnov agora era o tempo. O monopólio não escaparia ao atoleiro da política e da burocracia do governo. Implementar uma reforma tão drástica não poderia ser feito da noite para o dia. O Estado teria que criar mecanismos de cobrança de novos impostos e taxas; contratar locais livres de qualquer associação com a indústria privada para monitorar os suprimentos e a qualidade das bebidas; capacitar funcionários e cidadãos sobre os detalhes da nova medida; e finalmente assumir a responsabilidade por uma indústria gigantesca e pesada. A monopolização incluiria a construção de mais de 350 armazéns de destilados e a abertura de até 18 mil lojas de vinho do Estado apenas até 1899.[6] Witte reconhecia a enormidade da tarefa e determinou que deveria primeiro semear a reforma em lugares onde o consumo de álcool e a receita gerada pela vodca fossem historicamente baixos. Desta forma, o governo exerceria maior controle sobre a implantação da reforma e não seria dominado por ela. Também poderia verificar deste modo se o monopólio realmente captaria mais dinheiro para a monarquia e reduziria a embriaguez ao mesmo tempo. Quatro províncias do leste – Samara, Orenburg, Perm e Ufa – foram selecionadas como área de teste.

A metodologia se tornou uma vantagem para Smirnov.

De 1893 a 1895 Smirnov esteve voltado para fora. A Rússia mudava rapidamente ao longo da década, e Smirnov percebeu que sua longevidade pessoal e comercial dependia de fazer o mesmo. Já não podia mais se concentrar unicamente em sua imagem – se parecia suficientemente piedoso, caridoso e honrado. Numerosos problemas apareciam no horizonte, acima e além do monopólio iminente. Precisava lidar com um ambiente empresarial em transição, que, sob Witte, movia-se rapidamente em direção a uma industrialização mais expansiva e a práticas mais ocidentalizadas. Uma variedade de instituições capitalistas, de bancos comerciais a bolsas de valores e empreendimentos com acionistas privados, multiplicava-se

Retrato de Piotr Arsênievich Smirnov publicado em homenagem a sua morte, em 1898. Na inscrição abaixo da foto, lê-se: "P.A. Smirnov, membro do Conselho de Comércio, 29 de novembro de 1898."
Fonte: *A Folha de Moscou*

Mariya Nikolaiévna Smirnova, terceira mulher de Piotr Smirnov. Ela morreu cerca de quatro meses depois do marido.
Fonte: *M. Zolotarev*

A casa perto da Ponte de Ferro serviu de residência aos Smirnov da década de 1860 até a Revolução. A família morava no andar superior; uma fábrica, um escritório e uma loja funcionavam nos andares de baixo.
Fonte: M. Zolotarev

Vista da rua Pyatnitskaya. A casa de Smirnov está à esquerda. O campanário que aparece na foto é parte da igreja de São João Batista, onde, em 1898, foi realizada a missa fúnebre de Smirnov.
Fonte: M. Zolotarev

Piotr Pietróvich Smirnov, o primogênito do rei da vodca. Administrou a empresa depois da morte do pai.
Fonte: M. Zolotarev

Nikolai Pietróvich Smirnov (à esquerda), segundo filho homem de Smirnov. É identificado como criador de cavalos na foto, retirada de um livro sobre o assunto publicado no início do século XX.
Fonte: *M. Zolotarev*

Vladimir Pietróvich Smirnov (à direita), terceiro filho homem de Smirnov. Como o irmão, é identificado como criador de cavalos na foto, retirada de um livro sobre o assunto. Depois de permanecer algum tempo em uma prisão bolchevique, Vladimir fugiu da Rússia pós-revolucionária e restabeleceu o negócio do pai na Europa.
Fonte: *M. Zolotarev*

Estande de Smirnov na Exposição Industrial e Artística de Todas as Rússias, em 1896, em Nizhni Novgorod. A realeza russa elogiou a apresentação de Smirnov, que tinha garrafas cintilantes nas cores nacionais da Rússia.
Fonte: Catálogo de participantes do evento

Aleksandra Pietrovna Smirnova, a caçula entre as filhas de Smirnov e um padrão de beleza em sua época. A correspondência entre a jovem e seu amante foi uma fonte valiosa na recriação da vida dos Smirnov.
Fonte: Viúva de Vadim Borisovski, filho de Aleksandra /M. Zolotarev

Aleksei Pietróvich Smirnov, o último filho homem, e sua mulher, Tatiana. Tendo apenas nove anos de idade quando o pai morreu, Aleksei teve pouca relação com os negócios da família.
Fonte: M. Zolotarev

Sergei Pietróvich Smirnov, quarto filho homem de Smirnov. Rompeu com a família após a morte do pai em virtude de uma desavença com os irmãos sobre os negócios e a divisão do espólio.
Fonte: M. Zolotarev

A fábrica de Smirnov fecha as portas depois da entrada em vigor do monopólio da vodca em Moscou, em 1901. Esta foto saiu no jornal local.
Fonte: A Folha de Moscou

Haras de Vladimir Smirnov em Moscou. Ele era um ardoroso criador de cavalos e assíduo participante de corridas.
Fonte: M. Zolotarev

Aleksandra Smirnova, segunda mulher de Vladimir, com o único filho do casal, Vladimir.
Fonte: M. Zolotarev

Foto da família Smirnov, data desconhecida. Vladimir é o segundo a partir da esquerda, de pé; no balanço, sua mulher, Aleksandra. Piotr Pietróvich é o terceiro a partir da direita.
Fonte: M. Zolotarev

Eugenya Smirnova, mulher de Piotr Pietróvich. Ela se casou novamente, fugiu da Rússia após a Revolução e se estabeleceu em Nice, na França.
Fonte: M. Zolotarev

O czar Nicolau II, o último czar da Rússia, é recebido com um copo de vodca em um navio militar durante uma visita de rotina.
Fonte: M. Zolotarev

Soldados feridos sendo cuidados na *datcha* dos Smirnov durante a Primeira Guerra Mundial. Várias propriedades da família se tornaram hospitais de campanha durante o conflito.
Fonte: M. Zolotarev

Valentina Piontkovskaya, estrela de operetas que foi amante e companheira de Vladimir Smirnov antes e depois da Revolução. Os dois fugiram do país em 1919.
Fonte: Museu Bakhrushin

Vladimir Smirnov e sua terceira mulher, Tatiana Maksheyeva, em trajes boiardos. Tatiana enviou a foto a seu irmão na Estônia em 29 de dezembro de 1926. No verso, uma mensagem descrevia a dificuldade da vida na França.
Fonte: Vadim Maksheyev

Rudolph Kunett, um autoexilado russo que comprou de Vladimir Smirnov, em 1933, uma licença para comercializar a vodca Smirnoff nos Estados Unidos. Ele aparece aqui em frente à catedral de São Basílio, na Praça Vermelha, durante uma visita em 1978.
Fonte: Diageo

Rudolph Kunett, sentado, vendeu sua parte na franquia Smirnoff em 1939 para John Martin, então presidente da Heublein, empresa sediada em Hartford, Connecticut, Estados Unidos.
Fonte: Diageo

por todo o território nacional. As indústrias de petróleo, ferro e transporte passavam por um enorme crescimento.

Em casa, havia o homem, que, com 62 anos em 1893, começava a mostrar sinais da idade avançada. O afável rei da vodca, embora ainda bastante distinto, perdia seus traços acentuados, particularmente em torno dos olhos cinza-azulados. No lugar do olhar tenso havia uma aparência mais cansada. Olheiras pendiam de seus olhos, parecendo querer chegar até o chão, onde pudessem descansar. Mas elas não podiam descansar – ainda não. Smirnov tinha três filhos homens adultos com diferentes interesses e habilidades para avaliar. Tinha que fazer planos para eles – sem mencionar as cinco filhas e os dois filhos menores. Também precisava pensar em Mariya, uma mulher que circulava pela alta sociedade e, aos 35 anos, ainda era bela, cheia de vida e de necessidade de prazeres aristocráticos.

Voltando-se à família, Smirnov deve ter se perguntado onde falhara. Dera tudo a seus filhos, inclusive um amor profundo e terno, muitas vezes evidenciado nas cartas que lhes escreveu.[7] Eles tiveram educação acadêmica, religiosa e cultural de primeira classe, bem como uma rica vida social. Tinham viajado ao exterior, para destinos em toda a Europa, muitas vezes em família.[8] Nunca conheceram dificuldade, certamente não a do tipo que marcara a juventude de Smirnov. Em um mundo tão limitado para tantos, as oportunidades para os filhos de Smirnov pareciam ilimitadas. Juntos, os Smirnov devem ter sido a família idílica.

Mas quando os filhos de Smirnov se tornaram adultos, suas diferenças e potenciais fragilidades começaram a fraturar a família. Talvez tenha sido a consequência estereotipada da influência corruptora da riqueza ou o resultado natural de ter filhos de mesmo pai e mães diferentes, ou simplesmente a natureza da vida na Rússia do século XIX. Seja qual tenha sido a razão, o plano de Smirnov para uma transição suave para a próxima geração estava em perigo.

Smirnov dependia do filho mais velho. Na maioria das vezes, Piotr Pietróvich era o herdeiro modelo. Aos 25 anos, era sério, trabalhador, determinado e promissor. Smirnov não hesitou em colocá-lo no comando de suas operações em São Petersburgo, enviando-o para a capital por dois anos para supervisionar uma grande adega e um armazém de vodca. Enquanto esteve em São Petersburgo, Piotr demonstrou não só seu talento gerencial, mas também entusiasmo empreendedor, com a abertura e a operação de uma popular casa de chá, além das demais responsabilidades.[9]

Smirnov estava mais do que satisfeito com o filho, exceto por uma coisa. No período em que esteve em São Petersburgo, Piotr teve um caso ilícito com uma mulher casada. Poucos detalhes são conhecidos sobre o romance entre Piotr e Eugenya Ilinichna, uma mulher elegante que, acredita-se, estava casada com um médico quando os dois se conheceram. De acordo com a família, Piotr ficou desesperadamente apaixonado por Eugenya e, apesar da ameaça de escândalo, os dois tiveram uma relação ardente. Por fim, Eugenya resolveu deixar o marido para ficar com Piotr, arriscando-se ao profundo estigma e desgraça ligados ao divórcio na Rússia pré-revolucionária. Os dois se casaram em 1893, segundo registros da Igreja, mesmo ano em que Eugenya deu à luz uma filha, Tatiana.

Há pouca dúvida de que o caso sórdido irritou Smirnov, pois ia de encontro a sua rígida convicção religiosa e rigorosa bússola moral. Ele deve ter ordenado que seu filho terminasse o relacionamento ou enfrentasse as sérias consequências. O conflito entre Piotr e seu pai foi mencionado brevemente em uma carta a Aleksandra, a filha mais nova de Smirnov, por um pretendente que encontrava dificuldades para conseguir a bênção de Smirnov para sua tentativa de cortejá-la. O pretendente pedia um encontro com Piotr para obter alguns conselhos sobre como lidar com o que considerava uma desaprovação fanática e inflexível por parte de Smirnov. "Diga ao seu irmão mais velho [Piotr] para definir uma data em que eu possa vir e falar com ele sobre algumas coisas. ... Gostaria de saber por que seu irmão se desentendeu com ele [por causa de seu caso], em que medida o despotismo de seu pai pode se espalhar e sobre o que eu deveria estar ciente."[10]

Smirnov podia ser tirânico nos negócios e em casa, mas, com a idade, sua força começava a ceder. Piotr era sem dúvida o melhor opção de Smirnov para um legado duradouro, e ele provavelmente sabia disso. Em um ato altamente incomum, o pai, cujas ameaças não foram ouvidas, perdoou o filho e o indicou para realizar uma reestruturação vital de seu negócio em 1893. Em uma carta dirigida ao "meu querido filho, Piotr Pietróvich",

Smirnov concedeu a ele o direito de representar seus interesses. A confiança no jovem era inabalável. "Eu confio em você em qualquer atitude sua de acordo com as leis. Não vou discutir nem contradizê-lo", escreveu Smirnov.[11]

Ele queria que Piotr encabeçasse a criação de uma sociedade anônima, um recurso já bastante utilizado em outros países e cada vez mais comum na Rússia. A estrutura permitia distribuir ações entre um seleto grupo de diretores. Até aquele momento, o negócio de Smirnov era gerido como a maioria das operações familiares em seu país: como um grande show de um só homem. Mas Smirnov e outros líderes empresariais progressistas viam que era preciso ir além desse modelo antiquado e autocrático. Quando o fabricante de vodca se candidatou à sociedade anônima em 1893, havia apenas 522 delas no país, o que representava uma capitalização de cerca de 600 milhões rublos. No fim do século, o número havia aumentado para 1.996, de acordo com o Ministério das Finanças, com o capital global estimado em cerca de 2 bilhões de rublos.[12]

Junto com a emissão de ações, que exigia a aprovação do czar, Smirnov teve a iniciativa incomum de solicitar ao governante permissão para passar todos os seus prêmios e condecorações pessoais para o nome da empresa, inclusive o estimado título de Fornecedor da corte imperial. O pedido, provavelmente o primeiro do tipo para uma empresa de vodca, provou mais uma vez a capacidade de se anteceder aos fatos e bolar medidas inovadoras antes de qualquer outra pessoa. Smirnov estava armando sua empresa para a era pós-Piotr Arsênievich, preocupado com a possibilidade de que as décadas de trabalho duro, que fizeram dele um dos empresários mais ricos e destacados da Rússia, se evaporassem com sua morte. Os ativos de Smirnov à época incluíam nove casas em Moscou, uma *datcha* (casa de campo) e uma destilaria de vodca. Além disso, alugava 21 armazéns para suas bebidas.

Witte assinou pessoalmente em 1894 a autorização para a reestruturação de Smirnov, que avaliou a empresa em 3 milhões de rublos, cerca de 39 milhões de dólares de hoje. Os jornais publicaram anúncios para informar o público que Smirnov tinha escolhido o filho Piotr e Nikolai Benediktóvich Smirnov, um primo, para integrar a seu lado o novo quadro de diretores da empresa. Mariya assumiu o cargo de diretora suplente. A omissão dos outros dois filhos mais velhos na divisão de diretores era significativa. Eles ainda eram muito jovens, é claro. Nikolai tinha então apenas 28 anos e Vladimir, 18, mas Smirnov tinha outras razões para mantê-los afastados de seus assuntos comerciais.

Nikolai sempre fora motivo de preocupação. Sua vida começou quando a da mãe, Natalia, terminou. Fisicamente, ele parecia ser forte e saudável. O rosto era longilíneo como o do pai, e o bigode e o cavanhaque, escuros e cheios. Era bonito, apesar de lhe faltar o ar confiante que tanto Piotr quanto Vladimir tinham de sobra. Na escola, de acordo com registros, Nikolai tirava notas medianas. Se esses fatores contribuíram para o que os membros da família mais tarde descreveram como seu temperamento instável e neurótico, permanece um mistério. O que é certo é que Nikolai parecia não ter senso de responsabilidade e, portanto, estava malpreparado para as exigências dos negócios, pelo menos na cabeça do pai.

Seus irmãos declararam em documentos legais, alguns anos depois, que Nikolai lutou durante anos contra o alcoolismo. Por causa da desaprovação do pai, ele tentou, em grande medida com sucesso, manter sob controle seu apetite descomunal por bebidas alcoólicas, mas tinha propensão ao comportamento perigoso e desviante. Mais tarde, o gasto ao bel-prazer da fortuna do pai também lhe causaria problemas. Certa vez, comprou um colar de diamantes feito por Fabergé para uma amante, uma extravagância que lhe custou 16 mil rublos (195 mil dólares atuais).[13] Comprou também um urinol de prata por 200 rublos (mais de 2.500 dólares de hoje). Assíduo no enorme circuito de clubes noturnos de Moscou, Nikolai sempre tinha uma mulher diferente nos braços. Não estava interessado em ter um emprego remunerado de qualquer natureza; preferia gastar seu tempo de maneira mais divertida.

Smirnov, é evidente, considerava vergonhoso o comportamento destrutivo e errático do filho. Via-o como uma jangada com um furinho por onde escapava água. Smirnov, que amava o filho, não podia pagar para ver Nikolai levar sua empresa com ele. Suas bebedeiras poderiam ser letais se caíssem nas mãos dos defensores da moderação ou dos proponentes do monopólio. Se Nikolai Smirnov não conseguia controlar sua sede, como camponeses indefesos poderiam fazê-lo? Smirnov, sempre pragmático, fez sua escolha: manteve Nikolai longe dos negócios, concentrando-se em lugar disso em encontrar para ele uma parceira capaz de ajudar a controlá-lo.

Vladimir, bonito, carismático e talentoso, apresentava um enigma diferente para Smirnov. "Vladimir se parecia com a mãe: louro, de olhos azuis, proporcional, alto e bem-vestido. Era naturalmente charmoso e estava sempre elegante."[14] Era, em alguns aspectos, o herdeiro ideal. Tinha uma suavidade que era resultado de suprema autoconfiança. Era inteligente e falava pelo menos três idiomas, além da sua língua nativa. Era perspicaz e artística e musicalmente talentoso. Tinha na mãe, Mariya, uma defensora poderosa, que se dedicava a assegurar o lugar de seu filho mais velho na hierarquia familiar.

Vladimir também tinha seus vícios. Como Nikolai, tinha paixão por mulheres inadequadas, amor pelos jogos de azar – especialmente corrida de cavalos – e problema com gastos excessivos. Muitas vezes procurava a companhia de atrizes ou cantoras. Sem o conhecimento do pai, adorava passar o tempo em um restaurante da moda em Moscou onde se apresentavam os melhores cantores ciganos da cidade. Era um local de festas, frequentado por vários outros playboys. De acordo com as memórias da terceira mulher de Vladimir, Tatiana Smirnova-Maksheyeva, essa queda por um estilo de vida despreocupado e um pouco debochado custou a Vladimir um grande amor e criou um racha entre pai e filho.

> Ele tinha 18 anos quando, escondido do pai, tornou-se cliente habitual de um famoso restaurante de Moscou chamado Yar, onde cantava um coral cigano. Vladimir fez amizade com os cantores, aprendeu a tocar violão e muitas vezes juntou-se ao grupo, cantando junto com prazer. Entre as solistas ciganas, havia uma jovem chamada Katya. Ele se apaixonou por ela e assinou notas promissórias de grande valor para um agiota para comprar muitos broches, pulseiras, brincos e anéis, decorados com diamantes. Deu tudo para Katya e pagou por ela ao coral os 50 mil rublos exigidos. Seu envolvimento com Katya e a travessura com as notas promissórias logo chegaram aos ouvidos de Piotr Arsênievich, que, então, ficou preocupado. Chamou o agiota, pagou-

lhe as promissórias, proibiu-o de voltar a aparecer e ameaçou processá-lo se ele emprestasse dinheiro novamente para qualquer um de seus filhos.

Depois disso, Smirnov mandou Vladimir se trancar em seu quarto e não sair para lugar nenhum. Antes, tiveram um confronto. Vladimir se defendeu dizendo que tinha "se apaixonado por Katya para sempre e que não poderia mais viver sem ela".[15]

É impossível agora verificar as lembranças de Tatiana Smirnova-Maksheyeva sobre a juventude de seu marido em Moscou, mas uma multiplicidade de indícios confirmam que Vladimir adorava mulheres, amava a boa vida e desperdiçava dinheiro. É certo também que Smirnov via seu terceiro filho homem de modo diferente de como via Nikolai. Era mais otimista sobre as perspectivas de Vladimir, e tomou medidas para definir para ele um caminho mais respeitável, sugerindo que ele buscasse experiência de trabalho e se aventurasse longe de sua terra natal.

> Eu [Smirnov] decidi enviá-lo em uma viagem de negócios de um ano pela China para lidar com alguns assuntos da nossa empresa. Se seu amor perdurar pelo tempo da separação, permitirei que você se case com sua cigana. Por enquanto, você vai ficar sentado em seu quarto, trancado. [Smirnov disse a seu filho.]
>
> Vladimir estava completamente desesperado, mas teve que obedecer ao desejo do pai. Sentado em confinamento solitário, gravou com um alfinete bem quente a letra "K" acima do cotovelo. A marca permaneceu em seu braço para o resto da vida.
>
> Logo Piotr Arsênievich enviou o filho para a China, sob a tutela de seu próprio irmão, a quem ele [Smirnov] deu uma quantia em dinheiro para a viagem. Piotr permitiu que o filho se despedisse de Katya. Ela chegou à estação quando o trem estava prestes a sair. Ambos estavam chorando. Foi a última vez que se viram.[16]

A neta de Vladimir, Kira Smirnova, que vive em Moscou, acredita que o avô tenha realmente ido à China.[17] Ela tem um incensário que diz ter sido adquirido por ele durante a viagem, uma lembrança que lhe foi transmitida. A jornada deve ter corrido em conformidade com a imagem de força, decisão e autoridade de Smirnov quando se tratava da educação dos filhos e de posição social. Ele não tolerava indecência, sobretudo quando pudesse prejudicar sua empresa ou sua própria imagem esculpida tão primorosamente. Além do mais, a viagem ao estrangeiro pode ter sido parte de um esforço para expandir a presença global de Smirnov antes da promulgação do monopólio da vodca na Rússia. De fato, Smirnov se abriu a mercados em que o álcool era negociado mais livremente, como Japão, China e França. Na década de 1890, suas bebidas estavam nos menus de hotéis requintados em toda a Europa, e em outros locais onde houvesse russos abastados. Ele também tornou-se fornecedor das cortes reais da Suécia, da Noruega e, mais tarde, da Espanha.

Vladimir provavelmente passou seu ano na China construindo relacionamentos com comerciantes locais e aprendendo sobre a indústria chinesa de bebidas. Mas, de acordo com sua terceira mulher, a viagem não fez com que ele amadurecesse, pelo menos não de imediato. Assim que zarpou, já estava de volta aos velhos hábitos.

> No navio a vapor para a China, Vladimir estava entediado e se envolveu com carteado e perdeu muito dinheiro. Teve de pedir ao tio para ajudá-lo, mas este ficou irritado e se recusou categoricamente a pagar as perdas do sobrinho. O que deveria fazer? Sem pensar duas vezes, Vladimir pegou o violão que tinha com ele e começou a cantar romances ciganos, andando pelo convés e entre as mesas durante as refeições. Foi um grande sucesso. As pessoas colocavam dinheiro na abertura do violão. Cada apresentação era seguida de fortes aplausos. Assim ele pagou todo o dinheiro que havia perdido, mas não voltou a jogar, suspeitando ter sido vítima de jogadores profissionais desonestos.[18]

O jogo era uma coisa; a fraqueza de Vladimir por mulheres, outra. Após a chegada ao país, começou um romance com uma mulher casada. O caso fadado ao fracasso terminou abruptamente quando Smirnov chamou seu filho de volta à Rússia. Haviam se passado exatamente 12 meses desde a partida de Vladimir. Ao retornar, agradou a seu pai envolvendo-se mais nos assuntos da empresa e em operações relacionadas aos negócios. Porém, ainda pensava na mulher que o tinha cativado tão completamente. Foi ao Yar em busca de Katya, mas, em vez de encontrá-la, soube que ela se casara e sofrera um colapso mental após dar à luz uma criança natimorta. O corpo dela foi encontrado mais tarde em um barranco. "Nunca se soube se ela cometeu suicídio ou foi vítima de um assassino."[19]

O MONOPÓLIO CONTINUAVA A SE APROXIMAR. Era como uma imensa nuvem cinza bem alta que enegrecia à medida que chegava mais perto. Avançava, embora lentamente, preso em um emaranhado logístico. A grande questão para Smirnov era o dano que causaria.

Nesse ínterim, o fabricante de vodca se preparava. Uma maior exposição de seu nome no cenário mundial era algo imperativo, mesmo que apenas para lembrar a monarquia do orgulho que deveriam sentir da marca Smirnov. Witte, em particular, preocupava-se com a reputação econômica da Rússia, desejoso de que o mundo enxergasse seu país como uma liderança entre as nações industrializadas modernas, pronto para abraçar novas tecnologias e mais instituições capitalistas. Essa foi provavelmente a razão por trás da decisão de Smirnov de enviar uma grande coleção de rum, vodca, licores e bebidas refrescantes em 1893 para a Exposição Universal de Columbia: a famosa Feira Mundial de Chicago. Era uma plataforma de grande visibilidade internacional e uma localização ideal para afirmar os produtos Smirnov como os melhores da Rússia. No perfil da empresa apresentado para a feira, Smirnov afirmou que empregava 1.200 homens, produzia 24 milhões de litros de vodca de 40° ao ano, e tinha um rendimento anual de 15 milhões de rublos (180 milhões dólares em valores atualizados).[20]

A Rússia enviou vários outros representantes para a exposição, incluindo uma delegação do próprio monarca e mais de mil expositores. Os produtos iam de peles a samovares e sedas. A feira também se vangloriou de uma variedade de inovações, incluindo um edifício inteiro dedicado a exposições elétricas montadas por nomes como Thomas Edison e Nikola Tesla. A feira lançou a roda-gigante, o chiclete Juicy Fruit e a mistura para panqueca Aunt Jemima. Para Smirnov, que provavelmente não compareceu pessoalmente ao evento, os planos para a feira eram simples e em causa própria. E ele conseguiu o que queria, recebendo os maiores prêmios por suas bebidas.

A forte presença em Chicago foi significativa. A Rússia, sob a direção de Witte, tinha uma ampla agenda econômica na esperança de melhorar a economia nacional e sustentar sua posição internacional. Políticas protecionistas inspiradas e desenvolvidas pelo ilustre químico Dmitri Mendeleiev, mais conhecido por criar a tabela periódica de elementos, ajudaram no crescimento da indústria interna de combustível pesado. Setores como os do ferro, aço e ferrovias prosperaram como resultado do dramático afluxo de dinheiro proveniente dos excessivos impostos de importação. Em 1895, a Rússia tinha se tornado o maior produtor de petróleo do mundo. O investimento externo aumentou quase quatro vezes durante a década. Moscou também crescia, à medida que aldeões inundavam a cidade em busca de trabalho nas fábricas e nas construções.

A década de 1890 foi no todo um período saudável para a maioria das empresas russas. Novas tecnologias e infraestrutura moderna mantiveram o mercado movimentado. Smirnov também melhorou sua capacidade de produção, adotando eletricidade nas operações da fábrica. Embora não alegasse ter sido o primeiro, publicou um anúncio informando estar *entre* os primeiros a instalar iluminação elétrica em sua indústria, demonstrando ao Palácio Imperial sua vontade de abraçar o progresso, não importasse o custo.[21] Queria ser visto como parte do futuro econômico do país, alguém que podia prosperar e se adaptar a um ambiente em transformação. A feira de Chicago e as instalações com tecnologia de ponta ajudaram a passar a mensagem.

Smirnov também expandia sua filantropia, cimentando sua reputação de comerciante íntegro e caridoso e reforçando seus laços com a monarquia. Entre outros atos, pagou pela restauração de 28 arcas de prata esterlina contendo ossos de santos russos. O projeto, que incluía a construção de um relicário feito de metal e vidro grosso na igreja onde Smirnov atuava como representante, era tão importante que teve de ser aprovado pessoalmente por Alexandre III. O jornais noticiaram a doação e a santificação do relicário, destacando o fato de o sacerdote ter chamado Smirnov de "um doador amante de Deus".[22]

A atenção a sua generosidade beneficiava sua causa, mas era o apoio pessoal da corte imperial ao fabricante de vodca o que mais importava. Infelizmente, poucos dias depois da santificação do relicário, Alexandre III morreu de pneumonia. Foram feitas orações pela saúde debilitada do czar em um dos armazéns de Smirnov, bem como em outras de suas operações em toda a Rússia. Mas não foram suficientes. Nicolau II, o último czar russo, preparava-se para assumir o trono.

Sua ascensão era algo imprevisível para Smirnov – e para Witte. O novo czar era relativamente desconhecido e não tinha sido testado. O *New York Times* descreveu-o como um "homem jovem esguio, um pouco abaixo da altura mediana, com ombros estreitos e inclinados, desajeitado no equilíbrio da cabeça e do pescoço. Ele tem o cabelo amarelado e uma barba cortada de modo a produzir uma semelhança quase grotesca com seu primo, o duque de York. ... O czar Nicolau tem olhos cinzentos pequenos e furtivos, desagradavelmente juntos". Uma entrevista com um tutor real, na mesma reportagem, sugeria que Nicolau II estava menos interessado em um governo autocrático que seu pai, Alexandre III. O entrevistado comentou que o novo czar era "um jovem amável, alegre e com capacidade cerebral extremamente limitada. ... Ele detesta a vida militar e fica entediado com política. A noção de autoridade e poder pessoal mais o repele que o atrai."[23] Evidentemente, outros comentaristas da época saudaram o novo líder, elogiando a força de caráter de Nicolau e vendo seu futuro governo com grande otimismo. Eles previam que fosse atuar como grande defensor de uma monarquia forte.

Não está claro como Smirnov via a mudança de liderança e o que ela poderia significar para a Rússia. Ele tinha passado por essas maquinações reais antes, mas nunca em situação tão precária. Com o monopólio a poucos meses de seu ensaio de funcionamento, as lealdades e intenções do czar Nicolau II seriam cruciais para determinar a rapidez com que o comércio privado de vodca estaria sob ataque. Witte, que tinha sido um confidente próximo de Alexandre III, ainda via Nicolau II como um jovem, alguém muito imaturo para liderar a Rússia. Witte, no entanto, tinha esperança de que seu novo chefe fosse um parceiro forte, mesmo que adotasse um programa de governo diferente do de seu pai. "Quando o imperador Nicolau II subiu ao trono, tinha, se podemos colocar dessa maneira, uma aura resplandecente de boa vontade. Realmente desejava felicidade e uma vida pacífica para a Rússia, para todos os seus súditos, de todas as Rússias. Não há dúvida de que tem um coração completamente bom e generoso", escreveu Witte em suas memórias.[24] Isso significava que o novo monarca provavelmente seria simpático a qualquer esforço para livrar os russos de sua dependência em relação à bebida. Esse mais uma vez era o foco de Witte quando afirmou em 1894: "A reforma deve ser dirigida, em primeiro lugar, no sentido de aumentar a sobriedade popular, e só então pode se preocupar com os interesses do Tesouro."[25]

Analisando-a detalhadamente, grande parte da reforma estava centrada em combater a embriaguez. Ela proibia o consumo em lojas de varejo, exigindo que os clientes deixassem o local assim que tivessem concluído as compras. Bebidas alcoólicas só podiam ser vendidas em garrafas seladas. Fotos do imperador e de santos deveriam ser afixadas nas paredes das lojas de vinho do Estado. A sobriedade organizada também era uma característica do monopólio. Em 1895, Witte estabeleceu a Tutela da Sobriedade Pública. Sua missão era supervisionar a qualidade e a quantidade da venda de bebidas e defender a moderação ao beber.

O problema da ênfase em um Estado mais altruísta era que ela era ofuscada por um monstruoso apetite financeiro. Quando o monopólio foi lançado em quatro províncias em 1895, o governo assumiu o comércio da vodca pura no atacado e no varejo, tornando-se o único comprador legal da produção do Estado e de destilarias privadas. Outras bebidas – vodcas aromatizadas, licores, vinhos de uva ou cerveja – poderiam ser comercializadas livremente no território, mas 15% da receita obtida deveria ir para o governo. Esse imposto colaborou com o aumento da receita do Estado. Em apenas uma província, Ufa, os rendimentos com a venda de bebidas alcoólicas cresceram de 2 milhões de rublos em 1894 para 3,6 milhões em 1895.[26] "Como sistema fiscal, o monopólio estatal de bebidas foi verdadeiramente um lance de genialidade financeira", escreveu um contemporâneo.[27]

Os críticos atacaram a hipocrisia da política de dois gumes, atacando o Estado por tentar conter o alcoolismo ao mesmo tempo em que vendia álcool. Lênin apelidou a reforma de "capitalismo monopolista".[28] A oposição de Tolstoi foi mais incisiva. Witte tinha tentado seduzir o escritor para apoiar sua – de Witte – organização pela sobriedade, acreditando que o endosso de Tolstoi emprestaria credibilidade ao movimento. Tolstoi, no entanto, recusou-se até a se reunir com Witte, e pediu a seu cunhado, Aleksandr Kuzminski, que transmitisse seu descontentamento com o ministro. Em uma carta para Kuzminski, Tolstoi delineou sua posição. "Na minha opinião, se o governo realmente estivesse trabalhando em prol do bem do povo, então o primeiro passo deveria ser a proibição total do veneno que destrói o bem-estar físico e espiritual de milhões de pessoas. ... Assim, as sociedades pela temperança estabelecidas por um governo que não tem vergonha de vender o veneno, levando as pessoas à ruína por meio de seus próprios funcionários, parecem-me um tanto hipócritas, idiotas ou equivocadas – ou talvez os três."[29]

Witte sabia que o monopólio atrairia muitos detratores, mas também que a grande maioria da população o veria com bons olhos. Smirnov também sabia disso e tinha se preparado bem. Quando o monopólio se estabeleceu, em 1895, Smirnov pôde ver que o impacto sobre seus negócios seria insignificante. As quatro províncias-teste representavam uma minúscula porção de mercado para ele. O fabricante de vodca também buscara novos caminhos para atingir os clientes. Suas vodcas, particularmente a popular nº 21 e outras sem sabor, continuavam a ser as favoritas dos consumidores, especialmente nas províncias centrais, densamente povoadas. Também era a bebida eleita pelos militares depois que Smirnov conquistou um contrato para fornecer a nº 21 aos soldados. A bebida era consumida "em todos os lugares, em todos os regimentos, nas cantinas dos oficiais, em salões de chá e na Marinha russa, tanto no mar Báltico quanto no mar Negro".[30]

Smirnov também reforçou a produção de outras bebidas. Ao longo da década de 1890, expandiu o portfólio de produtos, concentrando-se em especial nas bebidas não regulamentadas. Introduziu uma quantidade de novas vodcas aromatizadas (as *nastoykas*), incluindo a de tramazeira, um sucesso instantâneo. Também aumentou a produção de vinhos. Essa diversificação, juntamente com o novo alcance global, minimizou os efeitos do monopólio após sua introdução. Seu negócio não sofreu muito nos primeiros anos, quando o controle estatal se limitava a um punhado de províncias.

O governo, porém, estava entusiasmado com o que via. Witte visitou pessoalmente as quatro províncias em que o monopólio fez sua estreia e comunicou ao czar que o número de casos de embriaguez havia diminuído, e a receita do Estado havia aumentado. A pregação pela moderação havia funcionado, Witte concluiu, e disse a Nicolau II que "a paz reinava entre as famílias, a harmonia, entre os cônjuges. ... As mulheres não têm mais que procurar por seus maridos em bares e trazê-los para casa em péssimas condições. ... Houve uma notável mudança para melhor."[31]

Tal entusiasmo deixou o governo impaciente. O Estado inicialmente planejara testar a reforma nas quatro províncias por três anos, mas o czar, exortado por Witte, rapidamente refez o cronograma. Acelerou a implantação do monopólio, introduzindo a reforma em nove províncias em 1896, seis em 1897 e mais quatro em 1898, incluindo São Petersburgo. Em face de tal ataque implacável, Smirnov poderia ter desistido, mas essa não era sua natureza. A agressiva campanha antivodca do governo encorajou-o a realizar o que seria um dos maiores e mais gratificantes êxitos de sua vida.

12. O czar e três mil garrafas cintilantes

Nizhni Novgorod, um centro comercial localizado 400 quilômetros a leste de Moscou, fica na confluência de importantes rotas comerciais e dois grandes rios, o Volga e o Oka. Na virada do século, levava mais de 11 horas para chegar lá de trem partindo de Moscou, e ainda mais tempo de navio. Apesar da longa viagem, a maioria dos que faziam o percurso anualmente, como Smirnov, o fazia sem reservas, tão importante era o lugar.

Desde 1817, a cidade se tornava viva de julho a setembro, com a chegada dos milhares de mercadores e negociantes de quase todos os setores industriais do Império. Eles invadiam o centro comercial, vendendo mercadorias que iam de lã a metal, de arroz a couro. Smirnov, que tinha sido o maior comprador de vinho de uva na Feira de Nizhni Novgorod por anos, contribuía para os avultados negócios, avaliados em 416 milhões de rublos anuais (o equivalente a aproximadamente 5 bilhões de dólares atuais). "Os preços estabelecidos na feira constituíam o valor de referência para todo o ano comercial. Tão poderosa era a feira que, quando abria, estabelecimentos financeiros e comerciais frequentemente deslocavam todas suas operações para lá. Também era ali que os negociantes de Moscou realizavam suas maiores transações anuais, o que confirma a importância da feira."[1]

Nada antes, porém, poderia se comparar ao final da primavera e ao verão de 1896 em Nizhni Novgorod. Naquele ano, a cidade de quase 82 mil pessoas sediou a Exposição Industrial e Artística de Todas as Rússias, uma das mais espetaculares realizações técnicas da história do país. O czar, Witte e líderes empresariais comprometeram-se a usar a exposição, a primeira do tipo em 14 anos, para demonstrar ao mundo o enorme poder econômico e o extenso desenvolvimento industrial da nação. Era para ser o evento de marketing do século, uma demonstração de força tão incontestável que inspiraria mesmo os observadores mais céticos a conceder à Rússia o status de superpotência industrial. "A Rússia cresce, suas forças produtivas crescem e, com elas, crescem a riqueza do país, seus poderes e o reconhecimento de sua força", proclamou Witte na abertura da exposição em 28 de maio.[2]

Nenhuma despesa foi poupada para criar a atmosfera certa. O governo prometeu 3 milhões de rublos para financiar um novo sistema de transporte, edifícios novos, um moderno sistema de saneamento, pavilhões para entretenimento e inúmeras outras atrações. A indústria privada contribuiu com outros 7 milhões de rublos, montando exposições de arregalar os olhos e instalações de vanguarda. Quando tudo estava pronto, o local ostentava 172 edifícios diferentes. Postes elétricos substituíram as lâmpadas de querosene. Um teatro com capacidade para quase 900 pessoas foi erguido com aquecimento a vapor, luz elétrica e um sofisticado sistema de ventilação. O primeiro funicular do país também foi instalado ali, com dois trens que levavam e traziam os visitantes até a área de exposição. Um novo parque magnífico, com 51 chafarizes e lagos artificiais com cisnes, era o lugar perfeito para o momento de pausa da agitação diária. "A exposição é o negócio mais importante para todo o Estado, resultado da atividade de mais de 100 milhões de pessoas que trabalharam por 15 anos, a contar a partir da exposição de Moscou de 1882", escreveu o famoso escritor Máximo Gorki, nativo de Nizhni Novgorod, que cobriu o evento para um jornal.[3]

Além da infraestrutura, as mostras também foram concebidas para impressionar. Entre os maiores avanços tecnológicos revelados em Nizhni Novgorod, estava o primeiro automóvel russo, que chegava a uma velocidade de 22km/h. A primeira torre de aço em forma hiperboloide, criada pelo arquiteto Vladimir Shukhov, foi construída e exibida ali. Um trator com motor a vapor também teve ali sua estreia. Apresentações técnicas por um conjunto de respeitados cientistas, incluindo Mendeleiev, o botânico K.A. Timiryazev e o cientista/inventor A.S. Popov, também foram destaque. O desfile de grandes feitos foi suficiente para atrair uma grande quantidade de dignatários estrangeiros, embaixadores, cerca de 180 americanos e quase um milhão de russos.

Eles certamente vieram para testemunhar e avaliar a aptidão industrial da Rússia, mas foram as exposições mais extravagantes, como a de Smirnov, que encantaram realmente. Henry Brokar, fornecedor de perfumes do czar, montou colunas de sabão transparente com lâmpadas elétricas, que emprestavam um caráter luminoso e mágico à estrutura. Ele também levantou uma tenda feita de rosas esculpidas em sabão. Outro expositor exibiu um campanário completamente construído com velas de estearina. Havia cabines de estação de trem feitas de chocolate, uma gruta feita com 108 tipos de pedras preciosas e rochas diferentes e uma águia de duas cabeças feita de peixe seco.

Smirnov não deve ter se sentido diminuído pelos outros participantes, sobretudo não quando o czar, a imperatriz e Witte visitaram a feira. Ocupava uma posição de destaque na exposição, pelo menos entre os 66 fabricantes e destiladores de vodca. Seu estande ficava logo na entrada da seção, sinalizando a todos sua supremacia na indústria. Sua exibição era incomparável, um verdadeiro duplo do próprio Smirnov, uma potente combinação de líder empresarial, negociante engenhoso e legalista imperial.

Quando os visitantes se aproximavam do setor de bebidas, ficavam impressionados. Eram recebidos por um arco colossal inteiramente construído com garrafas e barriletes de vinho. As garrafas, 3 mil delas, eram das cores da bandeira nacional russa – branco, azul e vermelho. Dentro delas, lâmpadas acendiam e apagavam, criando um espetáculo fluorescente, brilhante e absolutamente patriótico. O simbolismo não passou despercebido aos jornalistas que cobriram a exposição, que escreveram sobre o "efeito flamejante".[4] Também não deixou de ser notado pelos organizadores da exposição. Smirnov, sua mostra e sua empresa receberam uma descrição enorme e detalhada no catálogo. O rei da vodca foi elogiado por seus produtos magníficos e sucesso permanente, especialmente em face ao monopólio de bebidas alcoólicas, que os autores do catálogo eufemisticamente descreveram como "novas condições do mercado".[5]

Como provavam os artigos laudatórios, Smirnov continuava uma máquina. Sua receita já superava os 17 milhões de rublos por ano, nove milhões dos quais iam direto para o Tesouro. Sua produção de vodca pura chegava a 120 mil garrafas por dia, ou 45 milhões por ano. Isso exigia cerca de três milhões de quilos de carvão por ano, que eram utilizados para refinar a vodca. Smirnov contratava sete diferentes fabricantes de vidro, e cada um fornecia um número estimado de 7 milhões de garrafas por ano. Os 60 milhões de rótulos e etiquetas necessários anualmente vinham de quatro gráficas. As rolhas lhe custavam 120 mil rublos a cada ano. As *nastoykas* precisavam de enormes quantidades de framboesa, groselha, morango, mirtilo, cereja, oxicoco e baga de tramazeira. A venda de vinhos nacionais e estrangeiros também aumentara para 100 milhões de garrafas por ano.[6]

Simplesmente não dava para negar a importância de Smirnov. O fato ficou absolutamente evidente na exposição de Nizhni Novgorod: na localização a ele atribuída, no arco cintilante, nas reportagens de jornal e no catálogo impresso da feira. Novamente, Smirnov angariou as honrarias mais altas, ganhando o direito de exibir mais um emblema nacional – seu quarto – em seus produtos. Nenhuma adulação feita a Smirnov durante o evento, porém, mexeu com ele da forma como quando se viu diante da realeza.

Em 18 de maio, a coroação do czar, que pretendia ser uma magnífica celebração de seu reinado, transformou-se em tragédia. Vodca Smirnov jorrara como um rio no evento de forte simbolismo. De fato, um quinto de todo o álcool comprado para a ocasião pela corte imperial para seu próprio deleite vinha de adegas e armazéns de Smirnov, incluindo quatro tipos diferentes de vodcas aromatizadas.[7] Além da festa de elite do czar, mais de 500 mil celebrantes apareceram na véspera da coroação para uma tradicional reunião realizada para plebeus. Eles beberam e comeram durante toda a noite em um grande campo ao ar livre nos arredores de Moscou, ao mesmo tempo em que aguardavam o momento em que brindes enviados pelo czar seriam distribuídos para a multidão. Corriam boatos entre as pessoas ali reunidas de que manadas de cavalos e vacas seriam presenteadas, haveria fontes de cerveja e vinho, e elefantes treinados fariam uma apresentação.

Nenhum desses rumores era verdadeiro, mas a expectativa, juntamente com a bebida, fez com que as pessoas ficassem ansiosas e impacientes. Então, alguém gritou: "Estão dando!", referindo-se aos presentes do czar aos súditos. A multidão foi à loucura e começou a empurrar, apertar e agredir. Foi o caos. Bandos perseguiam freneticamente os pacotes atirados ao ar. No final, cerca de 2 mil pessoas morreram pisoteadas, muitas delas, mulheres e crianças. O presente do czar, uma caneca esmaltada de souvenir, um bolo de especiarias, uma salsicha e um pouco de pão, não serviu de consolo.

Nicolau II teria ficado angustiado e pressionado os funcionários da corte para garantir que sua experiência em Nizhni Novgorod fosse positiva, revigorando os ânimos. O plano era que o czar chegasse no dia 17 de julho, passasse três dias excursionando pela exposição, se encontrasse com visitantes e participantes importantes e comparecesse a um suntuoso jantar oferecido em sua homenagem. Smirnov, que ia e voltava de Nizhni Novgorod desde a abertura da exposição, retornou à feira com uma esperança infantil. Levou Mariya, os cinco filhos homens e Aleksandra, a filha mais nova, de 19 anos de idade. Na cabeça de Smirnov, cumprimentar o monarca não era apenas uma honra e uma emoção, mas também um dever que tinha que ser compartilhado.

O tempo virou no dia da chegada do czar. Até então, o verão em Nizhni Novgorod vinha sendo bastante agradável. Os dias foram quentes, mas não excessivamente. Um pouco de chuva e brisa mantiveram o ar claro e limpo. Somente uma vez, em junho, fizera realmente calor. Na ocasião, o ar ficou tão sufocante no departamento Industrial e no de Maquinários da exposição, que garrafas de vidro estouraram, artigos de cera derreteram e os motores superaqueceram. Os organizadores agiram rapidamente, pintando de branco as janelas do lado mais ensolarado dos prédios e trazendo mais ventiladores.

Agora, porém, em julho, com a aproximação da ida do czar a Nizhni Novgorod, os responsáveis pela feira estavam desesperados com a tempestade que o perseguia. O céu escureceu, dando lugar a uma chuva torrencial misturada a pedras de granizo do tamanho de nozes. O aguaceiro derrubou as janelas e arrastou diversos estandes da exposição. Apesar do inconveniente, a multidão entusiasmada aguardava para saudar o imperador. Eles gritavam "Viva!" à medida que a comitiva real, composta por Nicolau II, sua mulher, a imperatriz Aleksandra Feodorovna, e o grão-duque Aleksandrovich Aleksei, caminhava pelos salões.

Ordem e decoro, ao contrário do que houve na coroação, imperaram durante a visita real. Todo o percurso por ondc o czar c scus acompanhantes passaram estava forrado com tapete vermelho. Uma guarda de honra composta pelos jovens filhos de negociantes bem-sucedidos os seguia. Dezessete dos meninos vinham das famílias mais importantes de Moscou, como Morozov, Mamontov e Ryabushinski, e dez vinham de dinastias de empresários de Nizhni Novgorod. Estavam vestidos com caros cafetãs com achas sobre os ombros, algumas feitas de prata esterlina. Formavam uma fila, parados, como se prenunciando um treinamento militar.

Essa guarda era algo incomum, planejado por negociantes para atrair a atenção do czar. Eles queriam demonstrar simultaneamente sua importância para o crescimento da economia do país e sua fidelidade às tradições e ao patrimônio cultural da Rússia. Um editorial no *Volgar*, um jornal regional, sugeriu que a classe comerciante provara poder e lealdade à coroa com mais fervor do que a aristocracia milenar, que cada vez mais se inclinava aos ideais ocidentais. "O *kupechestvo* [mercadores] tem preservado o verdadeiro espírito russo, mais do que qualquer outra [classe social]. Em nenhum outro lugar o sentimento nacional aparece com tal força, convicção e amplitude. De todos os grupos na Rússia, só ele é forte também em sentido econômico. Não há nada que não possa fazer."[8]

A comitiva real ficou impressionada com o que viu, embora não partilhasse das opiniões expressas no *Volgar*. O czar cumprimentou seus guardiões e, em seguida, foi visitar alguns estandes. O casal de imperadores voltou várias vezes para percorrer a exposição, sempre guiado pelo ministro Witte, vestido com um paletó de verão e chapéu. Finalmente, em 19 de julho, o czar ficou diante do arco cintilante de Smirnov. A natureza do diálogo entre o imperador e Smirnov é desconhecida, mas, dados o protocolo padrão e a devoção do fabricante de vodca à corte imperial, é mais que provável que Smirnov tenha se curvado diante do monarca, talvez até mesmo expressando agradecimento e desejo de que o czar e a czarina tivessem desfrutado de sua apresentação. Outros membros do grupo imperial certamente adoraram. O grão-príncipe Vladimir Alexandrovich e sua mulher, que mais tarde visitaram a exposição, ficaram tão entretidos pela mostra de Smirnov, que seu apreço virou notícia em Moscou.[9]

A visita do czar possivelmente não foi o único encontro entre Smirnov e a realeza durante a exposição. O banquete para o imperador ocorreu na mesma noite, em um edifício que normalmente abrigava lojas e quiosques no primeiro andar e apartamentos funcionais no segundo. Para essa ocasião, o lugar foi transformado em algo saído de um conto de fadas. Construiu-se uma escadaria inteiramente nova, decorada com esculturas de heróis do folclore russo. As colunas ao fundo eram drapejadas em veludo e renda dourada. Havia flores, incluindo lírios branco-neve, rosas e azaleias, por toda parte, iluminadas por lanternas elétricas que tornavam pétalas e folhas transparentes. Guirlandas de luzes cercavam o símbolo do Estado. Um espesso toldo de veludo cereja cobria um trono improvisado. Os Smirnov se juntaram a uma longa lista de convidados com 1.700 notáveis internacionais. "A feira nunca tinha visto tanto brilho", comentou uma testemunha. "Junto com a família do czar, estavam quase todos os ministros, embaixadores de países estrangeiros, o vice-rei da China, o corpo diplomático, a corte, três governadores-gerais e várias pessoas de prestígio."[10]

Estar em tal companhia deixava clara a eminência de Smirnov e deixava por terra quaisquer dúvidas remanescentes que o ex-servo ou qualquer outra pessoa ainda pudesse ter. Naquela noite, ele era um homem conhecido, um homem rico, com sua esposa e filhos, contemplando o czar Nicolau II através das nuvens de fumaça de cigarro. Smirnov estava onde sempre quisera estar: nos calorosos braços de sua pátria, um membro de seu círculo de influência.

13. Crepúsculo

No crepúsculo de sua vida, Smirnov continuava a supervisionar as operações da empresa e a se engajar na rotina diária. Mas, cada vez mais, voltava a atenção para outras grandes preocupações: a família, a morte inevitável e a consequente herança. Os afazeres comerciais e financeiros precisavam de organização, e as ações filantrópicas, já consideráveis, exigiam um último grande passo – ou ao menos assim achava Smirnov. Os filhos e filhas – que, a essa altura, haviam gerado uma dúzia de netos – ainda tinham questões complicadas a resolver. Smirnov pode não ter percebido naquele momento, mas, com a chegada de 1897, ingressou em um dos períodos mais inquietantes de sua vida.

As especulações sobre a turbulência começaram antes mesmo de Nizhni Novgorod. Aleksandra, filha caçula de Smirnov e a única menina de Mariya, acompanhou relutante os pais à exposição, mais por dever que por desejo genuíno. Smirnov e Mariya, em uma demonstração de determinação férrea, não lhe haviam deixado escolha.

Na época, Aleksandra tinha 19 anos. Havia se tornado uma jovem encantadora. Tinha grandes olhos acinzentados e fartos cabelos encaracolados, que penteava de acordo com as últimas tendências europeias. Seus lábios e corpo eram cheios e voluptuosos, dando-lhe uma sensualidade inocente. Também era encantadora, exibindo uma vitalidade natural. Aleksandra era realmente filha de sua mãe, independente e arrebatadoramente passional.

Teria sido difícil para ela imaginar que seus anseios quando jovem não se realizariam. Assim como os irmãos, só conhecia uma vida de privilégios. Sua educação girava em torno de todos os fundamentos da boa criação, inclusive música, arte, línguas estrangeiras e literatura. Ela viajou muito – como revelam os registros no passaporte –, tanto por lazer quanto por necessidade. Por exemplo, quando teve um distúrbio visual diagnosticado em 1890, ainda bem nova, viajou para o exterior com a mãe para buscar a cura.[1] Sua aflição provavelmente inspirou o pai a se tornar um grande benfeitor de uma clínica de olhos em Moscou.

Ela parecia ser uma filha-modelo; esperava-se que seguisse o exemplo das irmãs, que haviam escolhido homens ilustres, e assim chegasse com naturalidade às posições de tradição na alta sociedade. Vera, Natalia, Mariya e Glafira – todas se casaram com filhos de comerciantes importantes. Natalia casou-se com Konstantin Bakhrushin, membro de uma família bastante conhecida que mais tarde fundou o Museu do Teatro Bakhrushin, em Moscou. O primeiro marido de Mariya foi Piotr Rastorguyev, membro de uma importante dinastia de comerciantes. Seu segundo marido, Mikhail Komissarov, também era respeitado e competente nos negócios. E Glafira se casou com Aleksandr Abrikosov, herdeiro de um império de doces.

Então veio Aleksandra. Na primavera de 1896, a apenas alguns meses da exposição, Aleksandra conheceu um homem mais de 20 anos mais velho. Diabolicamente belo e educado, ele a encantou imediatamente. Seu nome era Martemyan Nikanoróvich Borisovski. Sua família, composta de negociantes, havia sido rica e respeitada. Os Borisovski eram donos de uma refinaria de açúcar e uma fábrica têxtil de pequeno porte. Mas uma negociação desfavorável e a queda nos preços do açúcar mudaram a sorte da família e a levaram à falência. Eles ficaram arrasados e foram obrigados a vender a propriedade e fechar a fábrica. Enquanto o pai de Borisovski se desesperava, o filho voltava-se para assuntos mais frívolos.

Martemyan bebia, jogava, vivia endividado e era grosseiro. E casado. Segundo um comerciante que o conheceu, ele "não tinha noções elementares e básicas de honestidade".[2] Era assíduo no circuito festivo de Moscou, conhecido por beber extraordinariamente no café da manhã e por seduzir mulheres inocentes a seu bel-prazer, valendo-se de mentiras e de um charme bajulador para conseguir o que queria. Dizia-se que Martemyan havia levado uma menina até o campanário de uma igreja do Kremlin, onde, em um ato de grande blasfêmia, a seduziu. Depois disso, de acordo com seus contemporâneos, foi preso e forçado a se casar com ela.[3]

Mas esse comportamento degenerado não impediu o nascimento de um romance entre Martemyan e Aleksandra. Segundo as várias cartas que Martemyan enviou a ela entre 1896 e 1897, a relação se desenrolou do modo habitual. Ele começou a visitá-la na casa dos Smirnov. Os encontros eram formais, acompanhados na maioria das vezes por Mariya. As relações entre a família e o pretendente de Aleksandra eram cordiais e amigáveis. Quando Mariya e Smirnov perceberam que o casal tinha mais que amizade em mente, fizeram investigações sobre Martemyan pela cidade e logo souberam de sua vil reputação. Ainda assim, parece, Martemyan ficou impressionado com o apoio que os Smirnov continuaram a demonstrar. Em uma carta, escreveu: "Ainda não consigo entender por que, depois de tudo de ruim que soube sobre mim, seu pai falou comigo de bom grado. Sua mãe também parece gostar de mim. Isso significa que eles não acreditam nas pessoas perversas que querem manchar minha reputação. E significa que tudo pode ser arranjado de comum acordo."[4] Em outra carta, Martemyan refere-se a Mariya como seu "anjo da guarda", um aliado na busca pelo amor verdadeiro.

Em algumas semanas, o casal expressava abertamente seu sentimento um ao outro e às famílias. Aleksandra, incapaz de conter o ardor, contou aos pais sua devoção por Martemyan, acreditando que se renderiam a seus desejos. Borisovski planejou se divorciar da mulher e se comprometeu a renunciar à vida de playboy: "Antes de conhecê-la, eu vivia como um porco, porque, como você sabe, eu não esperava nada da vida e fazia tudo o que queria fazer. ... Levava uma vida imoral."[5] Em uma carta de 11 dias depois, Martemyan declarou: "Embora eu tenha tido muitos casos quando jovem, nunca amei ninguém de verdade. E eu amo você, não por sua aparência, mas por sua alma maravilhosa, que brilha através de seus olhos maravilhosos. Sinto até medo. Nunca olhei para uma mulher da maneira como olho para você. E você não é apenas uma mulher, mas uma deusa encarnada."[6]

Os Smirnov não se deixaram balançar pelas poéticas palavras de Martemyan, nem estavam convencidos de que Aleksandra fosse outra coisa que não uma menina inocente agindo precipitadamente sob a influência de um homem sem escrúpulos e manipulador. Eles o viam como um péssimo par, um canalha que não traria nada além de escândalo à família e infelicidade a Aleksandra. Mesmo proibindo-a de vê-lo, o casal Smirnov sabia como a filha era teimosa. A partir de cartas, pode-se concluir que Mariya pagou à mulher de Martemyan para reabrir o processo de divórcio, que já era tido como assunto encerrado. Martemyan escreveu a Aleksandra sobre sua indignação: "Alguém, provavelmente alguém da sua família, deu dinheiro para a minha ex-mulher abrir um processo contra mim. Ela contratou um advogado, um judeu, e agora ele joga sujo comigo. ... Insiste em atrasar meu divórcio, em receber milhares de documentos sobre o divórcio já finalizado. Ele apelou da decisão e quer que todas as testemunhas sejam interrogadas novamente na presença dele. É nojento!"[7]

Ao mesmo tempo, Mariya, provavelmente em colaboração com o marido, seguia uma estratégia alternativa mais arriscada. Ela se aproximou de Martemyan. Ainda bela e aproximadamente da mesma idade que o pretendente da filha, tentou seduzi-lo, na esperança de conseguir uma prova direta e incontestável de que ele ainda era mau-caráter. Ele escreveu a Aleksandra sobre o incidente. "M.N. [Mariya Nikolaiévna] ... me queria não para genro, mas amante. Suas intenções foram cruelmente desapontadas e ela agora vai provavelmente começar a procurar um parceiro para passar o tempo fora de casa. Então você vai ter mais liberdade."[8]

As gentilezas dos primeiros dias de corte tinham desaparecido. Martemyan só tinha seus carinhosíssimos pais para incentivá-lo em sua cruzada para conquistar uma Smirnov. Eles abraçaram o relacionamento do filho com Aleksandra, como mostram várias cartas que sua mãe escreveu para a jovem. Ela via a menina como uma parceira mais que apropriada para Martemyan. Ela traria dinheiro, respeitabilidade e o status de volta ao filho e à família. Além disso, a mãe acreditava que Martemyan amasse genuinamente Aleksandra e daria um bom marido para ela. Ela escreveu: "Acredita em mim, Mortya [apelido de Martemyan] é muito bom, um menino muito amável. Ele sempre te amará. E eu já te amo de antemão. E o pai dele também te ama. ... É uma pena que teus pais se oponham tanto ao amor de vocês. Eu não os compreendo. Tu vais morar com Mortya, não eles."[9]

A raiva de Martemyan crescia já que suas frustrações aumentavam a cada dia. Nas cartas, expressava grande ódio pelos Smirnov e o receio de que eles tentariam forçar Aleksandra a abandoná-lo para ficar com outro parceiro mais adequado. "Seus pais definitivamente vão se esforçar em fazer com que você se interesse por um noivo que lhes seja mais favorável."[10] E mais tarde:

> Eles vão aterrorizar você por minha causa! Vão atormentá-la! São animais, monstros! ... Seu pai, embora tenha lhe dado educação e um bom berço, continua a ser aquele tipo terrível de negociante déspota – oriundo do povo. ... Ele só aceita a opinião dele; é indiferente à de outras pessoas. ... Ai, estou muito triste de ter que dizer todas essas coisas sobre seu pai, mas ele parece ser uma pessoa assim. Realmente é. Uma pessoa que não ganha dinheiro para a vida, mas pelo dinheiro em si, e é alheio a qualquer tipo de sentimento em que o dinheiro desempenhe um papel secundário. E você erroneamente o diz religioso. ... Não, minha querida, essas pessoas não são religiosas. Elas são demônios![11]

Os discursos inflamados dirigidos a Mariya eram igualmente viscerais e ainda mais afiados. "Que vá para o inferno", escreveu.[12]

Piotr Pietróvich, meio-irmão de Aleksandra, era o único Smirnov para quem Martemyan tinha palavras amáveis. Aleksandra confidenciava seus problemas ao irmão mais velho, pedindo-lhe para ajudá-la a encontrar uma maneira de contornar a oposição dos pais. Acreditava que o jovem Piotr seria simpático a sua situação, dada sua própria luta com o pai sobre sua amante casada. Pelas cartas de Martemyan, é certo que Piotr se encontrou com ele e prometeu ajudar o casal. "Que pessoa agradável! Como ele assumiu o nosso problema tão a sério."[13] Não está claro o que, se alguma coisa, o jovem Smirnov conseguiu fazer pela irmã. Ele pode não ter tido muita chance de ajudar. Quando se tornou evidente que Aleksandra não renunciaria facilmente a seu amor, Smirnov e Mariya decidiram afastar a filha de Moscou – e de Martemyan. A estratégia, pelo menos em parte, teve a ajuda de uma coincidência. Uma série de viagens já estava agendada para aquela primavera – da exposição de Nizhni Novgorod a uma visita à aldeia da infância de Smirnov na província de Yaroslavl. O fabricante de vodca ansiava por retornar às suas raízes e construir uma catedral, um ato pensado para justificar a riqueza e aliviar o pecado do capitalismo. Para essa ação, Smirnov escolheu Potapovo, uma aldeia a menos de 3 quilômetros de sua terra natal e a cerca de 270 quilômetros de Moscou. Quando criança, Smirnov havia frequentado a igreja do lugar, mas o prédio se tornara pequeno demais para abrigar com conforto todos seus fiéis. Também estava velho; havia sido erguido em 1757 e precisava de reformas. A nova estrutura, encomendada por Smirnov, seria enorme em comparação com a antiga. Seria construída em pedra, teria três altares, cinco cúpulas e um moderno sistema de aquecimento. Toques de decoração, como hastes de ferro recurvado e colunas de tijolo aparente, dariam à construção uma grandeza mais parecida com a encontrada em catedrais urbanas que no campo.[14] Smirnov não poupou dinheiro. Estima-se que tenha doado 250 mil rublos (mais de 3,3 milhões em dólares atuais) de seu próprio bolso.[15] E parecia orgulhoso do projeto. Citadinos locais o saudaram como a um filho pródigo, tratando-o como um herói que volta para casa.

Na presença de Aleksandra, Smirnov insistiu na santificação da igreja. Como era natural para Smirnov querer sua família em torno dele numa ocasião tão solene, pôde fazer tal exigência sem parecer arrogante ou punitivo. Martemyan, porém, viu a viagem como um golpe em seu relacionamento. Suas cartas revelam a raiva que sentiu quando Aleksandra contou que ficaria fora por várias semanas.

Na verdade, os Smirnov queriam manter o casal separado por mais tempo. No verão, mandaram a filha para a *datcha* da família nos arredores de Moscou, na esperança de que Aleksandra esquecesse seu romance. Mas não funcionou. Apesar de vigiada de perto por criados da casa, Aleksandra conseguia ver Martemyan seguidamente, o que irritou Smirnov. Ele e Mariya permaneciam firmes em sua oposição ao relacionamento. Por necessidade, porém, tiveram que abandonar a campanha ativa contra o namoro. Talvez tenham percebido que era uma luta sem esperanças. Ou, talvez, simplesmente houvesse muitas outras coisas contra as quais tinham que lutar.

No mesmo ano em que a igreja de Smirnov em Potapovo foi concluída, o Conselho de Estado votou por acelerar a implantação do monopólio da vodca. O ministro Witte mostrou ao Estado, em maio de 1897, que os efeitos pretendidos estavam sendo obtidos: redução do consumo de álcool, extinção da corrupção, melhora da moralidade e, por último, ajuda ao Tesouro. Foi uma argumentação fácil para Witte, já que ninguém se opunha a ele. Em apenas alguns anos, a renda do governo com as vendas de álcool havia aumentado mais de sete vezes, deixando-o com um lucro líquido de 20 milhões de rublos. Smirnov havia previsto que isso aconteceria. Mas agora se confrontava com um cronograma definitivo. Fábrica, armazéns e a parte principal das operações estariam sob pleno controle do governo em 1901. Todas as manobras elaboradas e estratégias inteligentes que haviam feito o negócio prosperar se tornariam inúteis.

Piores ainda foram os resultados dos ensaios técnicos realizados pelo Laboratório Químico Central do Ministério das Finanças em meados da década de 1890. Tentando determinar que receita o Estado deveria adotar quando assumisse a produção de vodca, a organização se concentrou em exemplares de 12 destiladores privados, incluindo Smirnov.[16] Cientistas retiraram resíduos secos da bebida e os testaram para uma série de ingredientes potencialmente nocivos. Descobriu-se que a vodca de Smirnov, considerada das mais saborosas do grupo, continha a maior quantidade de acetato de etila, uma substância que irrita os olhos, o nariz e a garganta. "De acordo com os resultados da análise do processo de produção, é difícil achar que o vinho de mesa [vodca] de P.A. Smirnov seja o melhor, embora ainda seja extremamente popular. ... Essa constatação demonstra que a reputação do produto nem sempre depende da qualidade. Obviamente um papel considerável aqui é desempenhado pela maneira como uma fábrica distribui seus produtos e pelo talento em tornar a aparência mais atraente. Muitas vezes, a reputação do produto se deve a um nome harmonioso, ao formato da garrafa, ao rótulo colorido ou apenas ao preço mais elevado."[17]

O relatório era um insulto. Smirnov sempre se esforçara para oferecer produtos da mais alta qualidade a preços razoáveis e tinha uma longa lista de prêmios e honrarias para provar isso. Ele demonstrara repetidamente que se preocupava com a pureza dos ingredientes utilizados em suas receitas. Já havia respondido às críticas de estudos anteriores, que encontraram óleo fúsel em sua bebida. Mudara o método de fabricação para solucionar o problema, aumentando consideravelmente a quantidade de carvão de bétula usado para filtrar a bebida. O carvão vegetal absorvia o óleo fúsel, o que resultava em uma vodca mais suave, de sabor mais agradável. Smirnov usava entre 3,5 e 5 quilos de carvão por cada 12 litros, um montante significativamente maior do que o usado por outros fabricantes.[18] A mudança surtiu efeito, livrando a vodca Smirnov de quase todos os traços de óleo. A cada dia os fabricantes de vodca adotavam métodos mais modernos para refinar as bebidas, tornando-as mais puras. Smirnov deliberadamente se prendia ao antigo sistema.

Poderia acabar se tornando um enorme golpe para Smirnov o fato de sua vodca não ter sido comprovada como a melhor ou mais pura na Rússia pelos cientistas do governo. Entretanto, não havia rumores de que seus produtos fossem prejudiciais ou abaixo do padrão. Além disso, o laudo químico era exclusivamente para uso do Estado; não foi divulgado publicamente. E Smirnov não perderia sua grande carteira de clientes, pelo menos não imediatamente. Mesmo a corte imperial era ainda um grande comprador, com encomendas de quase 9 mil garrafas de vodca em 1897.[19] A vodca era artigo obrigatório na mesa do czar, em particular durante o almoço, quando, dizia-se, Nicolau II bebia sozinho duas taças cheias. No entanto, mesmo se considerando tudo isso, o monopólio que se aproximava, juntamente com essas descobertas do governo sobre o produto de Smirnov, forçou-o a ver que sua vodca, responsável pela maior fatia de seus lucros, provavelmente não sobreviveria além de 1901. Se o Estado tivesse escolhido adotar sua receita, o rei da vodca poderia proclamar que sua bebida, sozinha, ocuparia as mesas dos cidadãos russos por muito tempo além de sua morte. Mas agora não seria mais assim.

Smirnov ainda tinha algumas escolhas difíceis a fazer. A Rússia estava mudando. O movimento operário, embora ainda não unificado nem todo-poderoso, ganhava impulso. Intelectuais começavam a se juntar aos trabalhadores, ajudando-os e organizando-os em sua busca por um tratamento melhor. Greves em fábricas de todo o país se tornavam cada vez mais comuns, assim como a dura repressão por parte do governo. O Palácio Imperial estava cada vez mais intolerante com a dissidência e aprovou uma série de decretos para combater a agitação. Primeiro, emitiu uma ordem que proibia a impressão ou a publicação de qualquer material relacionado com o movimento operário, as condições nas fábricas, os salários ou atitudes negativas contra empregadores. Depois, as autoridades locais foram instruídas sobre a forma de reprimir agitadores. A polícia deveria se manter atenta às fábricas e aos trabalhadores, prestando particular atenção aos intelectuais misturados aos operários para disseminar propaganda antigoverno. Reuniões de trabalhadores estavam estritamente proibidas, e quem fosse flagrado incitando protestos, pacíficos ou não, seria preso. Lênin, entre muitos outros radicais, tornou-se um exemplo de alto nível. Em 1897, foi preso e enviado para o exílio na Sibéria.

Smirnov havia escapado à mácula do problema trabalhista. Seus operários nunca tinham feito greve. Como muitos na indústria, Smirnov havia aumentado o número de benefícios dos empregados, que agora tinham assistência médica, habitação e conveniências modernas como eletricidade.[20] Ainda assim, percebia que o clima nos negócios em geral era cada vez mais instável. Essa percepção, combinada com as crescentes iniciativas do governo contra seu próprio empreendimento, convenceu Smirnov de que era hora de incitar os três filhos mais velhos. Iria precisar deles, unidos na batalha pela sobrevivência em longo prazo.

Smirnov não demorou. Perseverou para garantir que Piotr tivesse o status social necessário para substituí-lo. Uma posição adequada na comunidade mais ampla, Smirnov aprendera havia muito tempo, podia ser um ótimo recurso para os negócios. E o jovem Smirnov já acumulava uma impressionante série de qualificações. Pertencia aos conselhos de várias instituições de caridade do pai, incluindo o Conselho de Orfanatos de Moscou, o Comitê Moscovita para Pedintes e a paróquia da igreja de São João Batista. Ele ainda precisava de uma ordem, símbolo indiscutível de uma reputação venerada e sublime. Em 1897, Smirnov se juntou ao filho para enviar uma petição à Administração de Comerciantes de Moscou.[21] Como era costume, a comissão solicitou numerosas cartas de referência que confirmassem que Piotr era digno de tal distinção. As cartas vieram, mas não eram exatamente o que pai e filho tinham imaginado. Em um estilo tipicamente russo, várias delas questionavam se o jovem estaria mesmo pronto e afirmavam que ele parecia confiar na posição do pai em lugar de conquistar condecorações por conta própria. A carta do Comitê de Valores de Moscou, que supervisionava a Bolsa, foi particularmente incisiva. "Notifico a Câmara de Estado que P.P. Smirnov, cidadão honorável por nascimento, tendo apenas 27 anos de idade, não foi e não poderia ser recomendado a qualquer ordem ou sinal de excelência pelo Comitê de Valores, pois sua atividade no mundo do comércio não só não é destacada, mas é desconhecida. Além disso, antes deste ano, ele não tinha nenhuma importância em si mesmo e foi um dos diretores de P.A. Smirnov por apenas 12 meses."[22] Os comentários negativos podem ter sido consequência da decisão de Smirnov, anos antes, de concentrar seus esforços para obter reconhecimentos em instituições aristocráticas mais do que naquelas dominadas por comerciantes. Realmente, ele participara apenas das atividades comerciais essenciais a seus interesses, e nada mais. Como resultado, o Comitê de Valores de Moscou, administrado por mercadores eminentes, pode ter saboreado a oportunidade de rejeitar Smirnov e seu filho.

Ainda assim, Smirnov seguiu em frente. Fez uma petição ao gabinete de Witte em 1897, solicitando a possibilidade de expandir o Conselho de Administração de sua empresa de três para quatro membros. A mudança era necessária, explicou, devido ao ambiente cada vez mais complicado dos negócios na Rússia e no exterior. Vladimir foi escolhido como quarto diretor, e seu irmão mais velho, Nikolai, ainda sem dúvida uma interrogação para Smirnov, ingressou no comitê de revisão.[23] Mariya permaneceu acionista, e o próprio Smirnov preservou seu sólido controle da empresa, abrindo mão de apenas 17 de todas as 600 ações emitidas. Essa estrutura dava voz aos membros do conselho, mas impedia que as reais decisões fossem aprovadas sem o consentimento pessoal de Smirnov.

A entrada de Vladimir e Nikolai no círculo de influência da empresa sugere que as opiniões de Smirnov sobre a adequação dos filhos estavam mais brandas. Não que os dois tivessem tomado jeito, mas começavam a aparentar respeitabilidade. Ambos concordaram com casamentos que tinham o apoio do pai e eram, possivelmente, baseados em preocupações concretas e não em amor. A esposa de Nikolai, uma mulher pouco conhecida chamada Darya Nikolaiévna, oferecia-lhe estabilidade. Seu comportamento desviante parecia estar mais sob controle. De acordo com seus irmãos, a bebida, o jogo e os gastos em profusão diminuíram nessa época.[24] Vladimir se casou com Mariya Gavrilovna Shushpanova. Em todos os aspectos, a ligação era infeliz, concretizada apenas para satisfazer a fome do velho Smirnov por aparente harmonia.

Todos os filhos de Smirnov pareciam implorar a aprovação do pai. Estavam dispostos a fazer quase qualquer coisa por ele, independentemente do sacrifício pessoal. Mesmo a rebelde Aleksandra parecia escapar do domínio que Martemyan tinha sobre ela. Os dois ainda estavam noivos, mas parecia que o compromisso de Aleksandra com a união estava diminuindo. Em uma sucinta missiva enviada por Martemyan no fim de 1897, ele reclamava dela por ter falado com outro homem em público. "Isso me deixou muito irritado. Exijo sua completa obediência e peço que você leve a vida de acordo com minhas indicações. Caso contrário, não sei o que pode acontecer!"[25]

Enquanto isso, a saúde de Smirnov dava sinais de enfraquecimento, como demonstra um pedido que fez em abril de 1898 à Administração da Corte em Moscou, que supervisionava as igrejas do Kremlin nas quais Smirnov atuava como administrador paroquial. Ele ocupava o cargo desde 1892, desfrutando do respeito e da reverência relacionados a ele. Agora, Smirnov estava preocupado que não tivesse a energia necessária para dar conta de suas responsabilidades. "Como consequência de minha saúde debilitada, não tenho a capacidade de manter a posição de administrador paroquial das catedrais da Corte de Moscou de Blagoveshchenski e Verkhospasski", escreveu Smirnov, pedindo que o vigário encontrasse um substituto.[26]

A morte devia estar à vista. Smirnov não podia mais esperar para escrever seu testamento. De acordo com um relatório da edição russa da *Forbes*, em 2005, Smirnov era um dos homens mais ricos da Rússia no final do século XIX.[27] Seu nome aparecia numa lista dominada por titãs da indústria têxtil tais como os Tretiakov, os Prokhorov e os Konovalov e mais uma dúzia de multimilionários cujas origens, como a do rei da vodca, remontavam ao campesinato e à servidão. Os bens de Smirnov, calculados a partir de fontes oficiais em cerca de 10 milhões de rublos (o equivalente a 133 milhões de dólares hoje em dia), eram numerosos, incluindo bens móveis e imóveis e participações comerciais. Smirnov pode ter sido ainda mais rico, manipulando os valores por razões políticas e econômicas. Não obstante, distribuir tal patrimônio era um assunto delicado e algo que ele não podia confiar a ninguém.

Seu legado era um objetivo fundamental para um homem que passara a vida moldando uma imagem da qual obviamente se orgulhava. Talvez tenha sido por isso que Smirnov tomou a decisão, incomum entre comerciantes da sua estatura, de manter todos os bens na família e não deixar nada para causas beneficentes. Foi uma decisão criticada por muitos aristocratas: "Quando Smirnov morreu, notou-se devidamente que nada deixou para a caridade."[28] Smirnov deve ter tido suas razões. Ele pode ter imaginado que o monopólio da vodca e o movimento de temperança deixavam aos filhos poucas chances de um crescimento futuro. Eles poderiam, portanto, precisar de tudo o que ele tinha adquirido para ter sucesso na Rússia que se desenhava.

Smirnov convidou Andrei Andreievich Pol, um conhecido tabelião cujos serviços tinha usado antes, à casa da Ponte de Ferro. Seu testamento, baseado nos laços de sangue e em uma ou duas providências cautelares, estava pronto para receber sua assinatura. A maior parte do patrimônio seria distribuída uniformemente entre sua mulher e seus cinco filhos homens, incluindo Sergei, de 13 anos, e Aleksei, então com nove anos de idade. Eles dividiriam a propriedade e as ações da empresa. Mariya tinha direito a viver na residência de Moscou e desfrutar plenamente das *datchas*. Ela também seria a única dona de todo o conteúdo das casas de Smirnov, incluindo "ícones, imagens, ouro, prata, bronze e objetos de metal, mobiliário, cavalos, carruagens, arreios e outros equipamentos relacionados a cavalos e carruagens". A cada uma das cinco filhas foram dados 30 mil rublos, e 40 mil foram reservados para cobrir despesas do enterro de Smirnov. Uma bonificação de um mês de salário foi dada à maioria dos empregados.[29]

Havia uma condição na distribuição equitativa de Smirnov. Os filhos não poderiam receber suas ações até completarem 35 anos. "Embora exercendo os direitos a eles concedidos pelo contrato social da empresa, nenhum dos meus filhos tem o direito de alienar ou hipotecar suas ações adquiridas até que atinjam a idade indicada." A intenção era evitar brigas entre os filhos, bem como a possibilidade de que um deles pudesse tentar vender suas parcelas nas ações para alguém fora da família, o que era um raciocínio legítimo. Se os eventos tivessem se desenrolado de maneira mais previsível, poderia ter funcionado.

14. Dois cadáveres

Conforme se aproximava o inverno de 1898, a casa da Ponte de Ferro ficou desprovida da agitação habitual. Periodicamente, a conversa abafada entre familiares e criados quebrava o silêncio, mas, caso contrário, uma quietude sombria se instalava. Smirnov não queria mais ver os médicos. Estava morrendo.

Nos últimos meses, seu rosto parecia ter se esvaziado, emagrecendo e se alongando como uma bala puxa-puxa. Era mais grosso na testa e no queixo, mas as bochechas estavam pálidas e fundas. Fotografias mostram que os olhos, que antes brilhavam, agora ardiam como brasas. Eram emoldurados por olheiras tão pesadas e pronunciadas, que Smirnov parecia estar sempre fatigado. Até mesmo o cabelo, antes abundante, tinha perdido o volume e o brilho. Parecia que o corpo e a alma do homem estavam desaparecendo célula a célula.

As fontes divergem quanto ao que exatamente afligia Smirnov. Indubitavelmente, sofria do coração. A causa oficial da morte foi registrada como insuficiência cardíaca congestiva, mas as memórias da terceira mulher de Vladimir revelam que ele podia estar em um estado bem mais precário conforme se aproximava o fim de sua vida. "Piotr Arsênievich teve um derrame. Ficou virtualmente paralisado, falava confusamente e não podia mais andar", escreveu Tatiana Smirnova-Maksheyeva.[1] Qualquer que fosse sua condição física precisa, morrer para Smirnov tinha assumido uma qualidade que ele não conhecia desde os dias como servo: a ineficiência. Morrer era um exercício exasperadamente trabalhoso – em nada parecido com a vivacidade de homem competente que Smirnov tinha adotado ao longo da vida adulta. A estagnação e o medo consumiram os Smirnov por boa parte de 1898.

Em um dia extraordinariamente quente no fim de novembro, o silêncio da casa foi quebrado. A espera tinha terminado: Smirnov jazia imóvel, morto na cama. Quase imediatamente, começaram as homenagens a sua história de vida incomum e surpreendente. Saudar a jornada de 76 anos do fabricante de vodca era uma questão nacional. Envolvia representantes de todos os estilos de vida. Havia seus laços com o Palácio Imperial, suas relações com o clero e a notoriedade entre os comerciantes e líderes da comunidade. Para as massas, entretanto, as recordações vinham de outra forma. Para eles, Smirnov tinha se tornado um ícone, um exemplo autêntico de que era possível se erguer dos escalões mais humildes da sociedade. Até mesmo na Rússia czarista, com suas regras autocráticas e sólida hierarquia social, o capitalismo e os capitalistas podiam se desenvolver, mesmo aqueles com raízes camponesas.

Multidões se reuniram para a despedida num dia amargamente frio e nevado do começo de dezembro. Conforme eram informadas da morte de Smirnov, as pessoas chegavam para rezar por sua vida após a morte. Mariya, vestida toda de preto, estava bem no papel de esposa. Ela também era conhecida nos círculos de Moscou e, ainda relativamente jovem, atraía sua cota de atenção. O que faria Mariya Smirnova agora? Será que iria se casar novamente? Como gastaria todo aquele dinheiro?

As perguntas eram frívolas e óbvias, mas o que ocorreu depois, não. Smirnov havia sido meticuloso nas preparações do testamento. Tinha selecionado três testamenteiros: o genro Konstantin Pietróvich Bakhrushin, um homem rico e notoriamente gordo; Nikolai Benediktóvich Smirnov, um primo de confiança, de Yaroslavl; e Grigori Yakovlevich Arsentyev, um filho de comerciante que conhecia havia muitos anos.[2] Mas, semanas após a morte de Smirnov, Bakhrushin inexplicavelmente se recusou ao encargo.[3] Não deu nenhuma explicação específica para a ação incomum nos documentos oficiais, mas o fato de que o tenha feito sugere que já deviam estar se configurando problemas no seio da família – problemas de que Bakhrushin, casado com a filha de Smirnov Natalia, preferiu manter distância.

Uma pista para o estranho comportamento de Bakhrushin surgiu semanas depois de seu afastamento. Smirnov tinha dividido suas propriedades em seis partes iguais, dando uma a cada um dos cinco filhos homens e outra à mulher. Porém, Smirnov estipulou que os meninos não poderiam se apossar das propriedades antes da morte de Mariya. No entanto, os dois testamenteiros restantes solicitaram ao tribunal, em nome dos filhos de

Smirnov, que os herdeiros pudessem dispor imediatamente dos imóveis. O legado incluía partes da mansão da Ponte de Ferro e as *datchas* da família.[4] Os testamenteiros não explicaram por que os filhos de Smirnov tinham pressa, mas uma possibilidade é a de que Vladimir e Nikolai precisassem de capital para bancar seus estilos de vida despreocupados, e Piotr buscasse maior independência financeira e controle pessoal sobre o negócio da vodca. Sergei e Aleksei eram muito jovens para ter opiniões próprias ou qualquer contribuição. O pedido foi rejeitado pelo tribunal, que não viu nenhuma razão para alterar o desejo de Smirnov logo após sua morte.

No final das contas, os filhos de Smirnov nem precisavam ter se preocupado em fazer essa solicitação. Em uma reviravolta inesperada dos acontecimentos, Mariya contraiu meningite e entrou em um estupor febril, incapaz de levar a cabo até mesmo as tarefas mais simples. Antes de contrair a doença, substituíra bravamente o marido no papel de chefe de família. Foi ela quem trouxe estabilidade e maturidade, mão forte que conseguiu conter a irrefreável família, dando-lhe o feitio de algo minimante funcional. E foi ela quem exigiu respeito pela memória do marido e tomou as rédeas do legado de Smirnov.

Mas agora estava impotente. Menos de quatro meses depois da morte de Smirnov, Mariya faleceu, no dia 7 de março de 1899. Como aconteceu com o marido, jornais fizeram extensas reportagens sobre o fato, com letras grandes e cercadas de um fio grosso. A maioria das notícias era superficial, dando apenas a data e a hora do funeral. Ela seria enterrada no dia 9 de março, perto do marido, e receberia as homenagens na mesma igreja. As lojas e armazéns Smirnov ficariam fechados em sinal de respeito. A *Folha de Moscou*, um jornal lido majoritariamente pela classe baixa, abordou a morte de Mariya com criatividade. Ela era uma espécie de curiosidade para tais leitores, uma viúva rica, de alto nível, um alvo e tanto para fofoqueiros. A *Folha* tirou proveito da situação, publicando uma conversa fictícia e altamente imprecisa entre duas mulheres:

"Talvez você tenha ouvido falar? Mariya Nikolaiévna entregou sua alma a Deus."

"Ela era uma verdadeira beleza. Ia continuar vivendo. Piotr Arsênievich lhe deixou dois milhões de rublos em seu testamento."

"O que aconteceu a ela?"

"As pessoas dizem que foi dor no coração. E ela não deixou testamento. Os filhos vão ficar com tudo."

"Que pena. Quantos filhos ela tinha?"

"Dizem que tinha três."

"O que você está dizendo, querida? Ela tinha mais, acho que uns cinco, não tinha?"

"Os outros dois tinham outra mãe. Esses não contam."

"Acho que vão dar dinheiro aos pobres para que rezem por sua alma."

A morte de Mariya Nikolaiévna Smirnova foi motivo de muita falação na sociedade mercantil. Ninguém pensava que ela morreria tão rápido. Que a paz esteja com suas cinzas.[5]

A paz logo desapareceu: Smirnov estava morto; Mariya estava morta; o século XX despontava no horizonte – e nada mais seria como antes.

Parte II

15. Século novo, nova realidade

A Rússia, na entrada do século XX, parecia uma árvore no início do outono. Suas folhas ainda eram fartas e estavam todas intactas, algumas até bem bonitas. Mas tinham começado a perder a vitalidade. Havia, então, um enfraquecimento gradual por conta da realidade política, econômica e social do país, cada vez mais conflituosa. Embora poucos o dissessem abertamente, havia uma sensação crescente entre certos setores de que era só questão de tempo antes que a nação, como as folhas de outono, caísse por terra, exausta. O regime czarista só conseguiria se segurar por esse tanto.

As dificuldades emergentes remontavam a uma série de circunstâncias contraditórias, embora reveladoras. Economicamente, a Rússia andara a passos largos durante a década de 1890. A produção de indústrias como as de carvão, de aço, de ferro e de petróleo tinha triplicado. A extensão das ferrovias havia dobrado, colocando o país atrás apenas dos Estados Unidos. Nada menos que a metade das corporações russas havia recebido capital estrangeiro, sobretudo da França, da Bélgica e da Alemanha. Em 1900, poucos teriam argumentos para negar a ideia de que a Rússia tinha conseguido seu lugar entre as principais nações em desenvolvimento do mundo. O historiador Gregory Freeze observou que a taxa de crescimento industrial do país naquela década não voltaria a ocorrer até os anos 1930, e que a produção industrial, que crescera uma média de 8% ao ano, era mais alta até mesmo que a dos Estados Unidos.[1]

Era uma história poderosa, embora só tenha sido possível à custa da maioria da população. Aproximadamente 80% dos cidadãos estavam de alguma forma amarrados à agricultura, que contribuía com quase metade na renda nacional. Os benefícios da arrancada capitalista de Witte em direção à modernização não haviam chegado até eles. Em vez disso, a maioria dos camponeses lutava com impostos altos e a incapacidade de comprar terras que lhes foram oferecidas depois da emancipação. Em geral, o padrão de vida deles, longe de melhorar, estava deteriorando. E eles não estavam sozinhos na frustração. Os membros da crescente classe trabalhadora que migrava para as grandes cidades à procura de emprego tinham suas próprias queixas. Muitos estavam expostos a condições de trabalho cruéis, longas jornadas e um padrão de vida inaceitável. Esses dois grupos aparentemente discrepantes viram um ponto comum com outros círculos insatisfeitos, como o de intelectuais conservadores que temiam que a inclinação para o Ocidente contaminasse as tradições do país a eles tão queridas, e um movimento socialista cada vez mais ativo que germinava nos campi universitários de todo o país.

O ressentimento que brotava e instigava quase todos os estratos sociais se intensificou ainda mais com a chegada de uma crise financeira mundial. O desemprego aumentou bruscamente, a produção industrial afundou, os salários despencaram e várias empresas pediram falência. Essa situação angustiante veio justamente em uma época em que o orçamento e os gastos do Estado tinham crescido rápido demais e estavam descontrolados. "O país estava fervendo com descontentamento e desassossego", escreveu David Floyd.[2]

Na isolada casa de Smirnov, o sentimento era bem diferente. As mortes de Piotr e Mariya, embora tristes, tiveram um efeito libertador sobre vários dos irmãos Smirnov. Eles não precisariam mais controlar suas atitudes. Não precisavam mais de aprovação para escolher amantes ou para seus extravagantes hábitos financeiros. Não se sentiam mais compelidos a fingir ser algo que não eram ou do qual se ressentiam. Eram jovens, bonitos, ricos e, agora, livres. Essa emancipação, entretanto, teve seu preço. De modo semelhante ao que acontecia com o país, os Smirnov começavam a rachar. Os laços de sangue ficavam débeis com as diferenças pessoais que afloravam e os interesses financeiros que começaram a se chocar. Nesse sentido, os Smirnov não eram tão diferentes de sua pátria. Ambos enfrentavam incertezas polarizadoras que, no final das contas, iriam levá-los a um caminho de calamidade e destruição.

Menos de dois meses depois da morte de Mariya, os sete acionistas restantes do império de vodca Smirnov se reuniram na casa da Ponte de

Ferro para a reunião anual da diretoria.[3] Eles subiram ao segundo andar da elegante mansão e tomaram seus assentos. A sala era primorosa; o teto se assemelhava a uma escultura, cheio de elaborados motivos florais em relevo por toda a borda. As janelas eram completadas por graciosas cimas arredondadas que capturavam a luz natural. Um aquecedor ocupava um canto inteiro da sala, envolvido por uma moldura opulenta, embora naquele dia de primavera permanecesse apagado e frio.

Em geral, a reunião de diretoria era um fato rotineiro, um acontecimento anual que se repetia todos os meses de abril. Os acionistas repassavam com detalhes a situação dos negócios e faziam planos para o período seguinte. Mas, naquele 28 de abril de 1899, a assembleia era qualquer coisa menos típica. O curso habitual dos negócios precisava ser suspenso para a elaboração de uma nova estruturação. Àquela altura, Smirnov estava morto havia cinco meses, e sua ausência abriu um rombo imprevisto nos protocolos. Piotr Pietróvich, com 31 anos, ocupava agora a antiga cadeira do pai, uma escolha óbvia e unânime. Seus irmãos Nikolai, então com 26 anos, e Vladimir, com 24, ocupavam dois outros lugares à mesa, e um tutor que representava os interesses dos dois irmãos mais novos ocupava mais um. Os demais assentos estavam reservados para os primos Nikolai Benediktóvich Smirnov e Dmitri Benediktóvich Smirnov, que estavam na empresa havia 25 anos, e para Vasili Kouvaldin, um empregado de longa data que era próximo da família e dos negócios. Os três filhos mais velhos de Smirnov e o primo Nikolai Benediktóvich detinham a maioria dos votos da diretoria, o que lhes dava controle supremo. Os demais presentes eram acionistas sem direito a voto.

O exato programa da reunião é desconhecido. O que, sim, é conhecido, de acordo com um relatório financeiro emitido pelo Ministério das Finanças relativo a 1899, é a essência das ações mais importantes daquele dia. Esses detalhes provam as intenções e aspirações de longo prazo dos filhos de Smirnov. Naquele momento, a empresa ainda era próspera. Tinha fechado o ano anterior com o maior lucro de sua história, mais de um milhão de rublos.[4] O recorde se devia em parte à previsão precisa e à argúcia de Smirnov, cujas atitudes conseguiram não só amortecer uma possível crise, mas ainda permitir o crescimento da empresa, apesar das traiçoeiras condições do mercado. Também era o resultado de um avanço imprevisto das iniciativas do Estado sobre a vodca e o movimento em favor da temperança. De acordo com a prestação de contas publicada, quanto mais se aproximava a data da implementação do monopólio em certas comunidades e cidades, mais os consumidores gastavam para fazer estoque de suas marcas de vodca preferidas que logo desapareceriam. As vendas das bebidas de Smirnov e de Popov decolaram em 1898, quando o monopólio chegou a centros densamente povoados como São Petersburgo.[5] As compras tinham dois objetivos: preservar vodca para futuro uso pessoal ou usá-la em um posterior comércio ilegal.

Os filhos de Smirnov eram bastante inteligentes para entender que o pico nos lucros era um fenômeno temporário. Por isso, não hesitaram em tirar proveito dos tempos de bonança. Eles tinham estilos de vida extravagantes para bancar. Piotr havia comprado uma das casas mais sofisticadas de toda Moscou. Era sua segunda residência, uma atração da cidade projetada pelo renomado arquiteto Fiódor Shekhtel. Piotr, na maioria das vezes, a usava para receber membros do *establishment*. Sua residência principal era provavelmente a casa do pai na Ponte de Ferro. As indulgências de Vladimir também eram muitas, entre elas financiar peças teatrais, comprar presentes caros para mulheres e fazer festas em sua casa para recepcionar depois dos espetáculos os atores e as atrizes protegidos por ele. No final da década de 1890, ele tinha comprado também uma propriedade de 300 hectares cerca de 85 quilômetros a oeste de Moscou. Era um espetacular refúgio rural que incluía energia elétrica própria, um cais, estábulos e pista de corrida para cavalos.[6] Quanto a Nikolai, retomou o hábito de beber após a morte de Smirnov, gastando dinheiro sem parar. Frequentemente era visto comprando joias preciosas nas lojas mais exclusivas de Moscou e também era conhecido em círculos sombrios por emprestar quantias significativas de dinheiro a pessoas que mal conhecia contra notas promissórias informais e geralmente inúteis.

Os irmãos Smirnov propuseram algo inédito na empresa: o pagamento de bônus anuais aos membros da diretoria. Empregados selecionados também receberiam esses pagamentos adicionais, embora presumivelmente a uma taxa muito menor que a dos diretores. Eles votaram reservar um montante de 64 mil rublos (o equivalente a cerca de 33 mil dólares em 1899 e mais que 850 mil em valores atuais) para a gratificação de 1898.[7] Todos os três filhos mais velhos receberiam os cheques, embora Nikolai, pouco antes nomeado para o comitê de revisão, não fizesse parte da diretoria. Os dois filhos mais jovens, já que eram apenas acionistas, ficariam de fora. Piotr evitou possíveis objeções dos irmãos mais novos ou de seus tutores propondo também um aumento de dividendos. Em vez dos mil rublos do ano anterior, a ação passaria a valer 1.425 rublos. Um total de 855 mil rublos (441.341 dólares de então e mais de 11 milhões de hoje) seriam pagos para os poucos acionistas. Esses dividendos se somavam aos 300 mil rublos em dinheiro que cada filho já havia recebido ao herdar parte dos bens.*

Os valores desses pagamentos continuaram a subir, apesar do avanço do monopólio. No ano seguinte, as gratificações saltaram para quase 80 mil rublos. E em 1901, ano em que o monopólio seria implementado em Moscou, os Smirnov contaram com uma sorte inesperada. Os moscovitas compraram barris de vodca Smirnov, ajudando a impulsionar os lucros a um valor recorde de 1,8 milhão de rublos.[8] Assim, os irmãos votaram por dividir 226 mil rublos (aproximadamente 117 mil de dólares à época; mais de 2,9 milhões hoje) em bonificações, o triplo do ano anterior.[9]

Além das maquinações financeiras, os Smirnov também assumiram a estrutura administrativa da empresa e encabeçaram uma reformulação do comitê de supervisão da diretoria. Essa manobra era especialmente reveladora porque, além de verificar os relatórios financeiros, o comitê tinha função de patrulhamento. O grupo tinha autoridade para investigar qualquer ação questionável ou suspeita tomada pela administração ou pela diretoria. Os filhos de Smirnov nomearam as próprias mulheres para substituir um primo e um contador leal que tinham trabalhado para Smirnov por muitos anos. Ter as mulheres a cargo de alguma tarefa de surpevisão – embora naquele momento as mulheres de Vladimir e Nikolai fossem suas parceiras apenas de nome – era o modo mais fácil e eficiente de assegurar o acesso à informação e o poder de influência dentro da família.

* Os cinco filhos e Mariya receberam cada um 260 mil rublos em dinheiro. Depois da morte de Mariya, a parte dela foi, até onde se sabe, dividida igualmente entre os filhos.

O próprio Smirnov teria ficado feliz ao ver os três filhos sentados na direção de seu império. Esse tinha sido um de seus maiores desejos. Mas é altamente improvável que ele perdoasse as atitudes descaradas em benefício próprio, tampouco os sinais de discórdia que já apareciam e logo transformariam os irmãos em facções em guerra.

Os irmãos não começaram a brigar desde o início. Na verdade, depois da morte de Mariya, a dinâmica entre eles parecia amável e harmoniosa. Piotr e Vladimir pediram na justiça a guarda dos irmãos mais novos. Piotr, com um sólido passado de caridade e atividade religiosa, foi designado tutor de Sergei. Vladimir, porém, foi rejeitado. O tribunal determinou que a propensão à jogatina e a péssima reputação em geral não seriam bons para Aleksei, de dez anos de idade. "O comportamento pecador dele foi a razão de o tribunal lhe recusar a guarda de meu irmão Aleksei", explicaria mais tarde Sergei, acrescentando que o irmão "era conhecido em toda a Moscou pela paixão por corridas [de cavalo] e por apostas".[10] Konstantin Bakhrushin, o digno genro e testamenteiro escolhido por Smirnov, foi designado tutor de Aleksei em vez de Vladimir.

A rejeição não deve ter sido grande surpresa. Embora Vladimir pudesse parecer um cidadão responsável e distinto quando necessário, sua disposição natural era muito mais extravagante. Não havia nada de que gostasse mais que se divertir – fosse jogando baralho, apostando em cavalos, festejando em boates de Moscou ou indo às próprias – e frequentemente turbulentas – festas. "Vladimir gostava de companhia alegre, animada. Os artistas de ópera, opereta, teatro e farsa iam frequentemente à sua casa", recordou a terceira mulher de Vladimir.[11] Ela registrou que entre os convidados assíduos de Vladimir figuravam Varya Panina, uma das mais conhecidas cantoras ciganas da Rússia. Ela começou cantando no Yar, o clube noturno de Moscou extremamente popular onde, anos antes, Vladimir havia conhecido seu primeiro amor, Katya. Panina, conhecida por sua voz baixa e sedutora e pelos cigarros permanentemente acesos, era a favorita de Tchekhov, de Tolstoi e do czar.

Essa era a companhia de que Vladimir mais gostava. Apesar de ser casado com Mariya Gavrilovna, pavoneava-se pela cidade como um solteiro convicto. Jovial, despreocupado e bonito, Vladimir com frequência era visto na rua com membros da comunidade teatral de Moscou, ao lado de várias mulheres no Yar. Esse bom humor poderia ter continuado por anos não fosse por Aleksandra Nikitina.

Nikitina era de uma beleza clássica. Tudo nela, dos olhos suaves ao nariz elegante e sua estatura diminuta, era adorável e feminino. A irmã dela, Mariya Nikitina, era bem-conceituada em seu trabalho em operetas e por atuar com um famoso grupo teatral. Aleksandra Nikitina atuava na trupe também, e, muito provavelmente, foi assim que Vladimir, um fã, a conheceu.

Os dois se apaixonaram. Eles levaram o caso abertamente, pouco se preocupando com o estado civil de Vladimir ou o escândalo que a relação poderia trazer. Logo estavam morando juntos, e Vladimir passou a proporcionar à esposa um estilo de vida luxuoso. Provavelmente havia sido um casamento sem amor desde o princípio, construído por conveniência. Nikolai, que também teve outras mulheres enquanto casado, comentou: "Meu irmão Vladimir também gasta dinheiro com uma mulher com quem vive, a senhorita Nikitina, muito mais do que eu. Ele lhe comprou duas casas a um preço considerável. Não tem vergonha de dar presentes a ela ou a outras mulheres."[12] E também não teve vergonha quando os dois tiveram um filho um ano depois. Foi o único filho de Vladimir, um menino chamado Vladimir, nascido de pais não casados. Os dois finalmente se casaram depois que Vladimir se divorciou da primeira mulher.

Conduta questionável não era exclusividade de Vladimir. Além dele, outros três filhos de Smirnov tiveram filhos fora do casamento em um período de quatro anos. Aleksandra, a mais nova, teve um filho chamado Vadim, fruto do caso com um comerciante famoso chamado Vasili Bostanzhoglo. Aleksandra ainda estava envolvida com o amante anterior, Borisovski, mas Bostanzhoglo, que era casado com a irmã de Konstantin Stanislavski, o famoso diretor e ator, era um passatempo vibrante. Por fim, ele rompeu a relação com Aleksandra, que então não teve outra escolha a não ser casar-se com Borisovski. Sergei teve o primeiro filho com apenas

17 anos de idade. Ele então foi morar com a mãe do menino, Oleg, que mais tarde ganharia um irmão, Viktor.[13]

Era como se todos os anos da rígida educação de Smirnov, a pregação constante das expectativas sociais e da importância de satisfazê-las, tivessem sido abandonados. Essa segunda geração seguia as orientações que eles mesmos determinavam. As paixões, em lugar do passado, governavam suas mentes, permitindo-lhes habitar mundos em que Smirnov não teria ousado entrar. Não eram apenas os muitos bens materiais que os habilitavam ao comportamento despreocupado, mas também o ambiente que os cercava. Os Smirnov tinham prestígio, dinheiro e o legado do pai para encobrir não importava o que fizessem.

Cada vez mais, entretanto, era como se os irmãos estivessem monitorando uns aos outros como espiões. Observavam as excentricidades dos demais e guardavam as informações como defesa contra possíveis ataques futuros. Talvez já pressentissem que as alianças eram efêmeras, convenientes apenas se o *status quo* pudesse ser mantido, o que, é claro, não era possível. Os acontecimentos de 1901 e dos anos posteriores não deixaram dúvidas quanto a isso.

16. Louco monopólio

PROVAS DA MUDANÇA NO CENÁRIO estavam em toda parte. Tabernas e lojas de bebidas de bairro, antes identificadas por apelidos informais e personalistas e ambientes acolhedores, fechavam as portas aos montes. Em seus lugares surgiam estabelecimentos assépticos pertencentes ao Estado e operados por ele. Cartazes em verde e amarelo pendurados sobre a entrada anunciavam a classe de estabelecimento, onde agora se vendia vodca de 40° produzida pelo Estado. No interior, o cenário tornava o ambiente sóbrio. Nada além de um ícone religioso, retratos do czar ou de santos, um relógio e anúncios relacionados às regras e aos regulamentos do monopólio podia figurar nas paredes. Uma divisória cortava o santificado espaço ao meio. A parte inferior da divisória era toda feita de madeira; a superior, de tela metálica. De um dos lados, trabalhadores coletavam dinheiro através de uma pequena janela enquanto outros entregavam as garrafas de vodca por outra abertura.

Enxames de fregueses sedentos, às vezes barulhentos, lotavam as lojas desde as sete horas da manhã. Em geral, eram tantas pessoas que apareciam ao mesmo tempo, que muitas eram cuspidas para fora; enquanto esperavam, jogavam cartas ou dominó. Às vezes, apenas se deixavam ficar um pouco, sorvendo a vodca recém-adquirida apesar da estrita proibição de consumi-la no interior ou em público. Conforme observado por um contemporâneo certa manhã, do lado de fora de uma loja havia "uma fila de aproximadamente 100 pessoas que se entregaram ao álcool e estão irritadas. Estão esperando a porta se abrir, quando poderão passar sob a placa verde-amarela. Estão esperando e tremendo no frio."[1] Era 1901. E o monopólio da vodca havia chegado a Moscou.

As mudanças causaram celeuma. Uma fonte contabilizou 2.664 locais de venda de álcool antes do monopólio na província de Moscou, e menos de 870 depois. O número de lojas estatais de vodca, que totalizava 513 um ano antes, era agora de apenas 260. E número de estalagens nas cidades ao redor de Moscou, que operavam como tabernas ou cafés, despencou de mais de 900 em 1900 para apenas 60.[2] Era um ajuste difícil em geral, mas particularmente irritante em Moscou, que havia abrigado muitas das marcas de vodca mais populares da Rússia. "Os que estavam fora de Moscou ..., e não haviam tido chance de ver o monopólio antes, ficaram surpreendidos. Não puderam reconhecer seus restaurantes favoritos, tão chocados ficaram pela nova aparência das lojas de vinho [vodca] e pelo excesso de sinalização sobre o monopólio. ... Um comerciante não pode encontrar vodca Smirnov, à qual estava habituado havia muitos anos. Apenas a ... vodca estatal lhe é acessível, que pode até ser boa, mas é desconhecida."[3]

O clima estava igualmente insatisfatório – e absolutamente sombrio – na fábrica Smirnov, em seu último dia de funcionamento. Como mostra uma fotografia publicada por um jornal da época, homens usando longos aventais brancos e boinas escuras se moviam freneticamente por um labirinto de grandes barris de madeira que permaneciam imóveis no meio de um pátio de terra. Os barris muito provavelmente foram retirados da parte interna do edifício, onde ficava a área de armazenamento, que já não era necessária para guardar vodca. Homens levavam embora caixotes de madeira, que deviam ser usados para carregar as garrafas. Nos fundos, uma escada alta se erguia até o último andar do prédio. Era o dia do fechamento: ninguém na foto estava sorrindo.[4]

Os Smirnov, naturalmente, não tinham nenhuma intenção de desaparecer. Apesar da proibição da produção de vodca pura, tinham permissão para vender várias outras bebidas alcoólicas menos populares. Em um anúncio de primeira página na *Folha de Moscou*, apenas alguns dias após o início oficial do monopólio, os Smirnov deixavam claro que ainda estavam a toda no mercado.

> A administração da associação P.A. Smirnov tem a honra de informar a nossos caros clientes que, como consequência da implementação do monopólio estatal [da vodca], nossas exportações para províncias sem monopólio e para o exterior continuarão normalmente, enquanto a produção de vodcas [aromatizadas], *nalivkas* e licores aumentou consideravelmente. Recomendamos especialmente nossos vinhos de uvas, russos e estrangeiros, e também

nossos conhaques, russos e estrangeiros, armazenados por vários anos em nossas adegas.[5]

Os filhos de Smirnov lutavam para não afundar. Além da propaganda, tomaram medidas de redução de custos para compensar a queda nas vendas e deixaram de cumprir um pedido feito pelo pai durante quase toda sua vida: que toda bebida Smirnov fosse feita apenas com frutas frescas. Começaram a usar essências, uma alternativa muito mais barata. "Graças a isso, conseguimos lidar com as perdas ocasionadas pela introdução do monopólio do Estado", lembrou Vladimir.[6]

Outros ajustes foram mais chamativos e arriscados. Vladimir contou a Smirnova-Maksheyeva a história de um espetáculo especialmente criativo que os filhos inventaram para uma das feiras em Nizhni Novgorod. Ele e seus irmãos queriam se destacar e, assim, mostrar que ainda eram donos de uma grande empresa. Ergueram um palco no pavilhão principal, grande e luxuoso, e contrataram ursos que andavam, dançavam, cumprimentavam e distribuíam bebidas. "O espetáculo inovador e a distribuição gratuita atraíram um enorme número de pessoas. Era difícil andar através da densa multidão. Todos queriam brindar com os ursos."[7]

Todos os ursos, segundo Vladimir, eram pessoas vestidas ou bichos mecânicos movidos a corda, exceto dois verdadeiros, firmemente amarrados por uma guia. Os animais "tinham ingerido tanta vodca que mal conseguiam se levantar. Primeiro, colocaram-se nas quatro patas, depois, sentaram-se e, finalmente, caíram no sono. Os ursos adoram vodca. Você não precisa pedir-lhes que bebam. Fazem-no por vontade própria, segurando a garrafa com as patas dianteiras."[8] Mais tarde, os Smirnov publicaram anúncios que mostravam ursos segurando garrafas de vodca.

A estratégia pode ter atraído a atenção das pessoas, mas pouco serviu para impulsionar as vendas. Houve, então, muitas demissões e cancelamento completo ou significativa redução de contratos com engarrafadores, fornecedores de rótulos e fabricantes de rolhas. Essas medidas ajudaram um pouco, mas depois de um ano da implementação do monopólio em Moscou, as perdas dos Smirnov eram devastadoras. Os lucros afundaram para um quarto do valor anterior, passando de 1,8 milhão para 441 mil rublos.[9] O monopólio era de longe a principal razão para o colapso nos negócios, mas não a única. Os Smirnov, juntamente com o Estado, lutavam contra a crescente ameaça dos vendedores ilegais.

Eles eram como parasitas, que se multiplicavam mais rapidamente do que as autoridades podiam caçá-los, peritos que eram em desaparecer em esconderijos secretos, fendas bem escondidas no interior da agitação diária de uma vizinhança. Às vezes compravam a vodca estatal e a revendiam. Outras vezes, destilavam sua própria receita e a vendiam a consumidores vorazes por preços mais baixos que o do governo. Além do álcool, os contrabandistas mais empreendedores também ofereciam ambientes semelhantes aos bares clandestinos que mais tarde se espalhariam por todos os Estados Unidos durante a Lei Seca. Esses lugares permitiam que as pessoas se reunissem para beber fora de casa. Revistas satíricas faziam a crônica dessa tendência ilegal como se ela fosse a coisa mais normal do mundo. Uma caricatura mostrava uma multidão de donos de bar tentando freneticamente alcançar um bastão que dizia apenas "secreto".[10]

Ninguém parecia se importar com a possibilidade de passar uma temporada na prisão por destilar ou vender bebida ilegalmente. A demanda era simplesmente grande demais, e a polícia, geralmente, tendia a fazer vista grossa. "Depois da imposição do monopólio, pode-se dizer sem exagero que há um estabelecimento de venda ilegal para cada dez casas de camponeses."[11]

Os abusos proliferaram, mesmo em locais antiálcool patrocinados pelo Estado. Casas de chá, por exemplo, criadas como parte do movimento por sobriedade, deveriam ser um local para que as pessoas se reunissem e se divertissem, oferecendo entretenimento e alternativas socialmente aceitáveis à bebida. Os jornais relatavam, no entanto, que alguns desses locais eram conhecidos por servir vodca – não chá – diretamente da chaleira.

Talvez mais perturbador fosse o crescimento exponencial da embriaguez pública. Já que os consumidores não podiam mais beber nas tabernas ou estalagens, levavam a bebida para as ruas. Tinham a ajuda de empreendedores astutos que tentavam capitalizar sobre esse hábito oferecendo de copos a saca-rolhas nas ruas – em troca de uma pequena taxa. No livro

Under the Influence, a historiadora Kate Transchel diz que "a quantidade de bebida não diminuiu; apenas se mudou da taberna para a rua".[12] Um colunista do *New York Times* comentou: "Relatórios oficiais e não oficiais de todas as partes da Rússia europeia concordam em indicar que o resultado mais visível do estabelecimento do monopólio de governo é o grande e alarmante aumento da embriaguez e da desordem nas ruas. Um camponês agora compra uma garrafa de vodca, leva-a e bebe até ficar completamente prostrado ou agressivo."[13]

O czar tinha certo consolo enquanto tentava domar o vício no país. O Tesouro Nacional se avolumava. No ano seguinte à adoção do monopólio em todas as províncias, o Estado recolheu mais de 488 milhões de rublos, comparados a 23 milhões no primeiro ano do monopólio. No auge, em 1913, um ano antes de a Lei Seca ser implementada, mais de 953 milhões de rublos foram arrecadados como resultado direto do monopólio do álcool.[14] Uma comparação de rendimentos gerados pelas bebidas alcoólicas em 1909 ilustra os benefícios do controle do governo. Se o sistema de impostos tivesse permanecido o mesmo, as vendas de álcool naquele ano teriam gerado 371 milhões de rublos.[15] Com o monopólio, os rendimentos do governo ultrapassaram os 720 milhões.[16]

Em 1901, o regime czarista minimizava a importância dos aspectos financeiros da reforma. Suas implicações sumiam em comparação com outras questões que confrontavam a administração. Cresciam as manifestações de violência e um ressentimento profundamente arraigado, ainda piores em decorrência da política cada vez mais dura do czar. O Estado tinha começado a prender e punir estudantes que participassem de protestos ou distribuíssem propaganda antigoverno. Uma medida permitiu à monarquia forçar esses jovens rebeldes a ingressar no Exército. O ministro da Educação, Nikolai Bogolepov, mandou 183 estudantes da Universidade de São Vladimir, em Kiev, para as forças armadas. Ele também demitiu alguns professores que se opunham abertamente à autocracia. Pouco tempo depois, Bogolepov foi morto com um tiro no pescoço por um estudante expulso de uma universidade em Moscou por suas atividades revolucionárias. Em seguida, o ministro de Assuntos Internos, Dmitri Sipyagin, um linha-dura que apoiara diversas medidas pesadas contra trabalhadores, camponeses e estudantes desobedientes, também foi assassinado. Dois anos mais tarde, o sucessor de Sipyagin, Vyacheslav Pleve, foi atingido por uma bomba detonada por um terrorista.

Conflitos trabalhistas também se tornaram mais violentos. Em maio de 1901, uma greve na siderúrgica de Obukhov, em São Petersburgo, foi deflagrada após a demissão de 26 metalúrgicos que não compareceram ao trabalho no Primeiro de Maio. Milhares de empregados se reuniram do lado de fora da usina menos de uma semana depois, exigindo que os trabalhadores fossem reintegrados a seus cargos. Também apresentaram uma extenuante lista de outras reivindicações, entre elas aumento de salários e diminuição da jornada. A indústria tinha aproximadamente 20 círculos socialistas operando em suas dependências, prova da natureza cada vez mais política das greves. Os policiais foram à manifestação preparados para lutar. Os trabalhadores, que contra-atacaram com pedras, foram derrotados, mas o confronto preparou o palco para greves mais sangrentas.

Nicolau II enfrentava um coro crescente de críticos de alto nível. Tolstoi, que simpatizava com os protestos e com grande parte das classes inferiores, era um dos que falavam mais abertamente. O bombardeio de críticas sem censura e seu grande e leal grupo de seguidores contribuíram para que o escritor fosse excomungado pela Igreja Ortodoxa russa em 1901. Seu crime: heresia. Em seus escritos, particularmente em seu último romance, *Ressurreição*, ele denunciava a Igreja, o governo e os costumes sociais antiquados do país. O autor apoiou as insurreições estudantis, reprovou duramente a censura da monarquia e lutou pelas necessidades dos pobres. Finalmente, dirigiu seus apelos ao próprio czar em uma carta apaixonada datada de 16 de janeiro de 1902. Nela, defendia reformas que ajudariam os camponeses sem recursos e sugeria que a monarquia já não satisfazia às necessidades do povo. O fervoroso pedido, juntamente com outras ladainhas anticzaristas, pareceram apenas incentivar Nicolau II, que não se rendeu.

Os Smirnov também resistiam. Fosse pela agitação que tragava a Rússia, ou pela falta de tranquilidade que se infiltrava no coração do clã da vodca, os irmãos tomaram seus postos de batalha. A guerra começou a sério em 1901, o mesmo ano em que o controle do comércio de vodca em Moscou passou às mãos do governo. No início, pareceu não passar de meras manobras legais com o objetivo de repartir os recursos equitativamente entre os membros da família. Os filhos de Smirnov e sua irmã ainda solteira, Aleksandra, possuíam juntos os vários imóveis do pai, mas decidiram que seria melhor para os mais novos ter a posse individual – não conjunta – de alguns deles. "Não desejamos manter a posse comum e concordamos em voluntariamente dividir estas propriedades", dizia um documento oficial assinado pelos irmãos.

As propriedades de Smirnov estavam avaliadas em 1,89 milhão de rublos (aproximadamente 24,6 milhões de dólares em valores atuais). Aleksei, o filho mais novo, receberia sete lojas de varejo no distrito comercial de Gostini Dvor e ainda algumas terras. Sergei ficaria com uma casa em Moscou, um edifício comercial perto da mansão da família e algumas lojas na feira de Nizhni Novgorod. Todas as demais propriedades, incluindo a casa da Ponte de Ferro, a fábrica, as *datchas* e algumas terras em Moscou, pertenceriam coletivamente a Piotr, Nikolai, Vladimir e Aleksandra. Os irmãos que assinaram o documento prometeram não contestar seu conteúdo. "Estamos inteiramente satisfeitos com tal divisão dos bens imobiliários. Achamo-na vantajosa para os mais jovens [Sergei e Aleksei]. ... Prometemos não questionar outras divisões e não apresentar queixas uns contra os outros."[17]

Parecia uma transação cordial e sensata. Os Smirnov, dado o precário estado da nação, devem ter pensado que não conseguiriam converter tantas propriedades em dinheiro vivo, caso houvesse necessidade. Ou devem ter se preocupado com a possibilidade de que desacordos e mal-entendidos entre eles impedissem ou atrasassem uma possível venda. Mas, dado o que aconteceu em seguida, parece que os filhos mais velhos queriam mesmo é preservar os bens mais valiosos para si. A divisão de propriedades de 1901 foi a primeira de várias outras, que transformaram irmãos de sangue em rivais ferozes e hostis.

Sergei foi o primeiro a quebrar o pacto. Seu rosto jovem tinha traços surpreendentemente maduros para um menino de 16 anos; e tinha uma autoconfiança herdada do pai. Os cabelos escuros, as sobrancelhas grossas e o bigode castanho davam a Sergei o olhar de alguém que não tinha medo – e ele não tinha mesmo. Órfão aos 13 anos, Sergei cresceu rapidamente.

Ele ficara sob a tutela de Piotr desde a morte de Mariya. Os dois, com uma diferença de idade de 17 anos, não eram tão próximos quanto os três irmãos mais velhos, mas pareciam ter um relacionamento aceitável. Quando Sergei começou um romance com uma cantora que conheceu no clube Yar, Piotr lhe enviou dinheiro para que a cortejasse. Igualmente ajudou-o a comprar cavalos de Vladimir e pagou para reformar a casa que coubera a Sergei na partilha de bens. Ainda assim, a relação entre os dois começou a se deteriorar logo depois que o monopólio entrou em vigor em Moscou. Quando Sergei completou 17 anos, em abril de 1902, conseguiu ser atendido em uma solicitação oficial para que Piotr fosse substituído como tutor. Os dois discordavam cada vez mais sobre o que o irmão mais velho denominava a "gastança" de Sergei.

Logo depois, Piotr se uniu a Vladimir e solicitou a indicação de um novo tutor para Sergei, pelo menos até que ele fizesse 21 anos. Em documentos apresentados à Justiça, alegaram que Sergei esbanjava sua herança. Presumivelmente, Nikolai não fazia parte do esforço dos irmãos mais velhos, dadas suas próprias extravagâncias. Sergei contra-atacou submetendo novos documentos ao tribunal que diziam que seus irmãos estariam espalhando mentiras sobre ele na tentativa de desacreditá-lo e ganhar maior controle sobre os negócios da família. "Meus irmãos dizem que têm as melhores intenções. ... Acho necessário explicar que somente o interesse pessoal motiva meus irmãos." Sergei usou como argumento os salários e os bônus que os irmãos pagavam a si mesmos. "Meus irmãos mais velhos, tendo a seu lado a voz da maioria [na empresa], elegeram-se a si próprios diretores. Deram-se um salário de 60 mil rublos anuais e 70 mil rublos de bônus, pagos mesmo depois que a companhia começou a sofrer por causa do monopólio. As objeções feitas pelos tutores de meus irmãos mais novos de nada adiantaram."[18]

Em uma carta ao governador-geral de Moscou datada de 6 de julho de 1902, Sergei resumiu as feias acusações contra ele, assim como sua veemente refutação a elas.

> Meus irmãos Piotr e Vladimir espalham boatos sobre mim: que sou viciado em jogo, que aplico no mercado de ações, que aposto em corridas de cavalo. Dizem que tudo isso me levou a dívidas. ... Todas essas acusações, do começo ao fim, são fruto de pura imaginação. Nunca estive na Bolsa de Valores e nunca participei de tais especulações. Além disso, não jogo há um bom tempo, assim como não vou às corridas já há bastante tempo. Há cerca de um ano, realmente frequentei as corridas algumas vezes. E também joguei, investindo importâncias insignificantes. Meu irmão e tutor sabia de tudo isso. Era apenas divertimento, que fazia por influência de meu irmão Vladimir, que é conhecido por toda Moscou por sua paixão pelas corridas e pela jogatina. ... Meus irmãos consideram imoral e perdulário de minha parte que eu tenha vivido com uma mulher durante algum tempo e tenha gastado muito dinheiro para sustentá-la. Essa é a única das acusações com algum mérito. Mas é necessário levar em consideração alguns fatos que acompanharam minha aproximação desta mulher. Meu irmão, Piotr Pietróvich, antes de me acusar, deveria se lembrar de que o caso começou quando ele era meu tutor e sabia sobre ele, inclusive me ajudando com três vezes mais dinheiro do que eu tinha recebido antes quando começamos a viver juntos. Meu outro acusador, Vladimir, deixou abertamente sua esposa para viver com outra mulher. Seu comportamento pecador foi a razão pela qual a corte recusou-lhe a função de tutor de meu irmão Aleksei. Quanto a mim, sou fisicamente mais velho que minha idade verdadeira. Estava assustado com a possibilidade de contrair uma doença [venérea]. Assim, encontrei uma solução. Ninguém pode me acusar de ter relações com outras mulheres. Eu não bebo vodca. Eu não fumo. Realmente tive que gastar dinheiro com essa mulher, mas as despesas ... são em muito superdimensionadas por meus irmãos.[19]

A carta de Sergei citava outras supostas extravagâncias, assim como acusação de que as ações de Piotr e de Vladimir eram motivadas por ganância. Seu objetivo, argumentava, era nada mais que obter tanto controle quanto possível da empresa do pai. Os argumentos de Sergei prevaleceram, e a corte negou o pedido de um novo tutor. Mas seu sucesso seria efêmero. Os Smirnov mais velhos, sem conseguir conter a hemorragia nos negócios, decidiram reestruturá-los. Dessa vez, Nikolai ganhou uma função na empresa. Ele explicou a ideia da *troika* em uma carta à diretoria: "Em consequência do monopólio estatal da vodca, as operações de comércio da sociedade [de P.A. Smirnov] diminuíram consideravelmente. ... Solicito a convocação urgente de uma reunião de acionistas para tratar da questão do fechamento da mesma sociedade."[20] Os irmãos argumentavam que o capital da companhia, 3 milhões de rublos, excedia de longe a renda gerada pela venda de bebidas, e que já não fazia sentido operar com a mesma estrutura.

Uma reunião de emergência foi convocada para as 11 horas de 20 de novembro de 1902.[21] De acordo com os depoimentos, Piotr, como presidente, propôs o fechamento da empresa. Então, Bakhrushin, tutor de Aleksei, levantou a voz. Estava furioso por não ter recebido apropriadamente a convocação para a reunião nem um relatório financeiro que explicasse as razões por trás da reorganização proposta. Sergei ecoou as queixas de Bakhrushin e pediu mais tempo para estudar o assunto.

A maioria dos acionistas não quis mais tempo. Nove deles escreveram seus votos em cédulas confidenciais depositadas dentro de envelopes fechados. Contaram-se os votos: sete acionistas eram a favor da dissolução enquanto dois, Bakhrushin e Sergei, votaram contra. Irados, os dois deixaram a sala intempestivamente, como forma de protesto. Os acionistas restantes formaram um comitê para dirigir o processo de dissolução do império de 42 anos de Smirnov. Levou apenas dois dias para que uma petição ficasse pronta e fosse enviada para a aprovação do ministro das Finanças.

Bakhrushin, genro de Smirnov favorecido por ele, não podia ficar sentado sem fazer nada enquanto a empresa que o pai de sua mulher construíra durante toda sua vida desaparecia. Em colaboração com Sergei, também enviou uma carta ao ministro das Finanças na qual argumentava que os filhos mais velhos de Smirnov estavam, em essência, saqueando a empresa e ferindo os dois meninos mais novos. Como prova, Bakhrushin citou os salários anuais e os bônus que os irmãos concederam a si mesmos.

A maior injustiça, de acordo com Bakhrushin e Sergei, era a intenção de Piotr, Nikolai e Vladimir de comprar *todos* os ativos da empresa do pai com um desconto escandaloso. Esses ativos incluíam os bens imobiliários, estoques e suprimentos, avaliados em mais de 3,2 milhões de rublos. Os irmãos propunham pagar 2,2 milhões. Sergei e Aleksei foram claramente excluídos do plano de compra.

As objeções foram submetidas em uma carta datada de 7 de dezembro de 1902. Mas era tarde demais. Quando o documento chegou a São Petersburgo, o escritório de Witte já havia carimbado os papéis da dissolução. Em 30 de novembro, os três filhos mais velhos de Smirnov possuíam o que restava da empresa de bebida; em 3 de dezembro, uma nova casa de comércio, sem acionistas externos, foi fundada. Seu nome: UMA CASA COMERCIAL: PIOTR, NIKOLAI E VLADIMIR SMIRNOV, NEGOCIANDO SOB OS AUSPÍCIOS DA COMPANHIA P.A. SMIRNOV EM MOSCOU. O trio representava os únicos membros da companhia, com voz igual sobre seu futuro. Pretendiam continuar, tanto quanto possível, nas mesmas tradições de seu pai, mas uma coisa nunca mais seria a mesma: a SOCIEDADE PIOTR ARSÊNIEVICH SMIRNOV, apenas quatro anos após sua morte, havia desaparecido para sempre.

17. De mal a estranho

Nikolai Pietróvich nunca mais foi o mesmo depois da morte do pai. Sempre teve personalidade nervosa. Era inseguro sobre seu lugar na família, ansioso em questões de negócios e desconfortável em compromissos sociais obrigatórios. Smirnov provavelmente se desgastou com seu segundo filho homem, mas lhe prestava um serviço essencial permanente, oferecendo sólida orientação moral e emocional para se certificar de que Nikolai não se perderia. Sem o patriarca, não havia mais ninguém para protegê-lo de seus impulsos autodestrutivos; ninguém era forte o suficiente para manter seus demônios sob controle.

Embora Nikolai tenha se alinhado a Piotr e Vladimir em decisões que afetassem questões empresariais ou familiares, sua atenção estava longe da diretoria da empresa. Voltou a beber muito, e suas bebedeiras podiam durar semanas ou até meses inteiros. Assíduo nos clubes da moda e em salões de jogos de azar, era conhecido em toda a cidade por despejar dinheiro imprudentemente sobre praticamente qualquer pessoa que tivesse a iniciativa de pedir. Nikolai não parecia se importar com quanto gastava ou com o que comprava, ou para quem. Era um multimilionário e parecia achar que tinha mais que direito a tais prazeres.

Seu casamento com Darya Nikolaiévna havia acabado anos antes, embora não perante a lei. Ainda assim, talvez por sentir-se culpado por sua ausência e por seu comportamento com ela, Nikolai comprou-lhe um mundo de presentes caros. Entre eles, uma casa perto da Praça Vermelha e uma casa de campo perto da *datcha* de sua família. Custo total: 425 mil rublos (cerca de 5,6 milhões de dólares atuais).[1] Nikolai explicou mais tarde em documentos legais a razão de tanta generosidade: "Acredito que seja absolutamente apropriado. Ao dar tais presentes …, quis estreitar os laços de nosso casamento e garantir o futuro de nossos possíveis descendentes. Em caso de divórcio, considero ter cumprido minhas obrigações [financeiras] com ela."[2]

Nikolai muitas vezes tramava planos para acalmar sua mulher ou despertar sua compaixão. Uma vez, de acordo com um relatório da polícia, ele simulou suicídio. Em um estado de bebedeira paranoica, se trancou no quarto com uma arma, disparou um tiro no teto e, em seguida, pegou um pouco de tinta vermelha e pintou a têmpora para fingi-la ensanguentada.[3] Embora fosse um gesto ridículo, provavelmente esperava que Darya percebesse como estava perturbado. Assim, pensou, ela perdoaria suas transgressões. Mas ela não o fez – especialmente depois que ele começou a cortejar abertamente outra mulher, que também era casada, em 1902. Darya ficou furiosa e exigiu 24 mil rublos por ano pelo resto de sua vida, além da garantia de posse exclusiva sobre as propriedades que ele havia lhe dado.[4]

Natalia Trukhanova era o novo interesse amoroso de Nikolai. Era uma cantora de 21 anos de idade no Teatro Omon, uma casa de espetáculos popular perto de um parque conhecido como Aquário. Vladimir, que conhecia Trukhanova de suas próprias escapadas pela cidade, a considerava uma prostituta comum. Ele disse à polícia que Trukhanova, que cantava sob o pseudônimo de Tarnovskaya, tinha o mesmo comportamento das outras cantoras ciganas.[5] Os relatórios policiais confirmaram a avaliação de Vladimir por meio de um homem que andava com ela chamado Ivan Morozov. Ele era cafetão das mulheres que trabalhavam no Omon e "acompanhava a coquete [Trukhanova] por toda parte".[6]

Nikolai se apaixonou perdidamente por Trukhanova, que se aproveitou de sua fraqueza por ela. Em um ano, ele gastou 65 mil rublos em uma das joalherias mais exclusivas de Moscou. Entre outros presentes, comprou um porta-fósforos de ouro com safiras e diamantes, um par de brincos com duas esmeraldas e 24 diamantes e uma colher de prata para servir peixe que custou 25 rublos.[7] Nikolai sempre fora extravagante, mas agora, sob a influência de Trukhanova, qualquer traço de pensamento racional parecia ter desaparecido. Vladimir explicou: "Cinco anos atrás, após a morte do nosso pai, meu irmão Nikolai Pietróvich recebeu um montante total de cerca de 3 milhões de rublos [o que equivalia a cerca de 1,5 milhão de dólares em 1898]. … Então, como membro da sociedade empresarial, recebeu dividendos de cerca de 400 mil rublos antes que o monopólio se estabelecesse. Ele gastou todo esse dinheiro."[8] Inicialmente, Piotr e Vladimir toleraram a conduta instável e irresponsável do irmão. Mas quando Trukhanova entrou em sua vida, a paciência deles se evaporou. Juntos, recorreram à Justiça para declará-lo incapaz de gerir sua vida financeira. Foi uma tarefa difícil e embaraçosa, que envolveu a apresentação de uma petição para o governador-geral de Moscou repleta de provas sobre o padrão de comportamento incontrolável e escandaloso do irmão. Relatórios da polícia também integraram as provas, motivados pela multidão de pessoas que enganou Nikolai por dinheiro ou propriedades. O tribunal recolheu inúmeros depoimentos atestando a excentricidade de Nikolai e seu questionável estado mental.

Em princípio, Nikolai concordou com a tutela solicitada por seus irmãos e pediu assistência ao tribunal em seu próprio nome. Mas logo mudou de ideia, talvez por pressão de Trukhanova, percebendo como seria difícil manter seu estilo de vida sem o controle dos próprios recursos. "Eu não tinha entendido todas as consequências da tutela", explicou Nikolai em um documento em que solicitava ao tribunal a anulação de sua petição anterior. Argumentou que Vladimir não era melhor do que ele quando se tratava de moralidade ou gastos excessivos. "Meu irmão Vladimir ... também gasta dinheiro com uma mulher com quem vive, a senhorita Nikitina. Ele gasta muito mais do que eu. Comprou-lhe duas casas a um custo considerável. Ele não se sente constrangido em dar presentes, a ela ou a outras mulheres, que não custam menos do que os presentes que dou a Trukhanova."[9]

A batalha ficava mais difícil para Nikolai. Ele não estava apto a governar seu próprio destino, e seus irmãos, com a ajuda de primos, de devedores, da polícia e uma Trukhanova pouco cooperativa, tinham a intenção de prová-lo. Em uma carta ao governador-geral de Moscou, Vladimir e Piotr escreveram sobre o irmão: "Ele está sempre bêbado. ... Seu último período de bebedeira pesada durou quatro meses. Ele tem se envolvido com cortesãs e gasta enormes quantidades de dinheiro com elas. Como não tem mais dinheiro, passa notas promissórias que não condizem com sua verdadeira situação financeira."[10]

As acusações se avolumavam. Piotr atribuía a culpa pelo problema em grande parte ao alcoolismo e a Trukhanova. Manifestou sua preocupação de que, se não fosse pressionado, Nikolai perderia tudo, incluindo os 500 mil rublos de herança a que teria direito quando fizesse 35 anos. Piotr observou que Nikolai, então com 30 anos, já tinha usado sua parte na casa da Ponte de Ferro e alguns cavalos de corrida que possuía como garantia para suas dívidas. Então, Piotr e Dmitri Benediktóvich Smirnov, um dos primos mais próximos, fizeram uma lista das extravagâncias feitas em nome de Trukhanova, incluindo 7 mil rublos em uma loja de roupas da moda, 30 mil rublos em um joalheiro exclusivo e móveis de luxo para seu apartamento.[11] Nikolai tinha até encomendado um urinol ornamentado para ela, que Dmitri Benediktóvich imaginou ser feito de ouro e custar mais de 8 mil rublos. O urinol era, na verdade, feito de prata e custou apenas 200 rublos.[12] Ainda assim, argumentou o primo Smirnov, essas não eram atitudes de uma pessoa racional. "Sob a influência de Trukhanova, Nikolai Pietróvich bebia tanto que se tornava insano", testemunhou Dmitri.[13]

A prova cabal para a alegação de insanidade veio de uma declaração feita à polícia pela própria Trukhanova. Ela contou um estranho episódio em que foi chamada à casa de Nikolai pelo mordomo, Grigori. Ele teria lhe dito que Nikolai planejava cometer suicídio por enforcamento. Ela correu para sua casa e descobriu que ele não havia se enforcado, mas que tinha cortado o próprio órgão sexual. "Ele disse que tinha decepado o pênis. Mandei chamar um médico … que veio e costurou a ferida. Pelo modo como estava, concluí que ele, Smirnov, estava bêbado quando fez aquilo", recordou.[14] Trukhanova tentou minimizar as implicações das farsas de Nikolai e das feridas infligidas a si mesmo. Explicou que a mensagem do suicídio era um truque simples para chamar a atenção dela e que o corte não foi nada grave nem colocou a vida dele em risco. E minimizou a importância dos presentes que recebeu dizendo não terem sido tão caros quanto os irmãos queriam que todos acreditassem. Trukhanova também defendeu a competência de Nikolai para gerir os próprios negócios, apesar de ainda lutar contra o álcool. "Ele se recuperou e é uma pessoa perfeitamente saudável", disse à polícia.[15] A credibilidade de Trukhanova, no entanto, era baixa. Várias testemunhas deram depoimentos que iam de encontro a seus clamores, incluindo um joalheiro que trabalhava na loja da Fabergé em Moscou. De acordo com seu depoimento à polícia, Nikolai entrou na loja para comprar uma joia para Trukhanova e pediu para levar 27 diamantes com ele "para testá-los" e certificar-se de que eram mesmo o que a namorada queria. Seu custo: 16 mil rublos (cerca de 200 mil dólares hoje). Trukhanova aparentemente queria fazer um colar com os diamantes. Como Nikolai era um cliente contumaz, a gerência da loja concordou com seu pedido. Mas quase um mês depois, os diamantes não tinham sido devolvidos nem pagos. O chefe de polícia de Moscou informou que Trukhanova e seu cafetão tentavam levar os diamantes para São Petersburgo quando a polícia os deteve.[16] O tribunal não pôde ignorar a montanha de provas e declarou Nikolai incapaz. Os dois primos de Smirnov, Nikolai Benediktóvich e Dmitri Benediktóvich, tornaram-se então seus tutores. Eles controlavam o talão de cheques, as propriedades e outros interesses financeiros de Nikolai, que passou a receber uma mesada relativamente modesta de 15 mil rublos por ano (cerca de 7.700 dólares na época, 185 mil dólares hoje) para cobrir as despesas básicas.[17] Além disso, no final de 1903, Piotr enviou o irmão para um clínica de tratamento de alcoolismo. Era a coisa certa para Nikolai naquela época, mas, infelizmente, se mostraria insuficiente para dar um fim a suas lutas.

Nikolai não foi o único Smirnov envolvido em uma estranha complicação legal em 1903. Naquele mesmo ano, Vladimir processou sua mulher, Mariya Gavrilovna Smirnova, alegando que ela havia ignorado sua saudação quando os dois se encontraram por acaso em um passeio de verão em Moscou. Pior: ela teria se recusado a apertar sua mão quando ele a estendeu. Não muito tempo depois do incidente, Vladimir foi ao tribunal em busca de vingança. Exigia que uma casa comprada para a mulher lhe fosse devolvida. Afirmava ter sido humilhado por Mariya porque a desfeita teria acontecido na frente de amigos. Além disso, pedia que a lei exigisse do presenteado sempre mostrar a devida consideração pelo presenteador. Quando um ato de "claro desrespeito", como o de Mariya, fosse cometido, o presente tinha que ser devolvido.[18]

A determinação para tal pretensão mesquinha contra Mariya revela muito sobre o terceiro filho de Smirnov. Apesar das raízes humildes do pai, Vladimir se considerava um membro da aristocracia, com direito a privilégios e a um lugar eminente na hierarquia social. Vladimir não considerou seus próprios defeitos como marido, incluindo uma história de infidelidade, abandono e um filho com outra mulher, como justificativa para o insulto da esposa. Para ele, Mariya se comportara com imprudência e precisava ser punida.

Curiosamente, Mariya não mencionou as infrações do marido ao tribunal. Ela parecia já ter aceitado que seu casamento estava condenado. Queria apenas preservar sua estabilidade financeira. Ela entrou com uma refutação contra Vladimir, argumentando que ele deixara de lhe pagar os 18 mil rublos por ano que os dois supostamente tinham acertado como condição para a separação.[19] Pediu ao tribunal que fizesse valer o acordo. Vladimir respondeu instando o tribunal a forçar sua mulher a voltar para a casa, um gesto vago de reconciliação, já que ainda vivia com Aleksandra e o bebê deles. Mais provavelmente, Vladimir fez o pedido para aparentar publicamente ser um marido digno, disposto a esquecer o passado. Ele esperava convencer o tribunal de que, se os dois voltassem, o pagamento de pensão alimentícia não se justificaria.

Os jornais deliravam com as brigas da família. Fofoqueiros mergulhavam nos detalhes sórdidos da relação, enquanto outras reportagens enfatizavam as causas ridículas das brigas judiciais Cada excitante contratempo era noticiado.

Além disso, comentavam os jornais, Mariya tinha boas razões para rejeitar a proposta de Vladimir de que vivessem juntos novamente. "Mariya Gavrilovna Smirnova se negou a voltar a morar com o marido. Ela explicou que a motivação para sua recusa foi o comportamento indecente do marido e a atitude ofensiva com ela como esposa e como mulher. A senhora Smirnova solicitou ao tribunal que chamasse as testemunhas para depor. A corte acatou o pedido."[20]

A explicação fez Vladimir parecer um tolo. Acabou sendo muito mais prejudicial e embaraçosa para ele do que o aperto de mãos não correspondido. O juiz ficou do lado de Mariya e condenou Vladimir a pagar as custas judiciais dela, o que o fez se sentir ainda mais insultado. Ainda assim, Vladimir se recusou a desistir. "O tribunal considerou que o tratamento rude não deu a Vladimir Pietróvich Smirnov o direito de pedir que seus presentes sejam devolvidos", escreveu seu advogado no recurso. "Além disso, o tribunal concluiu que a importância do caso fica diminuída pelo fato de os cônjuges levarem vidas separadas há muito tempo. ... Não há dúvidas de que, segundo o círculo social a que pertencem os Smirnov, recusar um aperto de mãos é uma ofensa grave e deve ser considerada um ato de evidente desrespeito."[21]

Vladimir deve ter finalmente percebido sua loucura. Retirou a queixa, e os dois resolveram suas diferenças em particular. O incidente fornece valiosas dicas sobre a psique dos Smirnov naquela época, em especial a de Vladimir. Era um sinal claro de como assuntos triviais devem ter ocupado sua mente em lugar das agruras da própria família. Bem próximo a ele, tinha um irmão alcoólatra que forjara um suicídio, cortara o próprio pênis e jogava fora cada centavo que tinha. Os negócios do pai, que haviam sido uma espécie de pródiga riqueza nacional, estavam desandando. Seus dois irmãos mais novos, após perderem a batalha na empresa, estavam agora afastados do núcleo da família. E sua irmã Aleksandra tinha se casado com Borisovski, crítico afiado e adversário dos três irmãos mais velhos.

A Rússia também caía cada vez mais na desordem. As greves tornaram-se mais comuns, graças à instabilidade política e à crescente influência de Vladimir Lênin. Do exílio, ele escreveu sua obra seminal, intitulada *O que deve ser feito*, um panfleto que esboçava a estrutura de uma organização revolucionária. Mais ou menos ao mesmo tempo em que Vladimir duelava com sua mulher, Lênin fundava o Partido Bolchevique. De longe, ele ajudou a organizar uma das maiores greves industriais da época. Tudo começou em Baku, Azerbaijão, e se espalhou até a Ucrânia e outras regiões do Sul até abarcar mais de 200 mil trabalhadores. Eles distribuíram folhetos exigindo não apenas aumentos salariais e jornadas de trabalho menores, mas também o fim da autocracia.

Naturalmente, os Romanov ainda ocupavam o Palácio Imperial, e o czar não iria a lugar algum. Ele concluiu, no entanto, que era hora de acabar com o mandato do ministro das Finanças, Sergei Witte. Witte estava cada vez mais sob a mira do círculo íntimo do czar e de nobres conservadores por haver causado os problemas econômicos do país. Eles acreditavam que o crescimento industrial estava muito ligado a suas ideias agressivas de um capitalismo patrocinado pelo Estado que, entre outras coisas, dependia exageradamente de investimentos estrangeiros e não o suficiente de reformas na gigantesca economia agrária. Witte também promoveu uma série de políticas aparentemente liberais e impopulares que poucos, senão nenhum membro da corte imperial, apoiaram. Por exemplo, apoiou os judeus e a concessão de mais direitos civis e econômicos aos camponeses. Ele simplesmente fizera inimigos demais e, com a depressão econômica, seus críticos partiram para o ataque.

Em 3 de agosto de 1903, o czar chamou Witte ao seu gabinete. Depois de algumas discussões habituais, retirou-o do posto no ministério e instalou-o como chefe do Comitê de Ministros, um posto de muito menos poder que funcionava como uma consultoria para o monarca. A saída de Witte, conhecido por alguns como "pai do capitalismo russo", deixou um vazio no gabinete do czar. A influência ocidental que ele trouxera para as políticas empresariais e a confiança que depositara na industrialização estavam em declínio, causando um impacto que seria duradouro em sua pátria. "Nem todos os elementos do sistema de Witte terminaram com a queda de seu autor. … Mas o zelo e a experiência do gigante da indústria, o apelo apaixonado para fazer da rápida industrialização a ordem do dia, haviam partido. Os sucessores de Witte voltaram a ser filhotes da burocracia."[22]

É difícil saber o interesse dos Smirnov e de outros dentro da mesma esfera na queda de Witte e em outros acontecimentos recentes. Uma boa fatia de aristocratas, estadistas e negociantes de relevo não tinha compreensão clara do que esses fatos sinalizavam sobre o futuro. E eles em breve pagariam por essa ingenuidade.

18. Guerra, insurreições e, por fim, restou um

A GUERRA PODE SER COMO UM ESPELHO. Em suas vitórias e derrotas, os líderes veem um verdadeiro reflexo, uma visão pura e penetrante do que os levou até ali em primeiro lugar e um sentido do que deve ser feito para ir além da dura realidade. Depois da Guerra da Crimeia (1854-56), o czar Alexandre II viu uma imagem da qual não gostou. Não podia mais negar as carências econômicas, tecnológicas e sociais de sua nação, expostas por uma perda espetacular de vidas humanas e pelo embaraçoso fiasco da campanha russa. A emancipação dos servos veio em seguida, juntamente com inúmeras outras reformas, todas elas destinadas a revigorar e modernizar a Rússia.

No início do século XX, o czar Nicolau II enfrentaria uma situação semelhante. Ele não queria ver ou reconhecer a gravidade do acelerado descontentamento de seus compatriotas, mas quando o país se viu mais perto de uma guerra com o Japão por territórios chineses e coreanos, ele ficou sem escolha. O combate começou de fato em 8 de fevereiro de 1904, quando o Japão lançou um ataque surpresa à frota russa do Extremo Oriente abrigada na base naval de Port Arthur. Apesar da derrota inicial, o czar manteve-se confiante, certo de que derrotaria facilmente o oponente e com a esperança de usar a vitória para subjugar o movimento antiautocracia. Conforme a peleja se arrastava ao longo dos 18 meses seguintes, ficou cada vez mais claro que o resultado não seria o esperado. A Rússia foi derrotada na terra e no mar, com pesadas baixas para ambos os lados. O hoje lendário motim a bordo do encouraçado *Potemkin*, que começou como um protesto contra a qualidade da comida no refeitório, tornou-se um símbolo profético do ressentimento feroz que nascia em toda a hierarquia militar e entre os civis – antes, durante e depois da guerra.

A perda da Rússia foi devastadora. A economia se estagnou, já que os recursos foram desviados para financiar a luta. As pessoas sofriam. Muitas perderam o emprego e ficaram incapazes de ganhar dinheiro suficiente para cobrir necessidades básicas. O próprio czar foi vítima da guerra. A opinião pública sobre seu governo ficou mais negativa, o que alimentou a acalorada retórica dos revolucionários. "A guerra, e especialmente seu comando evidentemente incompetente e a consequente humilhação nacional, serviu para elevar o nível de agitação em quase todas as camadas da sociedade e dentro de cada agrupamento político, empurrando o debate público vários graus para a esquerda", escreveu um historiador.[1]

A guerra fez sobressair tudo o que afligia a Rússia: a pobreza, o desemprego, a falta de direitos dos trabalhadores e a hostilidade entre classes. Ela também mostrou como os cofres públicos dependiam da venda de vodca. O ex-ministro das Finanças Witte, que dera novo impulso a sua carreira negociando o fim do conflito com o Japão, defendeu ao lado de muitos que o maior consumo de bebidas alcoólicas – e aumento no preço da vodca – tinha ajudado a financiar a fracassada guerra e outras iniciativas governamentais impopulares. Os comentários podem ter sido em causa própria, já que Witte havia levantado a bandeira do monopólio como modo de reduzir o excesso de bebida, mas tinham a seu favor provas irrefutáveis. Durante o mandato de Witte, entre 1893 e 1903, o consumo per capita manteve-se relativamente estagnado. Mas em 1904, após o início da guerra, entrou em uma escalada constante, uma progressão que, alegavam os críticos, provava que o Estado queria que seus súditos bebessem mais. Witte não mediu as palavras e acusou o novo ministro, Vladimir Kokovtsov, de "ter direcionado sua atenção ao monopólio pensando sobretudo nos lucros, em extrair o máximo retorno da reforma. ... A diminuição do índice de consumo de bebidas não foi e não será tarefa dos funcionários do governo, mas o aumento dos lucros com a venda de alcoólicos continuará a ser sua meta."[2] Caricaturas mais tarde apareceram em publicações mostrando o czar enriquecendo com a bebedeira generalizada.[3]

A hipocrisia também teve efeito sobre simpatizantes do movimento revolucionário e outros cidadãos descontentes, alguns dos quais decidiram fazer da denúncia dos aspectos conflitantes do monopólio uma bandeira política. Em paralelo com outras greves e protestos antigovernamentais, pequenos grupos de camponeses e operários organizaram boicotes ao álcool em regiões urbanas e rurais. Eles se abstiveram de beber vodca e de patrocinar lojas de bebidas alcoólicas do Estado para reduzir o fluxo de receita do governo. Alguns boicotes terminaram mal, com tumultos que destruíram postos de venda.[4] Outros protestos foram mais contidos, mas igualmente eficazes. Em um bairro de São Petersburgo, por exemplo, mulheres se reuniram e forçaram o fechamento de todas as lojas de bebidas e estalagens pertencentes ao Estado.[5]

O czar podia não querer ouvir os gritos do povo e os pedidos de reforma, mas eles não seriam abafados e entraram em um crescendo em 9 de janeiro de 1905, data que, coincidentemente, teria sido o 74º aniversário de Smirnov. Era um dia gélido; o rio Neva estava congelado e as ruas, cobertas de neve. Uma greve de metalúrgicos tinha ocorrido alguns dias antes em São Petersburgo. Era um conflito trabalhista típico, com reivindicação de melhores salários e jornadas decentes. Mas o carismático líder do grande Sindicato de Trabalhadores de Fábricas e Complexos Industriais da Rússia, o padre Georgi Gapon, queria que ela fosse mais do que isso. Ele pressentiu uma oportunidade para incitar seus milhares de seguidores e apresentar publicamente ao czar uma petição com queixas e reivindicações. Eles pediriam por seus direitos civis, liberdades democráticas e melhores condições de trabalho. Também pediriam o fim da autocracia. "A Rússia é grande demais, e suas necessidades, muito variadas e abundantes, para ser regida apenas por burocratas", dizia a petição de cinco páginas. "A representação popular é essencial. O povo deve ajudar-se e governar a si mesmo."[6]

Pela manhã, pelo menos 140 mil homens, mulheres e crianças da classe trabalhadora se reuniram em locais públicos por toda a cidade com a intenção de se juntar aos outros no Palácio de Inverno, a residência oficial de Nicolau II. Eles carregavam ícones religiosos e retratos do czar e de sua mulher para demonstrar devoção e intenções pacíficas. O povo cantava hinos e canções patrióticas. Quando os manifestantes se aproximaram do portão do palácio, guardas armados ordenaram que parassem. Sem armas, eles continuaram. Máximo Gorki, o grande socialista, ativista político e escritor, assistia à multidão, que descreveu em um ensaio como "massa escura e líquida".[7]

Os líderes da manifestação, incluindo Gapon, estavam a apenas 20 metros dos portões quando, acredita-se, um dos tios do czar, o grão-duque

Vladimir, entrou em pânico e deu a ordem de abrir fogo. Um pandemônio tomou conta da multidão aterrorizada. Em poucos minutos, havia corpos espalhados por toda a praça, alguns estirados sem vida sobre a neve, já tingida de vermelho. Mais centenas de pessoas gemiam em agonia. Em outro lugar, perto do rio Neva, mais manifestantes foram atingidos por uma rajada de tiros. Poucos manifestantes, se é que algum, souberam que o czar estava fora; tinha deixado a cidade alguns dias antes.

O dia seria para sempre conhecido como Domingo Sangrento, uma revolta tão potente e dilacerante que tornou o futuro da dinastia Romanov, que governava a Rússia desde 1613, bastante incerto.

NENHUM CANTO DO IMPÉRIO conseguiu fugir ao caos e à violência, que se desenrolaram mais rápido que um novelo se desfazendo. Só em 1905, um número estimado de 14 mil greves foi registrado no país, muitas com enorme alcance. Em Moscou, uma paralisação de cerca de 60 mil trabalhadores, ou seja, 40% de toda a força de trabalho da cidade, varreu o comércio local. Uma greve de ferroviários em todo o país atingiu um total de mais de 40 mil quilômetros das estradas de ferro. Protestos em universidades por toda a Rússia se tornaram corriqueiros; alguns alunos formavam voluntariamente brigadas armadas. Os camponeses também se revoltaram: tomaram fazendas, lavouras e pastos dos donos de terras. O terror estava à solta. O grão-duque Sergei Aleksandrovich, governador-geral de Moscou e outro tio do czar, foi assassinado por uma bomba de fabricação caseira pouco mais de um mês depois do Domingo Sangrento. Era um conservador ferrenho e conhecido partidário dos éditos repressivos da corte imperial. No final de 1905, cerca de 1.500 funcionários do governo tinham sido assassinados.[8]

Os Smirnov forneciam vodca para o grão-duque e o czar. A família estava ligada à monarquia havia décadas; eram súditos leais e seguidores fervorosos do imperador. Essa associação, juntamente com a extraordinária riqueza e o estilo de vida aristocrático, tornaram-nos alvos preferenciais de insurgentes que, cada vez mais, despejavam sua fúria sobre aqueles que consideravam representantes do czar ou inimigos do povo. Nas memórias registradas por sua mulher, Vladimir explicou o inquietante desenrolar dos fatos: "Sob a influência de propaganda desmoralizante e revolucionária, o povo começou a desprezar as classes dominantes, os capitalistas, proprietários de terras e funcionários do governo. Após exposição exaustiva a essa propaganda, as pessoas começaram a se pronunciar contra os 'exploradores', a atacar donos de terras e a queimar suas propriedades. Parte da *intelligentsia* de extrema esquerda estava envolvida em atividades terroristas, roubos de bancos e tentativas de assassinato de pessoas que ocupavam cargos administrativos. A maioria das vítimas era de ministros e autoridades."[9]

Muitas vítimas, no entanto, eram como o próprio Vladimir, que sofreu o assédio de terroristas após a revolta de 1905, sinal de uma brutalidade muitas vezes espontânea infiltrada nas cidades. O incidente ocorreu no início do que ele imaginava ser uma viagem tranquila a uma de suas propriedades na província. Tinha feito o mesmo trajeto inúmeras vezes antes em seu carro, um luxo raro na época, com seu motorista francês ao volante.

> De repente, uma multidão de camponeses armados com bastões e forcados bloqueou o caminho. Alguém avançou, gritando: "Pare! Saia do carro. Vamos mostrar como andar de automóvel enquanto as pessoas estão passando fome." Então veio uma enxurrada de palavrões. O motorista parou o carro para não atropelá-los. Vladimir não vacilou e imediatamente ordenou que *"Allez en avant, ecrasez-les, mais n'arretez pas"* (Em frente, esmague-os, mas não pare). O motorista deixou o carro ganhar velocidade, e os manifestantes se dispersaram. Ninguém ficou ferido, mas eles jogaram terra e pedras no carro quando ele saiu correndo.[10]

O evento foi assustador, mas o segundo ataque foi muito mais indicativo da ameaça específica que os Smirnov enfrentavam por sua ligação com a bebida. Ele também ilustrou a natureza desordeira e aleatória de muitas das investidas rebeldes. Uma mulher que morrera atropelada por um bonde em Moscou foi encontrada com uma garrafa de bebida Smirnov nas mãos. Os passantes presumiram que o acidente trágico ocorrera pelo fato de ela estar bêbada. Se isso era verdade, não importava. Vladimir, que andava com sua carruagem perto do local do acidente, logo percebeu:

> Alguém na multidão que se formou reconheceu Vladimir e começou a gritar. "Este é o homem da vodca, Smirnov, explorador e destruidor do povo." Eles subiram em um dos cavalos de sua carruagem, e a multidão logo cercou o veículo e puxou Vladimir para a calçada. Ele teria recebido uma boa surra, mas felizmente policiais que conheciam e respeitavam a família Smirnov chegaram à cena e imediatamente "prenderam" Smirnov, segurando-lhe os braços dos dois lados. Eles acalmaram a multidão com a promessa de que iriam levá-lo para a cadeia. Em seguida, eles o levaram para a carruagem, sentaram-se com ele e o levaram em segurança para casa.[11]

Não existe registro confiável sobre a frequência de tais ataques. A maioria era provavelmente de brigas menores, testemunhadas por poucos. Mas esses confrontos tensos eram simbólicos. Demonstravam a existência de algo sub-reptício, um tumor de ressentimento que crescia entre a população e ecoava na imprensa: a ideia de que os membros mais ricos da sociedade conquistaram sua fortuna através da exploração dos trabalhadores e consumidores. Um estudo da elite empresarial de 1840 a 1905 concluiu que "era extremamente raro encontrar nos principais órgãos de imprensa russos qualquer sugestão de que a riqueza dos empresários bem-sucedidos era atribuída a suas habilidades para os negócios, a iniciativas pessoais, ao trabalho duro, à inteligência ou a outras características individuais. Na verdade, a própria ideia de que comerciantes e industrialistas russos pudessem ser considerados bons empresários, capazes de mostrar iniciativa e trabalho duro, ia de encontro a frequentes e enfáticas afirmações em contrário na imprens."[12]

Nesse clima carregado, os Smirnov, juntamente com grande parte do *establishment*, tinham de remar contra a maré. Apesar de sua importância, ou por causa dela, eram tidos, juntamente com o imperador, como responsáveis pelas desgraças do povo. Os pronunciamentos de Lênin contra o capitalismo e os capitalistas, bem como os de vários outros revolucionários, não ajudavam sua causa. Nem o fazia o apoio que muitos negociantes abertamente demonstravam aos princípios promovidos pelos liberais e revolucionários. Para essa elite russa, a situação em sua terra natal estava ficando perigosa, e eles queriam partir. Em 1905, o governo relatou um aumento no número de pedidos de passaportes; o número emitido por dia aumentou dez vezes.[13] A maioria dos pedidos vinha de cidadãos russos mais prósperos, uma tendência significativa, mas não um êxodo completo. A maior parte das pessoas, como os Smirnov, insistia que a confusão se dissiparia e seria resolvida.

Durante os dois anos que compreenderam a guerra contra o Japão, o Domingo Sangrento e inúmeros outros episódios de instabilidade, os Smirnov nada fizeram de visível para frear sua propensão à ostentação ou para baixar o padrão de vida. No máximo, deram mais atenção à caridade. Era como se quisessem provar a todos os pessimistas que, no fundo, pouca coisa havia mudado. Eles ainda estavam na classe mais alta da hierarquia social, composta pelos soberanos da sociedade civil. A extravagante paixão de Vladimir pelas artes e por corridas de cavalos era um dos exemplos mais claros desse sentimento. Ele possuía e operava propriedades que incluíam haras de alto nível, um hobby associado à nobreza e aos negociantes mais eminentes no início do século XX. Além de criá-los, Vladimir montava seus próprios cavalos. Um de seus animais de trote, chamado Pylyuga, um nome derivado da palavra russa para poeira, estava entre os puros-sangues mais renomados do país. O cavalo ganhou o prestigiado Prêmio do Imperador em 1909.[14] Tema de inúmeros artigos nos meios de comunicação e de uma marcha composta em sua homenagem, ganhou várias corridas e rendeu mais de 138 mil rublos (1,7 milhão em dólares de hoje).[15] Outro de seus cavalos conhecidos era Gulyaka Molodoi. O nome, que significa "jovem playboy", era uma prova do estilo de vida de seu dono. Vladimir regozijava-se na glória de seus animais, nunca recusando a atenção que eles lhe traziam. Dificilmente era o tipo de empreendimento almejado por um pessimista ou alguém preocupado com o futuro.

Nikolai também gostava de criar cavalos, embora se concentrasse mais em animais para carruagens e de trabalho, pelo menos até onde sua condição lhe permitia.[16] Apesar da firme presença dos tutores e de uma estada em um centro de tratamento para alcoólatras da elite, o comportamento destrutivo de Nikolai não cessou. Ele manteve suas farras alcoólicas, que agora eram acompanhadas por alucinações intermitentes. Para complicar ainda mais as coisas, continuava a andar com "personalidades obscuras". Em um relatório apresentado ao Tribunal de Órfãos de Moscou, seus tutores alegam que essas pessoas repugnantes iam além de apenas enganar Nikolai por dinheiro. Agora eles o ensinavam a infringir a lei. Os tutores afirmavam que Nikolai havia sido ensinado a driblar suas restrições financeiras fraudando notas promissórias. Uma vez, Nikolai escreveu à mulher do centro de reabilitação pedindo-lhe que recebesse em seu lugar 30 mil rublos de alguém a quem ele havia emitido uma promissória.[17] O problema era que Nikolai antedatara a garantia para antes da nomeação dos tutores. E essa não foi a primeira vez que ele usou essa jogada; Nikolai várias vezes pegou dinheiro emprestado com agiotas em circunstâncias suspeitas e depois se viu incapaz de arcar com as dívidas.

Piotr e Vladimir perceberam que os problemas e as extravagâncias de Nikolai não desapareceriam tão cedo. Pior: se o irmão não era competente o suficiente para gerir finanças pessoais, relacionamentos e a dependência etílica, então ele certamente não seria capaz de atuar como membro da casa de comércio. Era hora de cortar Nikolai. Um acordo referendado em tribunal foi firmado entre os dois irmãos e os tutores de Nikolai no fim do ano de 1904, e assinado em 28 de janeiro de 1905, pouco menos de três semanas depois do Domingo Sangrento. Em suma, Nikolai Pietróvich Smirnov, que "tem mostrado limitada capacidade jurídica pelo excesso de extravagâncias", receberia 500 mil rublos (mais de 6 milhões de dólares de hoje) durante um período de cinco anos, além de juros.[18] Em troca, Nikolai desistiria de toda e qualquer reclamação sobre a empresa do pai e seus ativos.[19]

Nikolai Smirnov não foi o único a optar por – ou ser forçado a – receber uma bolada. Vladimir também sacou sua parte, embora as razões de sua partida sejam menos claras do que as do irmão. É indiscutível que Vladimir nunca se dedicara à operação ou à administração do império de seu pai. Preferia investir seu tempo em teatro, cavalos, em beber com os amigos e outras atividades menos estruturadas e menos orientadas para o lucro.

Os irmãos vinham batalhando nos negócios desde que o monopólio se instalara. Os dados financeiros para 1905 não são conhecidos, mas estava claro que as coisas não iam bem para nenhum negociante de vodca que não fosse o czar. Uma das principais concorrentes dos Smirnov, a Bekman & Co., uma grande empresa com sede em São Petersburgo, atribuía suas "enormes perdas" ao monopólio. Apesar de registrar vendas razoáveis de outros produtos, como vodcas aromatizadas e champanhe, a Bekman, como os Smirnov, não conseguiu replicar nem de perto seu ganho anterior ao controle estatal.

A perspectiva, então, de uma bolada caída do céu, grande o suficiente para sustentar qualquer coisa que Vladimir pudesse escolher fazer pelo resto da vida, sem a dor de cabeça e os aborrecimentos dos negócios, teria sido uma imensa tentação. A análise dos documentos mostra que Piotr e Vladimir parecem ter tido uma relação calorosa: confiavam um no outro e se entendiam bem. Vladimir deve ter imaginado que a empresa do pai tinha mais chance de sobreviver sob o controle firme e singular de Piotr. Ele concordou em vender sua terça parte ao irmão mais velho no final de 1904 por 500 mil rublos, a serem pagos em parcelas ao longo de oito anos, e mais alguns pagamentos adicionais.[20] Além disso, e talvez mais importante, segundo o acordo, Vladimir abria mão de seu direito a tudo: equipamentos, prédios e marcas.

Quando a tinta secou, apenas um Smirnov permaneceu no topo do antes onipotente império de vodca. Era uma circunstância que teria entristecido seu pai. Seus esforços corajosos no sentido de preservar a empresa para os cinco filhos tinham falhado. Talvez pior fosse o fato de a mulher com quem seu primeiro filho tivera um caso ilícito ser agora uma acionista por legítimo direito. Piotr tornou a nomeação oficial tão logo os irmãos desocuparam seus cargos: "Eu, Piotr Pietróvich Smirnov, continuo o único e total proprietário da referida Casa de Comércio e toda a empresa com todo seu capital social ativo e passivo. Continuarei a gerir os negócios sob a mesma marca e convidarei novos parceiros para substituir aqueles que partiram. Minha mulher, Eugenya Ilinichna Smirnova, vai se tornar sócia nas condições descritas neste acordo e em outro, a ser preparado. Contudo, o direito de administrar e gerir todo o negócio, sem exceção de atos e documentação, apenas a mim pertence."[21]

O segundo nó sobre o controle da empresa de Smirnov estava terminado. Assim como o vertiginoso conflito que engolia o país, a disputa havia sido emocional e litigiosa. No final das contas, porém, Moscou tinha um novo rei da vodca. Seu nome, não surpreendentemente, ainda era Piotr Smirnov. E a Rússia, graças ao "Manifesto de Outubro", de outubro de 1905, uma ampla garantia dos direitos civis, tinha um princípio de democracia. O czar, sob extrema pressão, concordou em conceder liberdades a seus súditos: liberdade de expressão, de consciência, de associação e de reunião. Além disso, criou a Duma, uma assembleia nacional representante do povo com autoridade para aprovar – ou rejeitar – leis defendidas pelo monarca.

Se essas novas instituições, o Estado e a empresa de Smirnov, floresceriam, era uma questão em aberto. Mas os dois se comprometeram a tentar, mesmo sem saber que passos dar em seguida. Na noite posterior à assinatura do manifesto de criação da Duma, Nicolau II escreveu em seu diário: "Depois de um dia e tanto, minha cabeça está estourando, pesada, e meus pensamentos, confusos. Que o Senhor nos ajude a salvar e pacificar a Rússia."[22] Piotr poderia ter escrito o mesmo.

19. Vida e morte, amor e morte

NÃO DEMOROU MUITO PARA QUE PIOTR BOLASSE UM PLANO, que, como tantas outras coisas na época, era carregado de riscos. Ele deve ter percebido que tinha poucas alternativas – e vislumbrou uma oportunidade única. A opinião pública em relação ao monopólio da vodca era amplamente negativa desde os acontecimentos de 1905. Líderes religiosos, grupos de mulheres, camponeses, intelectuais e outros, todos entoavam mantras antiálcool. Como tantos outros russos, estavam cada vez mais chocados com as hordas de dinheiro canalizadas diretamente para o caixa do Estado. Esses críticos, que se referiam ao monopólio como o "orçamento dos bêbados", não precisavam ir muito longe para encontrar argumentos.[1] Em 1909, 760 milhões de rublos (720 milhões de rublos da venda de vodca e 40 milhões da venda de bebidas alcoólicas não monopolizadas) entravam anualmente nos cofres do Tesouro, duas vezes e meia o valor arrecadado no ano anterior à promulgação do monopólio.[2] Além disso, o crescimento acentuado do alcoolismo horrorizava a população. "Não era raro ver bêbados totalmente desacordados no meio da rua. Comentaristas de todas as orientações políticas citavam o abuso de álcool mais que qualquer outro fator como sinal de degeneração moral e decadência social."[3]

Em matéria de abuso de álcool, a situação havia se deteriorado de tal modo que a Duma precisou assumir o tema em 1907. Sessenta e cinco membros instaram o czar a reduzir a dependência do Estado em relação à receita gerada pela bebida. Eles argumentaram que a Rússia não podia mais depender de um hábito imoral e destrutivo para financiar seu governo. O ressentimento, segundo eles, crescia dia a dia no país. No exterior, o papel central do Estado na comercialização de álcool estava atraindo mais do que sua cota normal de atenção indesejada. "A coisa mais importante para a Rússia no momento não é a Duma ou a liberdade ou um gabinete responsável", escreveu o *New York Times* em 1908, "mas a questão da vodca. ... O império inteiro está cada vez mais bêbado, e o governo tem interesse direto no aumento do consumo de bebidas alcoólicas, porque lá a vodca é um monopólio estatal. Quanto mais as pessoas bebem, maior é a receita do governo."[4]

Essas avaliações ressaltavam uma postura cada vez mais linha-dura dos membros de esquerda da Duma quando se tratava da questão da vodca. Embora ainda não defendessem a revogação do monopólio ou a proibição pura e simples, a assembleia levava em consideração uma série de medidas destinadas à moderação dos cidadãos, incluindo o encurtamento do tempo de funcionamento das lojas e a limitação do tamanho dos recipientes. O órgão político também estabeleceu a Comissão para a Luta Contra a Embriaguez, órgão dedicado a encontrar soluções para a deterioração da sociedade. Entre outras coisas, a comissão propôs limitar a venda de álcool a uma garrafa por cliente e proibir as concessões de venda em estações de trem e em portos. O Ministério das Finanças recusou as propostas, argumentando que elas incentivariam o aumento da perigosa produção ilegal.[5]

Ainda assim, Piotr sentia-se encorajado. Contrariando a história de neutralidade política do pai, ele se preparava para uma batalha imperial. É claro que também se opunha ardentemente ao monopólio da vodca, acreditando que ele tinha mais criado que resolvido problemas. Ele e um grupo envolvido no universo da vodca alegavam que a qualidade da bebida havia caído, enquanto o consumo tinha aumentado, o que levou a uma confusão insalubre e perigosa para o governo e para o povo. A solução deles para a crise advogava em causa própria e era bastante previsível, embora não totalmente sem mérito: devolver o controle do comércio de vodca para o setor privado.

A grande questão era como fazer isso. Piotr recorreu a uma resposta decididamente ocidental: fazer lobby. Ele e outros líderes do setor reuniram membros do negócio de vodca na Rússia para formar uma organização dedicada a promover seus interesses. O Escritório Central da Indústria e do Comércio de Vinho e Cerveja foi, em todos os sentidos, uma experiência moderna de aumento de influência. A entidade lutaria por seus objetivos de duas maneiras. Faria lobby junto a elementos-chave na tomada de decisão da Duma e da corte imperial e tentaria persuadir o público por meio da divulgação de um periódico dedicado a temas importantes para as empresas de bebida. A primeira atribuição do escritório foi emitir um relatório sobre a situação do monopólio da vodca. Piotr prometeu 500 rublos de seu próprio bolso para financiar a pesquisa e a publicação de uma livreto especial.[6]

Um dos argumentos mais intrigantes e estranhos sugeridos foi a ideia de que a cerveja, o vinho, o conhaque e as vodcas aromatizadas eram "mais saudáveis" que a vodca pura, de 40°. "Você não pode dizer que tais bebidas sejam igualmente nocivas: cerveja de 3° de teor alcoólico, vinho de 14° ou vodca aromatizada de 25°, em comparação com a vodca de 40° ou alguns destilados de 90°."[7] O escritório foi ainda mais longe, afirmando que o aumento da produção dessas outras bebidas e a extinção das restrições impostas pelo Estado sobre a quantidade autorizada para a venda ajudariam a tornar os russos mais sóbrios.

Esse argumento não era popular dentro dos portões do palácio. O fato de ele vir de Piotr, o próprio fornecedor do czar – sem mencionar seu patrocínio a um grupo abertamente crítico da política da monarquia –, era um sinal do agravamento dos negócios de Smirnov e da própria situação geral da época. Na sequência dos acontecimentos de 1905, houve, ainda que brevemente, um período de maior abertura, uma vontade maior por parte de altos funcionários para ouvir os pontos de vista que divergiam dos seus próprios. Por exemplo, uma lei aprovada em março de 1906 concedia o direito de formar sindicatos e associações. Cento e vinte e três destas organizações foram oficialmente reconhecidas apenas em Moscou e São Petersburgo nos dois anos após o Domingo Sangrento. Muitas profissões se organizaram em sindicatos, incluindo médicos, farmacêuticos e barbeiros. As empresas, de ferrovias a fabricantes de doces, também viram reanimada sua força coletiva.

Isso não quer dizer que o czar tolerasse radicais declarados ou aqueles a quem considerava seus adversários mais virulentos. Sua administração suprimia as atividades dos opositores ardentes. Dezenas de milhares de revolucionários, incluindo figuras célebres como Leon Trótski, foram perseguidos e presos. Em abril de 1906, o governo havia executado 14 mil membros da oposição, e outras 950 pessoas tinham sido condenadas à morte por tribunais militares. A assembleia também teve de se conter. Ela foi repetidamente formada, dissolvida e reformada com base no modo como Nicolau II e seus principais tenentes avaliassem a orientação política e as intenções dos representantes.

Claro, Piotr Pietróvich não era um rebelde selvagem, mas sim um empresário astuto. Como seu pai, ele acreditava em fazer tudo o que fosse preciso para levar adiante seus interesses empresariais, desde que permanecesse dentro dos limites impostos pela hierarquia e pelas tradições de longa data da Rússia. Considerava a monarquia um aliado, um guia essencial para orientar a Rússia. E, assim como o pai, achava que essa percepção era um ingrediente vital para persuadir a nobreza e o czar a verem as coisas à sua maneira. Ele cultivou meticulosamente uma imagem de suprema integridade, um líder benevolente que dava o máximo de si para boas obras e empreendimentos religiosos da mesma forma que o fazia com seus negócios. Católico devoto e benfeitor de várias igrejas, também doava generosamente a outras instituições de caridade, como um hospital para cegos, um abrigo para crianças fracas e doentes e o Instituto Arqueológico de Moscou.[8] Além disso, Piotr ganhou alguns títulos e condecorações cobiçados, inclusive a mesma Ordem de Vladimir que seu pai também havia recebido.[9] Como um negociante modelo e com pedigree, a quem Nicolau II poderia compreender e estimar, Piotr tinha uma espécie de escudo para qualquer tipo de reação que sua ligação com o Escritório Central pudesse acarretar.

Além de construir suas próprias credenciais, Piotr também se afastava de uma ameaça inesperada: seu irmão Sergei. Desde que os três irmãos mais velhos haviam se chocado com ele, a relação entre eles tinha estremecido. Sergei era agora um genuíno pária da família e incorporou o papel por completo. Ridicularizava a devoção dos Smirnov ao que ele via como a pompa da antiga Rússia e começou a defender a reforma. No final de 1906 ou início de 1907, investiu quase 1 milhão de dólares em um jornal diário de tendência liberal chamado *Stolichnoye Utro* (*A Manhã na Capital*).[10] A publicação, com tiragem de cerca de 30 mil exemplares em Moscou, utilizava suas páginas para criticar o czar, relatar atividades revolucionárias e lutar por mais direitos civis. Eram rotineiras as reportagens que descreviam as mazelas dos trabalhadores e as condições adversas enfrentadas pelos camponeses, ou falavam sobre o ativismo estudantil e o movimento socialista no país e no exterior. O jornal, cujo maior cargo editorial era ocupado por um judeu, defendia a ideia de que o futuro da Rússia dependia da ruptura com o passado.

Era um empreendimento arriscado para Sergei. Todos sabiam que capangas do imperador mantinham estreita vigilância sobre os meios de comunicação e nunca hesitavam em fechar ou vandalizar publicações se o discurso anticzarista passasse dos limites. Os colaboradores também sofriam retaliações. *A Manhã na Capital* não estava entre os jornais mais radicais da época, nem era um defensor da abolição da monarquia. Em lugar disso, promovia a ideia de uma monarquia constitucional. Ainda assim, Sergei, que se preocupava com o futuro do país, se tornou um alvo. Ele deve ter se sentido liberado, e até mesmo compelido, para expressar sua opiniões liberais, porque sabia que estava morrendo. Por volta da mesma época dos levantes de 1905, ele contraíra tuberculose, uma doença comum nos primeiros anos do século XX, quando matava mais de 360 mil russos por ano.

Não está claro se os outros Smirnov sabiam da doença de Sergei. Mas nenhum deles, sobretudo Piotr, deve ter ficado satisfeito com a mensagem apregoada por seu jornal. Os funcionários da corte, em São Petersburgo, poderiam relacioná-la com a família. Seu descontentamento tornou-se evidente após a morte de Sergei em 16 de novembro de 1907, na tenra idade de 22 anos. Sergei deixou mulher – Yelizaveta Nikolaiévna, sua esposa de fato, embora não de direito – e dois filhos pequenos – Oleg e Viktor. Foi sepultado no mesmo cemitério que o pai, a mãe e os avós, embora ao lado do jazigo da família, não dentro dele. Ninguém sabe exatamente por que seus irmãos optaram por bani-lo daquela maneira, embora houvesse muitos motivos sobre os quais especular. Entre os mais prováveis estão a disputa pelo império da vodca, a desaprovação dos irmãos sobre a mulher vinda das classes baixas e seu patrocínio de *A Manhã na Capital*. Até mesmo um dos anúncios fúnebres publicados pelos irmãos revelava o cisma na família, mencionando os filhos e irmãos de Sergei, mas não Yelizaveta.[11]

Yelizaveta pode ter buscado o apoio moral do irmão mais novo de Sergei, Aleksei. Afinal, os tutores dos dois rapazes tiveram a mesma posição contra os irmãos mais velhos durante a contenda pelo controle da empresa. E Aleksei tinha uma aura genuinamente gentil e inocente. Infelizmente para Yelizaveta, porém, o filho mais novo de Smirnov não tinha condições de defender os interesses dos sobrinhos. Como Vladimir mais tarde recordaria, Aleksei tinha "mente fraca".[12] Sua vida girava em grande parte fora da esfera principal do clã dos Smirnov. Nessa época, tinha um tutor para ajudá-lo a gerir seus negócios. Alguns anos depois, casou-se com Tatiana Mukhanova, uma mulher também das classes inferiores, que não tinha o mínimo de refinamento cultural ou intelectual esperado de alguém na esfera social dos Smirnov. A união deles possivelmente limitou ainda mais a influência de Aleksei e agravou sua já fria relação com a família. Tanto quanto o novo casamento de Nikolai.

A nova mulher de Nikolai, Mariya Ivanovna, era filha de um arquivista aposentado. Ela sofria de uma desconhecida e dispendiosa condição clínica. Menos de três meses após a morte de Sergei, e provavelmente a mando da nova companheira, Nikolai protocolou uma petição para remover sua tutela. Ofereceu múltiplos argumentos na solicitação, entre eles o de que estava sóbrio havia três anos e que já não desperdiçava dinheiro. Mariya Ivanovna deu seu testemunho confirmando sua nova condição de homem de família exemplar. Além disso, Nikolai afirmou que seus tutores não o representavam bem financeiramente, tendo vendido sua participação nos negócios da família e seus imóveis por preços bem abaixo do que de fato valiam. Sua casa, por exemplo, lhe custara 100 mil rublos, mas fora vendida em leilão por apenas 35 mil.[13]

O tutor de Nikolai, o primo de seu pai, Nikolai Benediktóvich Smirnov, protestou, mas vários outros apoiaram as afirmações do Smirnov mais jovem. O médico, seu criado e o advogado, todos juraram que ele tinha realmente parado de beber. O médico, que o via três vezes por semana, afirmou que o paciente levava uma vida tranquila, sem álcool ou extravagâncias.[14] Essas afirmações não impediram que o novo sogro, Ivan Volkov, afirmasse o contrário. Ele tentava assumir a tutela do genro, argumentando que Nikolai continuava imprudente e irresponsável como sempre. Disse ao tribunal que as bebedeiras não haviam cessado e como prova citou um período de cinco dias durante os quais Nikolai teria ficado tão incapacitado de parar de beber, que ele, Ivan, teve que bloquear todo o acesso imediato a dinheiro e joias para impedi-lo de esbanjar tudo.

As idas e vindas de acusações duraram meses. Todos os lados cuspiram veneno nos demais. Volkov apresentou mais provas do desperdício de Nikolai, demonstrando que ele havia penhorado os brincos e anéis de diamantes da mulher e perdera os móveis de seu apartamento por conta de uma dívida não paga. Nikolai, por sua vez, declarou que sua mulher tinha se casado com ele apenas por dinheiro e que ele tinha gastado mais de 25 mil rublos para pagar seu tratamento. Outros médicos atestaram que, apesar de Nikolai tentar permanecer sóbrio, às vezes tinha recaídas. No final, o tribunal recusou-se a alterar o status da tutela de Nikolai, pois lhes pareceu que a situação do rapaz era ainda demasiado instável para ficar sem monitoramento.

Nem Piotr nem Vladimir parecem ter tido qualquer participação na disputa de um ano sobre a custódia de Nikolai. Deviam estar cansados das batalhas anteriores com Nikolai e Sergei, preferindo deixar a decisão nas mãos do tutor e do tribunal. Provavelmente também estavam preocupados com seus próprios assuntos. Enquanto Piotr tocava o negócio e desempenhava um papel de liderança no Escritório Central, Vladimir preparava um capítulo inteiramente novo em sua vida. Um que o levou a São Petersburgo.

Comparar Moscou e São Petersburgo no início do século XX é um pouco como descrever a diferença entre algodão e seda. Uma era inestimavelmente essencial, um artigo de primeira necessidade bem-feito e durável. A outra era mais preciosa, suntuosa, frágil e, em certa medida, significava um luxo ilusório. Vladimir sempre pareceu atraído pela segunda.

Livre de qualquer obrigação com a empresa, já começara a passar mais tempo em São Petersburgo nos anos após a revolução de 1905. No início, era apenas um visitante frequente da cidade: ia ao teatro, comia nos melhores restaurantes e se misturava com a aristocracia, que historicamente se concentrava mais em São Petersburgo que em Moscou. Mas agora, procurava algo novo. Depois da venda de suas ações da empresa e os ataques pessoais sofridos após o Domingo Sangrento por conta da revolta contra o álcool, ansiava por um novo começo. Tinha dinheiro mais que suficiente e podia exercer seu amor pelas artes, em particular pelo teatro, com renovado vigor. Em São Petersburgo, Vladimir poderia se reinventar.

Seu apego à terra natal do czar surgiu em parte com um haras que comprou por lá. Era ali que, para além de garanhões, éguas e potros, mantinha os filhotes de seu premiado puro-sangue inglês Pylyuga, os trotadores Valentinochka e Piontkovskaya, cujos nomes foram inspirados pela popular estrela de operetas Valentina Piontkovskaya.[15] Vladimir conheceu a cantora provavelmente em uma apresentação ou em uma das muitas festas do meio teatral de que ambos participavam. Ela o hipnotizou. Os olhos escuros de Valentina eram expressivos e memoráveis, porque brilhavam da mesma maneira que os diamantes, mudando o brilho e a vivacidade com a mais leve transformação no olhar. Sua volumosa cabeleira negra estava frequentemente presa atrás com uma joia ou escondida sob um elaborado chapéu de penas. Valentina andava como uma rainha, trajada com os mais esplêndidos vestidos e peles, que combinavam com os colares caros perfeitamente assentados no decote. Era, em uma palavra, deslumbrante. Grigori Yaron, filho de um conhecido diretor, ator e escritor de operetas, também era admirador dela. Escreveu que Valentina era "incrivelmente graciosa, de modo que você começava a querer pintar cada movimento dela, cada pose."[16]

Seu carisma vinha tanto do palco quanto de fora dele. Críticos teatrais se referiam a Valentina como uma estrela que, como aposta, era uma trifeta de dons artísticos: sabia cantar, dançar e atuar. Polonesa de nascimento, estudou na Itália e atuou em cidades de todo o império russo. Interpretava em São Patersburgo o papel principal da montagem local de *A viúva alegre*, de Franz Lehar, uma das operetas mais amadas da época. Ela também adorava homens, especialmente homens ricos.

Era aí que Vladimir levava vantagem, pois ela lhe oferecia exatamente o que ele desejava. Na condição de estrela, era convidada para as festas mais exclusivas, e seu círculo social incluía uma série dos maiores artistas e atores russos. Desfrutava da mesma vida ultraluxuosa de Vladimir. Ele também era perfeito para ela, um acompanhante arrojado, com recursos aparentemente infinitos. Como era costume, poderia ser seu amante e mecenas, financiando suas produções e a compra de todos os glamourosos acessórios necessários para manter sua imagem pública extremamente bem-cuidada. "Diamantes e pedras preciosas em geral eram algo muito peculiar a atrizes de opereta antes da revolução [de 1917]. A quantidade, qualidade e tamanho dos diamantes eram usados para julgar a importância de uma prima-dona", escreveu um contemporâneo. "Ficou claro que, juntamente com altos salários, as atrizes precisavam encontrar outras fontes de renda. Em geral, achavam-nas nos rostos de admiradores, que às vezes gastavam fortunas com seus objetos de adoração."[17]

Em um piscar de olhos, Vladimir e Valentina passaram a viver juntos no espaçoso apartamento dele, no centro da cidade. Vladimir regou sua nova musa com diamantes e um guarda-roupa importado. Organizou reuniões opulentas e tributos a ela, não poupando no cardápio nem no divertimento. Detalhes do menu de um evento revelam que suas festas ofereciam inúmeras iguarias, que podiam incluir codorna, faisão chinês, galinha do mato siberiana, perdiz vermelha e aves cevadas francesas. Ele também planejava quais peças especificamente queria que a orquestra tocasse durante a noite. Em uma delas, o programa previa Mendelssohn, Brahms e excertos do *Fausto*, de Gounod, e de *Carmen*, de Bizet.[18]

Esses gastos, no entanto, não eram nada em comparação com o dinheiro que Vladimir pagava para financiar a bem-sucedida carreira de Valentina. Ele comprou operetas de vários compositores para ela estrelar. Pagava os demais atores, bem como o pessoal de apoio, os objetos de cena e os figurinos. Chegou até a alugar teatros grandiosos como o Passazh ("Arcada") para as produções dela.[19] O luxuoso Passazh era um complexo de três níveis com lojas, restaurante e uma sala de espetáculos gigante que comportava mais de 500 pessoas. Embora seu desejo de agradar Valentina já o motivasse, Vladimir também tinha aspirações pessoais que iam além do mero papel de financiador. Queria ganhar reconhecimento como produtor teatral e, em alguns casos, ainda mais do que isso. Em um exemplo, Vladimir comprou o direito a uma opereta nova em língua estrangeira e tentou contratar o notório Mark Yaron, pai de Grigori Yaron, para traduzi-la e montá-la em russo. Vladimir, em seguida, fez outra solicitação peculiar. Segundo Grigori, ele lhe pediu que seu nome fosse incluído no cartaz da opereta como um dos autores. Mark Yaron, indignado com o ousado pedido, contra-atacou de um modo que enfureceu Vladimir. "Só disse a Smirnov que eu estava acostumado a ver seu sobrenome não em cartazes de peças, mas em garrafas de vodca", lembrou Grigori.[20]

Vladimir ficou profundamente magoado, da mesma maneira como quando sua primeira mulher lhe negou o aperto de mão. Estava tentando superar seu passado, pelo menos a parte que o associava à bebida mais que ao teatro. Para Vladimir, o comentário de Yaron, intencional ou não, menosprezava sua incursão nas artes e insinuava que ele nunca seria capaz de se livrar da herança da vodca. Vladimir processou Mark Yaron por considerar o que fez um insulto imperdoável. O resultado do processo é desconhecido. Mas só sua existência já demonstra como Vladimir queria levar sua vida em São Petersburgo: livre da mancha do álcool.

A força da marca que seu pai construiu fez do objetivo de uma nova vida algo extraordinariamente difícil para Vladimir. Os laços com a antiga vida em Moscou eram sólidos como cimento. Aleksandra, sua segunda mulher, e seu filho, Vladimir, ainda moravam lá. O fato de Vladimir fria e publicamente esnobar Aleksandra a deixou mais arrasada que a primeira mulher dele. Mas o pior para Aleksandra foi que o ex-marido pediu e ganhou a custódia do filho. O pequeno Vladimir foi morar com o pai e Valentina em São Petersburgo, deixando a mãe atormentada e desesperada – condição que viria a se tornar familiar de forma desconcertante e assustadora.

Vladimir também enfrentou a população cada vez mais hostil à medida que o debate sobre o que fazer com o problema do álcool tomava toda a Rússia. A ira das pessoas tinha sido despertada pelos acontecimentos de 1905 e ainda não havia se dissipado nem um pouco. Enquanto a discussão se alastrava e se tornava mais inflamada, uma série de iniciativas das altas-rodas em 1909 refletiu as atitudes populares, que não apenas condenavam os bêbados incontroláveis, mas também os fabricantes e vendedores de bebidas alcoólicas. Essa retórica vilipendiava fabricantes de vodca tradicionais como Smirnov, da mesma forma como Tchekhov havia feito duas décadas antes.

Mikhail Chelyshev era um comerciante que foi eleito para a Duma com uma plataforma antivodca e antimonopólio. Referido informalmente como "um apóstolo da sobriedade", ele empreendia verdadeira cruzada contra o que acreditava ser a principal causa do fervor revolucionário, "o sistema de alcoolização nacional". Lutava contra todos os aspectos do comércio de álcool, acreditando que a substância fosse a fraqueza central que impedia sua nação de alcançar a grandeza. Sabiamente, utilizou Lev Tolstoi para refinar seu ponto de vista.[21]

Chelyshev fez uma visita a Tolstoi, então com 81 anos de idade, em outubro de 1909. O ilustre escritor, embora frágil, permanecia um defensor apaixonado da abstinência e ficou do lado de Chelyshev. Os dois discutiram a melhor forma de educar os cidadãos sobre a natureza prejudicial das bebidas alcoólicas. Uma solução foi colocar um rótulo ameaçador em todos as garrafas de vodca produzidas pelo Estado. Chelyshev pediu que Tolstoi criasse tal rótulo, o que o escritor fez, propondo uma mensagem simples mas poderosa. Ao lado de um desenho de uma caveira e ossos cruzados, Tolstoi sugeriu apenas uma palavra: "veneno".[22] Ele explicou que "o vinho [vodca] é um veneno nocivo para a alma e para o corpo. Por isso é pecado beber vinho [vodca] e dá-lo a outra pessoa. E é um pecado ainda maior produzir e vender esse veneno."[23]

Era um conceito novo e brilhante. Se a Rússia o tivesse adotado, o país teria estado décadas à frente do resto do mundo nos alertas ao povo sobre os perigos que o álcool causa à saúde. Mas não foi assim. Apesar de a Duma ter votado a favor do aviso, o Conselho Imperial discutiu a respeito dele e então tirou o projeto da pauta indefinidamente, selando o destino contra sua aprovação. Entre os principais críticos da medida estava o ministro das Finanças, temeroso de que os rótulos de advertência atingissem os cofres do governo.

Ainda assim, o recado ao Estado estava dado. O governo tomou providências concretas para demonstrar que não só levava a sério o problema do álcool como também buscava uma solução para ele. Por solicitação do primeiro-ministro, Piotr Stolypin, conservador mas aberto a reformas, o Estado apoiou a realização do Primeiro Congresso de todas as Rússias contra a Embriaguez. Deveria ser uma série de reuniões públicas para divulgar os pontos de vista de várias facções, incluindo médicos, acadêmicos e grupos de mulheres. O Partido Social-Democrata também entrou no debate, incitando seus membros a participar para que "amarrassem a questão privada do alcoolismo aos objetivos gerais e tarefas do movimento trabalhista".[24] O congresso se reuniu em dezembro de 1909 e novamente em janeiro do ano seguinte, alimentando as aspirações dos defensores da moderação, que passaram a promover não apenas um freio no consumo mas a proibição total.

Essa tendência complicou a reinvenção pessoal de Vladimir. Quanto mais esclarecidos e irritadiços os russos se tornavam sobre a dependência alcoólica, mais difamados eram o Estado e os fabricantes de vodca. Mas Vladimir persistiu, mergulhando na beleza de São Petersburgo e no amor de Valentina. Os dois viajaram juntos muitas vezes nessa época, dentro do país e para o exterior. Permaneciam em alguns lugares por semanas ou mesmo meses seguidos para que Valentina pudesse se apresentar e solidificar sua fama crescente.[25]

Quanto a Piotr Pietróvich, irmão de Vladimir, a controvérsia sobre o monopólio se encaixava perfeitamente em seus planos. O fim do controle estatal começava a parecer apenas questão de tempo, vítima de propaganda anticzarista e anti-Estado. Com um planejamento cuidadoso, talvez Piotr fosse capaz de recuperar o domínio da indústria que seu pai tivera. Estava à beira de conquistar o prestigiado título de fornecedor do rei da Espanha, e em seu país, a propaganda de seus conhaques, vinhos e licores com sabor parecia começar a surtir efeito: Smirnov abocanhou mais uma fatia de mercado. O truque para Piotr era manter a opinião pública negativa concentrada sobre o Estado e seu monopólio. Não podia permitir que ela se transformasse em um movimento contra toda a indústria de bebidas ou, pior, em discursos a favor de uma lei seca.

O filho mais velho do rei da vodca poderia ter tido habilidade e sagacidade para alcançar tal feito, não tivesse a morte cruzado seu caminho.

20. De repente, o caos

Piotr Pietróvich Smirnov morreu inesperadamente em 25 de abril de 1910 "após uma doença curta mas grave".[1] Tinha apenas 42 anos de idade. Seu falecimento não foi um evento nacional como o do pai, mas foi digno de nota e, em alguns aspectos muito concretos, teve consequências até maiores. A morte do jovem Piotr foi como a queda da primeira peça de um dominó, o primeiro de uma série de eventos que dilacerou o coração da família Smirnov e deixou a empresa mutilada. Ninguém estava preparado para o vazio que ele deixou. Tudo aconteceu muito rápido.

Piotr havia sido um líder nos negócios e na comunidade, um homem bastante conhecido, respeitado e benquisto. Ele possuía e praticava a combinação vitoriosa do pai: uma mente rápida e uma capacidade incomum para parecer convencional enquanto silenciosamente desbravava novos caminhos. Milhares de pessoas compareceram ao funeral e ao sepultamento. Coroas de flores coloridas se empilhavam sobre o caixão enquanto inúmeras pessoas enlutadas expressavam condolências à viúva, Eugenya, e aos cinco filhos. Foram publicados obituários nos principais jornais. A maioria enfatizava seu trabalho de caridade e seu tino comercial, louvando o filho de Smirnov por sua criatividade e perspicácia. Colegas da indústria de bebidas ficaram particularmente tristes com a morte de Piotr, sentindo que haviam perdido um dos seus mais determinados e eficazes defensores.

Um texto publicado em nome do setor de comércio de bebidas e alimentos resumiu bem esse sentimento.

> Havia milhares de pessoas no funeral. Essa multidão que veio enterrar Piotr Pietróvich sabia quem tinha perdido. Sabia que o coração que havia parado era o de um homem responsável, gentil e amável, que sempre ajudou os trabalhadores e os oprimidos. Abrigos, asilos e várias escolas sabiam que seu mais fervoroso guardião e protetor tinha partido. Comerciantes e industrialistas, reunidos em tão grande número, sabiam que já não tinham o

> brilhante e mais energético defensor dos seus interesses e necessidades. Se os infelizes e desafortunados sentiram uma perda assustadora, golpe ainda maior foi sentido pela indústria e pelo comércio, que perderam um representante excepcional. Vivemos anos difíceis, em que a indústria doméstica está lutando, especialmente nos ramos em que Piotr Smirnov esteve mais envolvido, o de bebidas e o de alimentos.
>
> Piotr Pietróvich não era apenas um homem de palavras. Ele era principalmente um homem de negócios. Não apenas falava, mas também agia. Para ele, palavras e negócios não trilhavam caminhos separados. Em particular, o falecido estava insatisfeito com o monopólio do vinho [vodca]. Entendia que o controle estatal do comércio de vinho [vodca] traz prejuízos assustadores tanto para a população quanto para os ramos da indústria imediatamente vizinhos. Ele lutou ardentemente pelo fim desse comércio estatal. Qualquer projeto neste sentido encontrava nele atenção especial. … Recordando sua jubilosa memória, é impossível não dizer: Descanse em paz! O trabalho que você fez durante sua vida terá continuidade. … Chegará o momento em que ele terá resultados.[2]

Esse momento nunca veio. A morte de Piotr deixou a indústria de bebidas destiladas sem um de seus defensores mais veementes. Ninguém mais se esforçou tanto para estimular o setor como ele. Na verdade, depois de sua morte, a paixão pela cruzada antimonopólio pareceu murchar, abafada por um movimento pela temperança cada vez mais vibrante e vigilante. A campanha antiálcool tinha amadurecido e se fortalecido. Os discursos sobre os males da bebida ficaram mais seguros, mais científicos e mais fundamentados. Perto de obter o que desejava, suas reivindicações foram além da revogação do monopólio ou de mera redução no consumo; falava em proibição total.

Essa ofensiva era, em grande parte, resultado da condição deteriorada da sociedade e de uma aceitação geral de que o alcoolismo havia colaborado muito para aquele cenário. A situação era um dos grandes temas do momento; discuti-la não era um sinal de rebeldia. A grande preocupação da população se refletia regularmente em artigos que criticavam o czar e as políticas de Estado para as bebidas. Segundo o *Novoye Vremya*, um jornal de grande circulação publicado duas vezes ao dia em São Petersburgo, "Todos falam sobre o alcoolismo agora. O Estado poderia facilmente acabar com ele usando o monopólio, já que o rendimento gerado pela venda exclusiva representa um quarto de nossa receita."[3] Outro artigo foi mais dramático em sua avaliação, ao dizer que "a Rússia está morrendo por causa do álcool".[4] A imprensa dedicava baldes de tinta ao assunto. A certa altura, mais de 30 jornais diferentes se dedicavam exclusivamente à cobertura do movimento pela temperança.[5]

Outro fator que alavancou o movimento antiálcool foi a morte de Lev Tolstoi, em 1910, menos de sete meses depois da de Piotr Pietróvich. Sua oposição ferrenha às políticas públicas para o álcool foi bem documentada. Durante décadas, ele criticou os males da bebida; foi um dos poucos a enfatizar que não era um problema que assolava apenas os segmentos mais pobres da sociedade. "A falta de beleza e sobretudo de sentido em nossa vida advém principalmente do constante estado de embriaguez em que a maioria do povo, de todas as classes, ocupações e posições, se encontra hoje em dia", escreveu Tolstoi no fim da vida.[6] A Comissão para a Luta contra a Embriaguez convocou uma reunião extraordinária para homenagear o escritor e celebrar seus princípios de moderação. Sua morte desencadeou inúmeras passeatas de estudantes e outros ativistas em toda a Rússia. Eles protestaram contra tudo: das péssimas condições de trabalho à pena de morte. Uma das manifestações atraiu 10 mil pessoas às ruas de São Petersburgo, interrompendo o fluxo de bondes e a passagem de pedestres.

Sem a liderança de Piotr, os Smirnov tinham que se esforçar para se defender do maremoto que vinha em sua direção. A partida prematura deixou a empresa de certo modo indefesa. Seu testamento, feito às pressas apenas três dias antes de sua morte, deixava todos seus bens e direitos remanescentes do negócio do pai exclusivamente para sua mulher, Eugenya Ilinichna Smirnova. Ela teria usufruto da propriedade da família por toda a vida e seria a única responsável pela custódia dos filhos, e cada um destes receberia 50 mil rublos (mais de 580 mil dólares atuais) quando completasse 25 anos. Assim, Eugenya se tornou executiva chefe e única proprietária da companhia de bebidas de Smirnov.

Eugenya nunca havia demonstrado real interesse pelos negócios do marido, nem tinha qualquer experiência que a preparasse para as novas atribulações. Na verdade, quando, em 1905, Piotr Pietróvich nomeou a esposa sua sócia, o fez como mera formalidade, para manter o status de casa de comércio. Nunca teve a intenção de que Eugenya trabalhasse lá, muito menos que atuasse como executiva de alto escalão. Como a maioria das mulheres da alta sociedade, Eugenya havia estudado em escola particular; nascera e fora criada para assumir seu lugar legítimo na elite. Adorava viajar para o exterior e era cliente regular de alguns dos grandes hotéis da Europa. Seu neto descreveu-a como "uma mulher que não tinha cabeça para os negócios, nunca havia se envolvido em assuntos da empresa. Era livre como um pássaro. Foi assim que passou a vida."[7] Suas filhas estavam sendo educadas da mesma maneira. "A principal preocupação delas era gastar dinheiro, viajar", lembrou mais tarde o neto de Eugenya.[8]

Viúva com apenas 41 anos, Eugenya não estava preparada para ser a figura determinante nos próximos passos da empresa, especialmente em um ambiente tão turbulento. Embora muitos empregados leais a Smirnov ainda trabalhassem na firma, em poucos meses Eugenya recorreu ao filho mais velho, Arsêni, para substituí-la quando estivesse ocupada ou indisponível. Era uma escolha estranha e temerária, principalmente porque o filho tinha só 16 anos de idade. O estatuto da empresa teve que ser alterado para que Arsêni assumisse seu novo papel.[9] Mas ele não era maduro o suficiente para compreender a seriedade da luta que a indústria da vodca enfrentava, nem era astuto o bastante para administrar relações essenciais com contatos-chave. Essas deficiências e o dano irreparável que resultava delas ficaram evidentes quase imediatamente.

Arsêni aprendeu da pior maneira a importância da dedicação e do prestígio pessoal do pai na preservação da saúde financeira dos negócios e de seus interesses mais amplos. Em 1909, último ano completo em que Piotr Pietróvich esteve à frente dos negócios, a empresa tinha 500 empregados e uma renda bruta de 7 milhões de rublos.[10] O rendimento era consideravelmente mais baixo que os 19,7 milhões de rublos de 1897, mas ainda era bastante respeitável, em vista do monopólio e da controversa paisagem política. Piotr conseguira tal índice em parte pelo aumento da produção de vodcas aromatizadas, vinhos e conhaques, e com o aumento das exportações de vodca pura. Além disso, solidificou seu lugar como uma espécie de embaixador da indústria, ajudando a lançar e depois a conduzir o Escritório Central. Concorrentes e aliados tinham Piotr igualmente em alta conta e o tratavam com grande deferência.

Havia anos a empresa solicitara o direito de exibir quatro brasões de Estado nos rótulos e em propagandas. Mas os membros do Escritório Central questionaram a idoneidade deste tipo de marketing. Afinal, fora o pai de Piotr Pietróvich quem ganhara as cobiçadas distinções. Eles argumentaram que esse direito não podia ser passado de pai para filho. Ainda mais porque, oito anos antes, Piotr dissolvera a empresa original e formara outra. Seus rivais tinham a seu favor um precedente protagonizado pelo próprio Piotr Arsênievich Smirnov, que havia sustentado que os herdeiros da Casa de Comércio Popov não poderiam usar um brasão de armas recebido por seu fundador.

Ainda assim, o Escritório optou por não apresentar uma queixa legal. Em vez disso, procurou diretamente Piotr Pietróvich. Depois de algumas discussões tranquilas, os dois lados chegaram a um acordo amigável. Piotr prometeu remover um dos brasões e admitiu ter sido um erro usá-lo. No futuro, ele usaria apenas três. Teria sido o fim do problema se Piotr não tivesse morrido antes de fazer valer a negociação. A organização deu prosseguimento à discussão com Arsêni, mas o filho de Piotr se recusou repetidamente a honrar o pacto feito pelo pai. Ele e outros gerentes afirmavam que a documentação não estava acessível. Procuravam ganhar tempo, convencidos de que tinham herdado o direito de usar a honraria. Provavelmente esperavam que a situação simplesmente fosse esquecida, um erro de cálculo que lhes custaria caro. O caso ficou ainda mais grave quando Arsêni altivamente se negou a pagar os anúncios publicados no boletim do Escritório Central contratados pelo pai antes de morrer.

A tensão entre as partes transbordava. Os antigos aliados de Piotr estavam exauridos e concluíram que não tinham outra escolha senão tomar medidas legais. A instituição apresentou uma petição ao Ministério da Indústria e do Comércio, que abriu uma investigação sobre o uso não de um, mas dos quatro brasões. O Escritório sustentava: "A recém-reformada empresa Casa de Comércio P. Smirnov pode por lei comprar apenas os bens móveis e imóveis de empresas em liquidação. De nenhuma maneira ela poderia adquirir características distintivas, como é o caso do brasão de armas concedido à Associação P.A. Smirnov. Por conseguinte, a Casa de Comércio P. Smirnov estava desfrutando até este momento de um direito que não lhe pertence, o direito de imprimir em seus rótulos itens como brasões de armas, medalhas e prêmios."[11] Os Smirnov retrucaram, alegando ter herdado as tão batalhadas qualificações: "Consideramos nosso direito usar em produtos e em material de divulgação quatro representações do brasão de armas do Estado."[12]

A briga jurídica foi feia. Os Smirnov tinham muitos simpatizantes, alguns dos quais expressaram suas opiniões em periódicos públicos. Mas os membros da indústria, especialmente os membros do Escritório Central, falaram mais alto. Pareciam querer atingir os Smirnov, amargurados com o tratamento vil que receberam do filho de seu antigo aliado. Pior ainda: a controvérsia extravasou para o bem mais caro à empresa, o título de fornecedor da corte imperial. Essa distinção ainda era uma ferramenta de marketing cobiçada e de grande valor, apesar da decadência da imagem pública do czar. De fato, quando um dos principais concorrentes dos Smirnov, a empresa NL Shustov & Filhos, recebeu o título de fornecedor em 1912, dizia-se que Shustov estava tão ansioso para exibir seu novo status, que em apenas uma noite destruiu todos os rótulos velhos e os substituiu por outros em que destacava a concessão.[13]

Dada a gravidade da situação enfrentada pela família, parece que Eugenya e um representante seu com uma mente mais empresarial tiveram que intervir. Arsêni não era mais a pessoa para tratar da questão, uma sábia mudança de última hora. Eugenya salvou-se obtendo uma licença temporária para manter o título de fornecedor e um brasão de armas. O Ministério despojou os Smirnov dos outros três em 1911, um duro golpe para a empresa.* A perda de prestígio, em paralelo com o crescente mo-

* Os documentos que explicam as consequências dessas decisões não foram localizados. É provável que os Smirnov tenham recorrido da decisão. Anúncios da empresa entre 1914 e 1917 contêm os quatro brasões e a referência ao título de fornecedor.

vimento antiálcool e a desordem administrativa, contribuiu para a queda alarmante nos lucros. A receita bruta caiu mais de 5 milhões de rublos em 1912, e cerca de 150 trabalhadores do armazém e da fábrica perderam seus empregos.[14]

Os Smirnov sofreram ainda mais críticas da imprensa quando os Shustov os processaram por violação de marca. Talvez se aproveitando da fragilidade, os Shustov alegaram que os Smirnov estavam copiando o nome de uma de suas populares especialidades, uma vodca aromatizada de cereja conhecida como *Spotykatch*, nome derivado da palavra russa para "tropeçar".[15] Na verdade, muitos fabricantes de vodca produziam vodcas aromatizadas com essa mesma denominação. O tribunal rejeitou o caso, concluindo que a palavra não poderia ser uma marca registrada pois era muito comumente usada para se referir a bebidas com sabor de cereja.

Ainda assim, más notícias continuaram a chegar. A relação entre Eugenya e Arsêni tornou-se litigiosa. Ele tinha começado a mostrar sinais de um desvio de comportamento semelhante ao de Nikolai. Arsêni gastava dinheiro como se fosse vodca, escoando livre e infinitamente disponível. Comprou duas casas por valores acima do mercado, a um custo total de quase 1 milhão de rublos.[16] Então emitiu notas promissórias no montante de 150 mil rublos, dos quais apenas 15 mil foram devolvidos.[17] Ninguém sabe por que o comportamento de Arsêni se tornou tão destrutivo. Pode ter sido a pressão dos negócios, a perda do pai ou a mãe ausente, que, como muitos aristocratas, deixava os filhos aos cuidados de babás de confiança e tutores enquanto viajava por toda a Europa. De todo modo, ele tinha que ser detido.

Eugenya implorou a Arsêni que deixasse de ser tão perdulário. Em lugar de atendê-la, Arsêni a processou, alegando que ela havia se apropriado de sua herança. "As relações entre mim e minha mãe estão muito tensas", escreveu ele em sua denúncia, na qual questionava os valores dos subsídios que recebera, observando que esse seria "um caso para a justiça".[18] O tribunal entendeu que as acusações contra a mãe eram infundadas. Mas a ruptura entre os dois era definitiva. Um tutor foi nomeado para controlar as finanças do rapaz, agora também destituído do cargo na empresa. Eugenya ainda não tinha a intenção de tomar o leme dos negócios. Por volta dessa época, conheceu Umberto de la Valle Ricci, um diplomata italiano com quem mais tarde viria a se casar. É provável que tenha decidido ficar com ele no Japão, onde ele servia como embaixador de seu país, ou na Europa. Para isso, passou uma procuração a alguém de confiança que cuidaria dos negócios em sua ausência.

Parece que Eugenya nunca procurou a ajuda de Vladimir durante esse período de crise. Suas vidas estavam completamente separadas... e ele estava lidando com seus próprios problemas.

A TENSÃO EM SÃO PETERSBURGO CRESCIA. O ar da cidade estava pesado, com um mal-estar indeterminado na atmosfera. Para a maioria dos membros da elite, como Vladimir, o clima era particularmente sombrio e agourento. Um livro sobre a São Petersburgo da época descreve "a condenação da cidade, uma [sensação de] proximidade do fim da estrutura social vigente".[19] As pessoas responderam a seus receios de diferentes maneiras: alguns não fizeram nada, confiando que a tradição e a monarquia os protegeriam; alguns tiraram passaportes e fugiram para terras aparentemente mais estáveis; outros se entrincheiraram intensificando o apoio fervoroso ao status quo; outros ainda se juntaram às fileiras dos marginalizados, lutando por reformas e políticas mais humanitárias. E alguns, como Vladimir, tomaram medidas mais drásticas: armaram-se.

Em 26 de junho de 1910, Vladimir solicitou ao departamento de polícia local, em seu nome e em nome de um servente, o direito de comprar e portar um revólver. Escreveu no pedido que sua vasta riqueza e objetos valiosos faziam dele alvo de criminosos e necessitados.[20] Ele ainda vivia em um apartamento enorme e luxuoso na rua Nadezhdinskaya, um dos locais mais elegantes de São Petersburgo. Seu estilo de vida era opulento e vistoso, e ele continuava a oferecer festas pródigas em restaurantes chiques. Essa vida era o que ele queria. Por isso, procurou uma arma para protegê-la. Lembrava-se muito bem dos ataques assustadores que sofrera após a insurreição de 1905. Mal sabia ele que a maior ameaça, pelo menos naquele momento, estava dentro de seu próprio círculo de convivência.

Sua esposa afastada, Aleksandra, havia retornado a Moscou, consumindo-se de desgosto pela distância do filho de 11 anos que lhe havia sido tomado para ir viver com o pai em São Petersburgo. Ela estava desesperada com a dor da perda do pequeno Volodya e planejava agora seu próximo passo. Foi aos tribunais para garantir seu divórcio de Vladimir e obter permissão oficial para ver o filho. O juiz concordou com o pedido, mas estipulou o horário de visita em apenas duas horas e meia, duas vezes por semana.[21] Para Aleksandra, porém, apenas o acesso já era mais que suficiente.

Em março de 1912, embarcou no trem para São Petersburgo. Vladimir e Valentina estavam "vivendo no exterior naquele momento", de acordo com um jornal da cidade, provavelmente viajando por conta de compromissos com o teatro. Eles tinham contratado um tutor educacional e uma governanta para cuidar de Volodya em tempo integral. O primeiro dividia um dos quartos com o menino, enquanto a empregada, que também morava no apartamento, ensinava a ele música e línguas estrangeiras. Aleksandra apareceu na porta de Vladimir numa manhã bem cedo em um dia não previsto para as visitas legais. Segundo os jornais, que se referiram a Vladimir como um fabricante de Moscou, embora ele não estivesse no ramo havia sete anos, ela explicou que não pudera fazer a visita no dia designado e, então, viera em um momento mais conveniente. Era mentira.

> O porteiro deixou a senhora Smirnova entrar até a grande escadaria e saiu para distribuir a correspondência. Os serviçais que abriram a porta para ela também rapidamente retornaram às suas funções habituais de limpeza matinal. A governanta e o tutor não estavam preparados para a súbita visita da mãe [de Volodya]. Portanto, não se sabe onde e em que circunstâncias o encontro entre mãe e filho aconteceu. Foi uma questão de dois ou três minutos. Quando os serventes foram fechar a porta da rua, a Sra. Smirnova e seu filho Vladimir já estavam fora do apartamento. ... Fizeram uma busca, mas sem resultados.
>
> As pessoas dizem que o menino, que amava a mãe loucamente, por várias vezes havia dito a ela: "Mamãe, não chora. Eu vou ser sempre teu." Os serventes, o porteiro, a governanta e o tutor não souberam dizer à polícia o que se passou. Eles dizem que tudo aconteceu muito rápido.[22]

Outro artigo saiu com o título "Novas aventuras do filho de um milionário". Ele reiterava os fatos do sequestro, acrescentando que Volodya tinha corrido para os braços da mãe e que o paradeiro dos dois era desconhecido. De acordo com o jornal, não foi a primeira vez que Aleksandra tentara levar o filho à força. Ela já havia tentado fugir com ele no início de março de uma estação de trem, mas o plano foi frustrado.

Aleksandra agora tinha o filho de volta. Os dois logo foram vistos juntos em Moscou. Embora não esteja claro o que aconteceu em seguida, no final, Vladimir desistiu de acusar Aleksandra e permitiu que Volodya permanecesse com ela. Ele deve ter concluído que o filho estaria melhor com alguém mais atento e mais presente. Ele não tinha nenhuma intenção de cercear suas viagens e objetivos no mundo do teatro. Sua vida com Valentina exigia flexibilidade e espontaneidade. E, também, não podia negar o amor profundo de Aleksandra pelo filho – e o amor de Volodya por ela. Além do mais, como a situação na Rússia, em particular em São Petersburgo, ficava cada vez mais complicada, pode ter achado que Volodya estaria mais seguro em Moscou.

O PULSO FORTE DO CZAR SOBRE A RÚSSIA se enfraquecia depois de séculos. Muitos fatores contribuíram para essa histórica perda de confiança. Primeiro, o regime do czar continuou com as perseguições severamente punitivas. Perseguições, prisões e exílios tinham crescido, na tentativa de a corte imperial silenciar seus críticos. Execuções, muitas vezes na forma de enforcamentos públicos, eram comuns, cruéis demonstrações em massa do que poderia acontecer com aqueles que se pronunciassem contra a autoridade do czar. A censura reinava, amordaçando os revolucionários e seus aliados. A assembleia nacional, a Duma, antes um símbolo promissor da reforma democrática, havia sido praticamente neutralizada. Seus membros vinham quase todos das classes superiores, e suas iniciativas legislativas raramente iam além de discurso político, uma vez que o czar retomou o poder de vetar qualquer lei.

O surgimento de Grigori Rasputin, o carismático homem santo da Sibéria que penetrou o círculo íntimo da família real, contribuiu ainda mais para a instabilidade. Ele convenceu o czar de que era o único que podia curar seu filho hemofílico e chegou a ser conhecido por Nicolau II como "nosso amigo". A imperatriz Aleksandra o tinha como um de seus confidentes mais contumazes. Com frequência, pedia a ele conselhos sobre assuntos tão diferentes quanto nomeações ministeriais e relações com outras nações. A influência de Rasputin era altamente controversa. Muitas testemunhas defendiam a tese de que ele era mulherengo, pervertido, falso e até mesmo que seria um espião. Mais tarde, ele seria acusado de ter um caso com a czarina. Os cidadãos, em especial dos círculos aristocráticos, tinham repulsa a suas opiniões e ao estilo de vida heterodoxo. Secretamente, temiam que sua presença estivesse envenenando os Romanov e condenasse seu reinado.

De maneira geral, a tolerância da população com a situação e com a monarquia era semelhante a um balão a ponto de explodir. O duplo posicionamento do governo em relação às bebidas ajudava a aumentar a pressão. Apesar de esperar o contrário, o Estado, com seu monopólio, só fez aumentar o consumo de álcool. As iniciativas do czar em prol da sobriedade, assim como os esforços do setor privado, revelaram-se fracassos completos. Dentro da Duma, que propunha uma série de ações para combater a embriaguez, agressões verbais dirigidas a Vladimir Kokovtsov, substituto de Witte no Ministério das Finanças, o acusavam de manipular o monopólio da vodca em benefício do Tesouro. Kokovtsov se opunha a qualquer proposta que visasse combater o alcoolismo se não levasse em conta também as necessidades fiscais do Estado. Essa postura inflexível fez do novo ministro um para-raios. Os jornais, cheios de duras críticas a ele, publicavam charges ironizando a hipocrisia do governo.

Finalmente, em janeiro de 1914, a paciência de Nicolau II chegou ao fim. Ele decidiu ver por si próprio como seu povo estava lidando com o problema da bebida. O czar ficou horrorizado depois de testemunhar "cenas trágicas de degeneração do povo, pobreza das famílias e decadência dos lares como resultado da embriaguez".[23] Imediatamente demitiu Kokovtsov e exigiu que seu sucessor empreendesse reformas destinadas a curar o governo de sua própria forma de dependência da vodca. "Não podemos fazer nossa prosperidade fiscal com base na destruição dos poderes espirituais e econômicos de muitos dos meus súditos. É necessário direcionar nossa política financeira para a procura de receita nas fontes inesgotáveis de riqueza do país e na criatividade do povo. Precisamos sempre, preservando uma economia sábia, aumentar as forças produtivas e cuidar da satisfação das necessidades do povo. Essa deve ser a finalidade das mudanças desejadas. Estou firmemente convencido de que elas são absolutamente necessárias para o bem do meu povo e de que serão bem-sucedidas, especialmente depois que a Duma e o Conselho Imperial voltaram suas atenções para essas necessidades do povo, revisando nossas leis sobre as bebidas alcóolicas."[24]

A marcha em direção à Lei Seca tinha começado.

Durante os seis meses seguintes, o Estado restringiu a quantidade de estabelecimentos que vendiam bebidas alcoólicas, fechou destilarias, deu mais poderes às autoridades locais e criou outras fontes de renda. Mais de oito centenas de petições solicitando a adoção de proibições locais foram aprovadas e 1.100 lojas foram fechadas até julho de 1914. O czar então ordenou que o monopólio, que empregava cerca de 200 mil homens, incluindo 23 mil donos de bar, fosse rescindido. Um movimento gradual e cuidadosamente orquestrado em direção a uma Rússia seca estava a caminho e, ao que parecia, selaria com ele o destino do outrora poderoso império de vodca de Piotr Arsênievich Smirnov.

Mas a Rússia não contava com a Grande Guerra.

21. Revolução

Por um momento, parecia que a Primeira Guerra Mundial podia salvar a Rússia de si mesma. O país tinha sido condenado a um desfile quase diário de greves e outros distúrbios. O descrédito do governo atingira seu ponto mais alto. A confiança no czar e em sua liderança estava quase esgotada. Mas com a declaração de guerra, os russos tinham um alvo mais atraente para sua raiva: a Alemanha.

Em todo o país, o povo se reuniu em torno do imperador e da pátria, substituindo o ressentimento profundo por orgulho sincero e patriotismo. Em quase todas as janelas e telhados, tremulava a bandeira czarista. Camponeses e aristocratas ouviam com admiração renovada seu líder, de uniforme, falar do Palácio de Inverno, prometendo um triunfo emocionante. A Duma, que tinha sido um ninho de brigas políticas, reposicionou-se na forma de uma instituição coesa, que apoiou fervorosamente o czar e seus pronunciamentos de guerra. Não havia nada que a nação não faria para demonstrar sua devoção coletiva. São Petersburgo foi simbolicamente rebatizada de Petrogrado, para livrar a cidade do nome com sonoridade alemã. As multidões se levantaram e atearam fogo à embaixada alemã na capital. Os soldados marchavam entusiasticamente e com confiança para a batalha, certos da vitória. "Uma torrente de amor derramou-se por toda a Santa Mãe Rússia. A guerra havia chegado no momento certo, proporcionando uma saída para as frustrações e ódios que durante tanto tempo vinham jogando russos contra russos. Uma vez mais, ainda que temporariamente, as coisas estavam novamente em ordem."[1]

A nação estava tão unida em torno de Nicolau II, que ele descartou seu metódico plano de sobriedade e substituiu-o por um de proibição total. Em paralelo com a ordem de mobilização das tropas, o czar basicamente proibiu a venda de vodca, vinho e cerveja. Outros países se debatiam com o alcoolismo em diferentes graus, mas a Rússia havia ido mais longe. A sobriedade seria um ingrediente fundamental da estratégia de guerra da

Rússia. A memória do conflito com o Japão, quase uma década antes, ainda estava assustadoramente fresca. Os generais japoneses haviam creditado à bebedeira dos soldados russos pelo menos uma de suas grandes vitórias. Outros fracassos haviam sido atribuídos à garrafa. Fazia-se abertamente uma gozação, sugerindo que a Alemanha ansiava por se deparar com as embriagadas tropas russas. Por exemplo, uma charge apresentava um soldado alemão encarando o inimigo russo; sua arma, a sobriedade.[2]

Nem o czar nem seu povo poderiam suportar uma nova derrota. Por isso os russos comemoraram com entusiasmo o decreto da Lei Seca. A proibição de bebida alcoólica duraria apenas até que a mobilização estivesse completa, mas revelou-se tão eficaz – fez com que os soldados estivessem preparados para a batalha na metade do tempo esperado – que Nicolau II decidiu prorrogar a ordem por todo o tempo de duração da guerra. Os resultados foram imediatos e impressionantes. Dentro do país, a embriaguez pública e o consumo generalizado desabaram. O dinheiro antes gasto em vodca era agora depositado no banco, resultando em um aumento de seis vezes no montante das poupanças.[3] A criminalidade individual também caiu. Várias regiões anunciaram a boa-nova: a serenidade sóbria. "Os desordeiros praticamente desapareceram e as delegacias de polícia, sempre cheias de bêbados em dias de feira, agora estão vazias", dizia o relatório de uma delas. Outro afirmava que "a suspensão do comércio de vodca diminuiu a criminalidade na cidade em 50%".[4] Em Petrogrado, casos que chegavam à Justiça de Paz diminuíram em 80%, e o número de pedintes caiu em 75%.[5] Parte da civilidade recém-descoberta podia ser atribuída à convocação de tantos homens para a frente de batalha. Mesmo assim, os resultados da proibição eram expressivos.

Os militares também sofreram uma transformação magnífica. Um correspondente de guerra do *Times* de Londres comentou em sua coluna de março de 1915: "Não se pode escrever sobre a mobilização russa ou o rejuvenescimento do Império Russo sem falar da proibição da vodca. A primeira prova manifesta do aumento da eficiência foi, naturalmente, a maneira e a rapidez com que o Exército foi arregimentado, mas, desde aqueles dias, os benefícios têm sido cada vez mais visíveis, não só no Exército, mas em todas as dimensões da vida no país. ... Em quase seis meses de convívio com os exércitos em vários teatros de operação, não vi um único oficial ou soldado embriagado ou mesmo alto. Isto, portanto, foi a primeira coisa que a Nova Rússia pretendeu fazer nesta guerra. De um só golpe, libertou-se da maldição que paralisou a vida dos camponeses por gerações. Isso em si não é nada menos que uma revolução."[6]

Os Smirnov, apesar de serem ainda mais prejudicados pela Lei Seca, fizeram o que todo mundo fez: juntaram-se aos esforços de guerra. A Rússia sofreu muitas baixas nos quatro anos de conflito, bem mais do que a infraestrutura médica montada poderia dar conta. Como outros de sua classe, os Smirnov abriram suas espaçosas casas particulares para cuidar de soldados feridos que retornavam do front. A elegante *dactha* da família em Sokolniki, nos arredores de Moscou, o mesmo cenário que havia presenciado os encontros proibidos de Aleksandra, foi usada para tratar de dezenas de soldados. Os filhos de Sergei abriram sua residência com 20 camas menos de duas semanas depois do início dos combates. O caçula de Smirnov, Aleksei, acomodou 60 soldados feridos de uma só vez. Dois hospitais, que receberam o nome de Piotr Pietróvich em homenagem ao filho mais velho de Smirnov, foram abertos na mansão da rua Pyatnitskaya e em outra propriedade da família.[7]

Foram gestos muito caridosos, sobretudo dada a cada vez mais precária situação financeira da família. A combinação de guerra e proibição foi um golpe devastador para os negócios. A produção industrial encolheu para um filete d'água, e mais de 200 operários foram dispensados. De acordo com um relatório oficial, que não incluiu cifras sobre a receita, os Smirnov já não produziam muito vinho, conhaque, licor ou outras bebidas, nem fabricavam vodca para exportação.[8] A empresa ia tão mal que Eugenya começou a alugar alguns dos imóveis sem uso. Dois edifícios, um deles um armazém de pedra de dois andares, foram transformados em salas de cinema. O Estado usou alguns dos imóveis da família para armazenar suprimentos militares.[9]

Havia um lado bom na proibição de bebidas alcoólicas. Ela veio com uma série de estranhas exceções que sofreram alterações ao longo da guerra. As vodcas aromatizadas, por exemplo, continuavam a ser produzidas por fabricantes como os Smirnov, porque eram menos fortes que outras bebidas e porque proibi-las completamente teria devastado a fruticultura russa. Além disso, essas bebidas representavam algo típico da Rússia, um símbolo tradicional que o Estado achou por bem preservar. A mesma exceção foi feita para a cerveja e o vinho. E para estabelecimentos de primeira classe. Os restaurantes e clubes que serviam para os ricos estavam autorizados a vender qualquer tipo de bebida alcoólica aos clientes.

Essas lacunas, apesar da polarização que causavam, mantiveram vivo o negócio dos Smirnov, ainda que de modo precário. Eugenya, que passava a maior parte do tempo viajando com seu diplomata italiano, delegou as responsabilidades do dia a dia ao único executivo remanescente. Nenhum membro imediato da família parece ter estado envolvido com a empresa naquele momento. Quando a guerra foi declarada, Vladimir e Valentina estavam montando uma nova produção em Varsóvia, que seria seguida por algum trabalho na região da Ucrânia. Arsêni, filho de Piotr Pietróvich, ainda estava sob tutela, assim como o irmão de Piotr, Nikolai. Sem o toque pessoal de um Smirnov, parecia que o outrora poderoso império da vodca poderia estar prestes a cair no esquecimento, juntamente com as tradições imperiais da Rússia.

A GUERRA REPRESENTAVA a última chance de o czar se reafirmar como governante incontestável de uma nação poderosa e destemida. Seu teste começou genuinamente promissor. Em 1914, o poder militar russo era impressionante, totalizando 1,4 milhão de homens, além dos outros quase 15 milhões que foram convocados. Achava-se que, com tão imenso exército, a derrota do inimigo era certa. Mas a realidade logo ficou clara. As massas de homens eram originárias sobretudo das classes baixas. Embora muito corajosos, eram recrutas de vilas rurais, homens designados para um trabalho para o qual não haviam sido treinados. Além disso, a falta de liderança profissional experiente e a escassez de suprimentos vitais prejudicaram muito a estratégia de guerra. "É difícil imaginar o quão mal-equipado para uma guerra moderna era o enorme exército do czar. Milhares de homens não tinham sapatos; um em cada três não tinha fuzil; a artilharia tinha recursos lamentavelmente escassos; e a munição era ainda mais insuficiente. Em questões como comunicação sem fio, aviões e transporte, o Exército russo mostrou-se impotente."[10] Havia alguns sucessos, é claro, mas, no geral, os insucessos nunca eram menos que horríveis. Centenas de milhares de homens morreram, e vastas áreas da pátria caíram sob controle alemão. As tropas estavam desmoralizadas, esgotadas e com fome. A proibição de bebidas também teve seu preço, já que os combatentes, desgastados, tiveram que enganar a ansiedade com colônias, lustra-móveis e verniz à base de álcool.[11] Cada vez mais, o czar e sua máquina burocrática levavam a culpa pela desgraça. A festa de amor provocada pela guerra havia desaparecido.

Contra os apelos de seus mais altos assessores, Nicolau II decidiu seguir os passos nobres de seu ancestral Pedro o Grande. Ele assumiria pessoalmente o controle do Exército, para levar dignidade e respeito pela monarquia de volta aos soldados e dar um fim ao sofrimento permanente. Foi uma jogada polêmica, amplamente apoiada pela czarina e seu conselheiro de confiança, Rasputin. Com Nicolau II no front, a dupla teve maior participação nos assuntos diários do Estado, causando desconfiança generalizada e preocupação: a imperatriz Aleksandra nascera na Alemanha, uma filha do inimigo, e a influência de Rasputin era cada vez mais considerada uma ameaça imprevisível e assustadora ao futuro do império.

A aristocracia se sentia especialmente intimidada por Rasputin. Ela temia que sua presença pudesse levar à derrubada do reinado dos Romanov. Em dezembro de 1916, um pequeno grupo de nobres se uniu em um plano para matar Rasputin, atraindo-o para o palácio do príncipe Félix Yusupov. Primeiro, como conta a lenda, Rasputin tomou vinho misturado com veneno suficiente para matar dez homens. Inalterado, recebeu vários tiros dos atordoados assassinos, o que o fez cair, mas não morrer. Foi então envolvido em um pano e jogado no gélido rio Neva. Quando seu corpo foi encontrado, no dia de Ano-Novo, a imperatriz ficou histérica de tristeza. Para o resto da Rússia, no entanto, foi um alívio. Os assassinos foram banidos para suas casas de campo, mas não foram acusados pelo assassinato. O czar retornou da guerra para consolar a esposa e avaliar as graves circunstâncias na capital. Um diplomata sueco enviado a Petrogrado comentou que o clima estava "tenso e belicoso. ... Ouve-se o estrondo e vê-se o relâmpago ... mas a tempestade ainda não desabou."[12]

Nicolau II voltou para uma Rússia que ele não compreendia. A guerra havia corroído a psique russa. Petrogrado fedia a desespero. Poucos permaneceram intocados pelas batalhas desastrosas, sem perder filhos, maridos ou pais. Os feridos definhavam nos leitos de hospitais, para sempre aleijados pelo banho de sangue que haviam presenciado. Para a população em geral, a fome debilitante chegou à vida diária, com a escassez e o aumento de preços de alimentos e combustíveis, que dobravam e, por vezes, triplicavam a cada semana. Longas filas serpenteavam do lado de fora das lojas de produtos alimentícios. Mulheres e crianças esperavam por suas parcas rações, lembranças constantes do sofrimento trazido pela guerra.

No inverno, a temperatura chegou a 40°C abaixo de zero. Trens carregados de alimentos não conseguiam alcançar Petrogrado por falta de combustível e pelo congelamento dos trilhos. A cidade ficou isolada e sem suprimentos essenciais. As famílias quebravam cercas de madeira e roubavam tudo o que pudessem para manter o calor do fogão. Escolas fecharam, jornais pararam de circular, bondes pararam. A bebida, mais uma vez, voltou às mãos das pessoas, apesar da proibição oficial. A produção ilegal de *samogon*, a vodca caseira, multiplicou-se nas cidades e áreas rurais. Os fabricantes estabelecidos, incluindo os Smirnov, contornavam a lei vendendo bebida de suas fábricas diretamente aos clientes. Essas transgressões eram muitas vezes toleradas, embora os Smirnov tenham sido multados em 3 mil rublos pelo menos uma vez pela prática ilegal.[13]

Os conselheiros do czar avisaram que ele enfrentaria consequências sombrias se não tomasse uma atitude drástica. A Okhrana, a polícia secreta do Império Russo, previu a "possibilidade de motins em um futuro próximo pelas classes mais baixas do império, enfurecidas com os encargos da vida diária". O líder da Duma enviou um telegrama ao czar: "A situação é grave. A anarquia está instaurada na capital." Nicolau II não se convenceu. E, pior, ficou paralisado.

Talvez isso tenha ocorrido porque pouquíssimos em seu círculo íntimo foram afetados pela muitas calamidades do país. Os ricos da Rússia ainda levavam uma vida glamourosa, mesmo durante a guerra. Eles lotavam restaurantes caros e patrocinavam o teatro e o balé, isolando-se do sofrimento dos outros. A corrida de cavalos continuou funcionando sem interrupção, assim como as festas e celebrações do calendário. Vladimir e Valentina, parte desse grupo que andava recoberto de joias, regressaram a Petrogrado. Uma vez em casa, Valentina continuou a agir como se fosse a encarnação viva de seu papel em *A bela Helena*, de Offenbach. "A guerra não tinha mudado a vida da nobreza e da aristocracia na Rússia, apesar de muitos socialites usarem braçadeiras de luto pelos que haviam perdido."[14] Esse show de ostentação tornou-se apenas mais uma contribuição para o descontentamento da população, um exemplo do desequilíbrio enraizado na sociedade russa.

Foi apenas em 23 de fevereiro de 1917, na época o Dia Internacional da Mulher, que o czar começou a compreender a profundidade da revolta crescente do povo. Apesar dos pedidos pela não realização de greves, mulheres de algumas fábricas têxteis de Petrogrado fizeram uma manifestação e pediram apoio aos metalúrgicos da enorme fábrica de Putilov. Estima-se que 128 mil descontentes tenham se reunido em uma passeata pelas ruas cobertas de neve com cartazes que diziam "Abaixo a autocracia". Eles gritavam "Queremos pão", conforme se dirigiam ao coração da cidade. No dia seguinte, o número de manifestantes aumentou para mais de 200 mil, e um dia depois, uma greve geral eclodiu. Os manifestantes encheram as ruas e entoaram palavras de ordem de oposição ao czar e à guerra. Multidões de simpatizantes de todas as classes se animaram com a multiplicação dos protestos.

A polícia ergueu barricadas para conter as massas; guardas nervosos assumiam suas posições, enquanto líderes dos bolcheviques, dos mencheviques e do Partido Socialista Revolucionário procuravam unificar o que agora entendiam como as vibrações de uma insurreição plena. A tensão em Petrogrado se intensificava a cada dia. Alguns confrontos entre trabalhadores e funcionários ainda leais ao czar começaram a irromper esporadicamente. Naquele momento, o tiroteio dispersava as multidões; os cassetetes desciam sobre corpos e cabeças; ladrões saqueavam lojas de alimentos. Mas a violência não durou muito tempo. Os defensores do czar, muitos dos quais eram simpatizantes da causa popular, abandonaram seus postos e deixaram as armas. As tropas restantes foram, assim, simplesmente oprimidas. Então, carros blindados levando bandeiras vermelhas passaram pelas ruas e invadiram delegacias para fornecer armas à população. A sede da Okhrana foi saqueada e queimada. Guardas da grande fortaleza de Pedro e Paulo se renderam. Finalmente, a Guarda Imperial, na residência de verão dos Romanov, se amotinou e, com isso, o último czar da Rússia já não tinha escolha. Nicolau II abdicou.

Um jornal comentou que as pessoas deram adeus a seu imperador "como se soprassem penugem da manga da camisa".[15] A maioria não sentiu qualquer remorso ou arrependimento. Estavam todos felicíssimos por terem se livrado dele.

Um enorme estandarte vermelho tremulava sobre o Palácio de Inverno, a residência dos czares desde Pedro o Grande. A febre revolucionária se propagou por todos os cantos do país. Durante algum tempo, um governo provisório defendeu a liberdade de expressão e de religião, direitos iguais e imprensa livre. Buscou também revitalizar os militares, que ainda estavam em plena guerra. As fábricas voltaram à atividade durante o breve período de alívio que tomou conta do país. A Lei Seca tornou-se oficialmente um elemento permanente da nova Rússia. Os exilados políticos, incluindo Vladimir Lênin, Josef Stálin e Leon Trótski, voltaram à capital. Anteriormente, esses homens tinham pouco poder e parco apoio. Mas, na esteira da revolta, encontraram sua oportunidade. Um camponês siberiano explicou: "Sentimos que escapamos de uma caverna escura para a luz brilhante do dia. E aqui estamos, sem saber para onde ir ou o que fazer."[16]

Lênin chegou de trem de Zurique, na Estação Finlândia em Petrogrado, em abril de 1917. Lá, milhares de pessoas lhe deram boas-vindas com gritos efusivos, agitando bandeiras com o lema bolchevique: "Paz, pão e terra!" Era como se uma nação seca tivesse finalmente descoberto uma fonte de água pura. Do alto de um carro blindado, Lênin discursou para seus seguidores. Denunciou a guerra e abraçou uma revolução que tinha "aberto uma nova era". Mais tarde, em uma reunião com ativistas importantes, apresentou seus planos. Pretendia dissolver o governo provisório, livrar o país dos capitalistas e mobilizar trabalhadores, camponeses e soldados. Eles deveriam tomar o controle da revolução e começar uma nova ordem na Rússia.

A mensagem ecoou por toda a sociedade. Os bolcheviques logo surgiram como voz de liderança entre os partidos de oposição, atraindo um mar de descontentes que se opunham abertamente à nova liderança. Ainda havia perturbações esporádicas e problemas constantes para suprir as necessidades diárias da população. Os custos da alimentação eram revoltantes; as rações, demasiado tímidas para satisfazer os famintos. A escassez de matérias-primas e o caos nos transportes deixavam a produção de mãos atadas. O desemprego disparou. A guerra agravou-se, fazendo um número crescente de vítimas. Os alemães estavam se aproximando da Rússia, a caminho de Petrogrado. A lua de mel pós-Romanov chegara ao fim.

Para os revolucionários, era hora de terminar o trabalho iniciado em fevereiro. O verão de 1917 trouxe tumultos violentos espontâneos às ruas de Petrogrado. Soldados somados a 30 mil metalúrgicos e outras tropas de simpatizantes dos bolcheviques iniciaram uma manifestação contra o governo. Ao todo, cerca de 500 mil pessoas participaram do movimento. Logo, conforme as lojas e fábricas fechavam, trabalhadores derramavam-se nas ruas para se juntar ao protesto. A massa enraivecida libertou sua fúria e saqueou lojas, quebrou janelas, carregou reservas de bebidas. As pessoas engoliam o que podiam, fazendo pouco caso e ironizando a Lei Seca. Então, se dirigiram ao Palácio Tauride, sede do governo provisório. Lá, encontraram resistência das forças pró-governo, que dispararam contra a multidão. Os revolucionários revidaram com uma avalanche de fogo. E então sangue de ambos os lados da disputa preencheu as gretas do centro da cidade. Durante 48 horas, tudo em Petrogrado pareceu ganhar um tom vermelho – do chão ensanguentado aos cartazes e bandeiras. O controle variou bastante entre os rebeldes e os regimentos convocados pelo governo.

Finalmente, após a acusação de que Lênin, Trótski e outros líderes bolcheviques eram espiões alemães, a vantagem pendeu para o lado do governo. Funcionários divulgaram um documento que, segundo eles, provava que Lênin tinha organizado as manifestações para distrair o Estado enquanto o inimigo armava uma ofensiva no front. Apesar dos desmentidos enfáticos dos acusados, entusiastas da causa bolchevique ficaram horrorizados, voltando toda a raiva sobre os líderes traidores. Os escritórios e a gráfica do *Pravda*, o jornal bolchevique, foram atacados e destruídos, e o quartel-general dos revolucionários, invadido. Trótski e outros altos membros do partido foram capturados e atirados na prisão; Lênin, com o auxílio de Stálin, conseguiu fugir para a Finlândia. O movimento dos rebeldes não foi só um fracasso. Ele foi humilhado.

Foi um grave revés para Lênin, mas não fatal. O governo ainda não tinha ideia de como resolver a montanha de desgraças do país, e agora Petrogrado sentia também a ameaça do avanço dos soldados alemães. Com a aproximação do outono, as pessoas esqueceram as acusações de traição que pesavam sobre Lênin e os demais bolcheviques. Elas concluíram que o governo era fraco demais, instável demais para perdurar. Ninguém exceto os bolcheviques oferecia as respostas que procuravam. Lênin pregava com firmeza o fim da guerra e reformas sociais de grande vulto. Cada vez mais, as massas voltavam-se para esses homens apaixonados e cheios de energia. Lênin voltou disfarçado para Petrogrado direto para um esconderijo. Em 24 de outubro de 1917, Trótski, como um maestro, orquestrou uma greve geral. Os bolcheviques sistematicamente tomaram o controle da infraestrutura de Petrogrado, das estações de trem aos correios e operadores de telefonia e telégrafos. A Guarda Vermelha se infiltrou no Palácio de Inverno, nova sede do governo provisório, onde ministros ansiosos estavam escondidos. Tarde da noite, o governo se rendeu. Houve pouco derramamento de sangue, já que os guardas do governo não ofereceram quase resistência nenhuma.

Cartazes espalhados por toda a Rússia anunciaram a desintegração do antigo regime e a frágil criação de um novo. Ninguém entendeu exatamente o que isso queria dizer, mas nos dias e semanas e meses seguintes, tornou-se claro que esse reinado principiante cobraria um preço alto daqueles que tentassem miná-lo, contestá-lo ou que estivessem, por definição, em conflito com seus princípios.

De acordo com as lembranças de Vladimir Smirnov, sua família, como a maioria dos capitalistas ricos, caía na última categoria. Depois da revolução, que descreveu a sua mulher como "uma nuvem negra", os Smirnov foram "denunciados como inimigos do povo".[17] Vladimir fugiu com Valentina para uma cidade turística ao sul, perto de Pyatigorsk. Cheia de estâncias termais, fontes minerais e outros prazeres, era uma bela região, para onde muitos abastados se retiraram. Desde o final do século XVIII, o local tinha sido uma espécie de refúgio, onde ricos e famosos iam reparar seus corpos cansados e suas enfermas almas feridas. Tolstoi, Puchkin e Tchekhov tinham todos fugido, em uma ou outra época, para esse paraíso verde e montanhoso. Terra natal e local de descanso de um dos poetas mais famosos da Rússia, Mikhail Lermontov, a pitoresca cidade, a aproximadamente 2.300 quilômetros da tumultuada Petrogrado, ainda não estava sob o controle dos bolcheviques. Vladimir e Valentina alugaram uma bela casa e se estabeleceram, pensando que estariam seguros ali. Estavam enganados.

22. Fuga

Os Smirnov provaram em primeira mão a amargura que a nova Rússia proporcionou. Os bolcheviques declararam que toda propriedade privada pertencia ao povo, incluindo fábricas, casas particulares, igrejas, terras desocupadas e até os haras como o de Vladimir. Além disso, o Estado decretou que a infraestrutura não seria mais aquela poeirenta de antes. Do dia para a noite, os Smirnov e outros como eles foram despojados de sua posição privilegiada. Todo e qualquer título – príncipe, nobre, comerciante, camponês – foi lançado na obscuridade. A partir de então, todos eram simplesmente cidadãos da República Russa.

Essa nova ordem social, ou a falta dela, provocou grande temor e confusão nas classes superiores. Para quase todos os demais, ela representava libertação, ainda que bastante complicada. Mantendo sua promessa, Lênin esforçou-se para galvanizar as frustrações reprimidas das massas. Por muito tempo, elas haviam sido silenciadas e oprimidas, e agora era a hora de deixá-las emergir, argumentava ele. Ele encorajou o povo a enxergar na riqueza um pecado imperdoável; no capitalismo, um mal em benefício próprio. O bem coletivo era o que mais importava, e a verdadeira virtude era o resultado do trabalho honesto e da prosperidade compartilhada. Com os bolcheviques no poder, operários e camponeses finalmente teriam terras e igualdade em questões como economia e justiça. A conversa marxista era inebriante e perigosa.

Nos meses seguintes, uma verdadeira anarquia tomou conta do país. O caos teve várias causas, incluindo a impopular guerra contra a Alemanha e uma escassez contínua de quase todos os produtos básicos. A fome consumia a maioria da população. A falta de combustível e eletricidade estagnou grandes trechos da rede de transporte. Doenças se espalharam, uma vez que a escassez de suprimentos médicos, pessoal e serviços devastou o sistema de saúde já deficiente. Com as fábricas e os antes prósperos varejistas e restaurantes paralisados, um grave desemprego se abateu sobre diversas regiões da Rússia. A apreensão era a única coisa abundante. "Moscou e outras cidades bolcheviques naquele momento estavam mais paradas do que o habitual. As lojas estavam fechadas, os bondes eram raros ou inexistentes, ... os edifícios públicos não tinham aquecimento e eram mal-iluminados; as pessoas morriam nos escritórios e nas ruas."[1]

A miséria era indiscriminada. Segundo declarações de Boris Aleksandrovich Smirnov, neto de Eugenya, os membros da dinastia da vodca viviam em estado de ansiedade permanente. "Era um momento muito triste e lamentável", lembrou décadas mais tarde, em processo judicial. "Tudo estava fechado; não se podia comprar nada. Todas as lojas estavam lacradas. Quem tinha recursos trocava antiguidades, mobiliário antigo, apenas para ter um saco de farinha." Sua mãe, Tatiana Varvara Smirnova, estava grávida dele em Moscou durante a revolução. Ela entrou em trabalho de parto cerca de uma semana depois da vitória de Lênin e não conseguiu encontrar um carro, bonde ou carruagem para ajudá-la. "Para dar à luz, ela teve que atravessar Moscou a pé ... até o hospital. Não havia transporte. Não havia sobrado nada."[2]

Lênin sabia que seu domínio sobre o país era frágil e que precisava manter a ordem, consolidar o poder e incutir obediência. Para isso, criou, em dezembro de 1917, a Cheka, formalmente conhecido como a Comissão Extraordinária de Todas as Rússias para Combater a Contrarrevolução e a Sabotagem. Era a polícia secreta do governo, encarregada de extinguir grupos de oposição usando todos os meios necessários. Seus mercenários, frequentemente sanguinários, executavam, torturavam ou prendiam pessoas suspeitas de falta de fé absoluta no novo poder. A Cheka assumiu a tarefa de libertar a Rússia dos Romanov, matando o czar, sua mulher, os filhos e alguns serviçais, capturados em um celeiro em julho de 1918. Para garantir que nenhuma prova desse massacre sobrevivesse, os corpos das vítimas foram levados para uma mina abandonada e embebidos em ácido sulfúrico. As sobras foram jogadas em um poço dessa mina, e as partes mutiladas foram enterradas perto dali.*

---

* Os restos de todas as vítimas, exceto duas, foram descobertos em 1991. As duas últimas, incluindo o filho único de Nicolau II, Aleksei, foram encontradas em 2007.

Embora fossem os altos funcionários do Palácio Imperial os primeiros a sofrer com a nova ordem, cidadãos comuns muitas vezes não tiveram melhor destino. A Cheka, juntamente com os membros do Exército Vermelho, invadia casas particulares, remexia gavetas, mesas e armários para confiscar bens de valor e tudo o que fosse de seu agrado, inclusive reservas de bebida alcoólica. Na verdade, os saques a adegas de vinho, conhecidos como pogrons de vinho, eram um problema especialmente difícil para Lênin e seus camaradas, que pregavam contra o álcool. Multidões enfurecidas invadiam depósitos de bebidas, desencadeando bebedeiras que podiam durar dias. As adegas do Palácio de Inverno foram umas das 570 invadidas apenas em Petrogrado, apesar da vigência da Lei Seca. "Soldados e civis bombardearam Petrogrado com tumultos provocados pela luta pelo controle de suprimentos de bebidas."[3] Essa loucura desenfreada durou semanas, até que os bolcheviques emitiram uma ordem proclamando que a participação em pogrons de vinho seria punida com a morte no local. "Pessoas foram baleadas como se fossem lobos selvagens", comentou Máximo Gorki em um de uma série de artigos que publicou sobre os eventos de 1917 e 1918.[4]

Aqueles pegos em atos de transgressão não foram os únicos a sofrer. Os bolcheviques prendiam por capricho os suspeitos de traição, às vezes arrancando-os de suas camas. Inquéritos, provas ou julgamentos formais não eram necessários ou esperados. O neto de Eugenya, Boris, acreditava que seu pai havia desaparecido dessa forma. Ele nunca soube muito sobre ele, exceto que se chamava Aleksandr. Pouco depois de seu nascimento, contou Boris, o pai "desapareceu, foi preso. Ninguém sabe o que aconteceu com ele. ... Presumiu-se que tivesse sido fuzilado. Muita gente foi fuzilada naqueles tempos."[5] O mesmo destino aguardava Vasili Bostanzhoglo, o negociante rico que fora amante de Aleksandra, filha caçula de Smirnov, e pai de seu filho, Vadim. Segundo notícias, ele foi baleado em sua fábrica durante uma operação de rotina da Cheka à procura de objetos valiosos que acreditavam estar escondidos ali.[6]

A vida cotidiana era tomada por confrontos imprevistos e muitas vezes inexplicáveis, especialmente para os ex-privilegiados. "A guerra contra a riqueza privada era um purgatório sangrento no caminho para um paraíso na Terra."[7] Um grande número de propriedades de Smirnov, como tantas outras, foi subdividido. Pessoas de todas as classes se mudaram para lá e passaram a morar ao lado de aristocratas. Na casa do filho mais novo de Smirnov, Aleksei, por exemplo, 15 pessoas de uma única família podiam morar juntamente com ele e sua família, acabando com a vida confortável que ele e outros membros das camadas superiores tanto prezavam.

Imediatamente depois, veio o processo de nacionalização, em que milhares de empresas privadas foram abandonadas por donos confusos ou tomadas à força por burocratas do governo. A empresa Smirnov não foi exceção. Ela foi arrancada da família sem cerimônia. Nenhum Smirnov jamais voltaria a desempenhar qualquer função em sua futura administração ou operação. A ordem de 1918 dizia: "Todas as lojas de vinho, conhaque, vodca aromatizada e outros itens relacionados – rum, licor, sucos de fruta etc. – ... passam a ser propriedade do Soviete Moscovita de Deputados Operários e Camponeses. ... Todos os armazéns onde esses produtos são mantidos, todos os equipamentos relacionados com a indústria, ou seja, vidros, caixas, material de construção, fertilizantes e combustível; também dinheiro em espécie nas lojas e armazéns que pertencem à empresa e a [particulares] ... agora pertencem ao Soviete Moscovita de Deputados Operários e Camponeses."[8]

Em vez de vodca, que ainda era ilegal, a fábrica começou a produzir e vender vinagre, feito de vinho azedo e passado, e bebidas de frutas. Os únicos 15 trabalhadores que ainda conduziam o negócio pediram para nacionalizar esse departamento por medo de se tornar uma empresa órfã. O antigo império de bebidas também começou a produzir um líquido de ervas à base de álcool, vendido como remédio para problemas digestivos embora também pudesse ser tomado como bebida. Os vinhos, devido ao seu baixo teor alcoólico, continuaram a ser produzidos em uma das instalações Smirnov. O camarada Mikhailov, leal à família Smirnov havia muito tempo, supervisionava a operação com a ajuda de cerca de três dezenas de funcionários. O nome Smirnov, juntamente com as distinções imperiais, permaneceram em todos os produtos até o início dos anos 1920. Foi então que Lênin proibiu o uso de marcas e condecorações pré-revolucionárias, como os brasões de armas e o título de fornecedor do czar.

Os armazéns Smirnov, ainda cheios de garrafas de vodcas aromatizadas e outras bebidas, tiveram um problema incomum. Havia leis que proibiam transportar os produtos sem permissão especial das autoridades locais. Mas eles também não podiam ser vendidos. Não se sabe exatamente o que aconteceu com essas sobras. Muito provavelmente, foram destruídas, apreendidas por autoridades corruptas ou retiradas do alcance da população. O que quer que tenha acontecido, o fechamento pareceu encerrar para sempre o reinado da empresa no mercado de vodca na Rússia.

Foi uma história repetida inúmeras vezes. Durante esse período, pelo menos 37 mil empresas privadas foram nacionalizadas pelos bolcheviques, que ficaram conhecidos como Partido Comunista da União Soviética. A iniciativa deixou russos de todas as classes sem casa, sem emprego e, por vezes, sem suas vidas. Sergei Chetverikov, um cientista importante, lembrou uma visão estranha que teve um dia enquanto tirava a neve de uma ferrovia no início de 1918. A tarefa era parte da iniciativa bolchevique de obrigar ao trabalho forçado. A distância, avistou a figura de Arsêni Ivanovich Morozov, um importante membro de uma das mais destacadas famílias de industrialistas de Moscou. Ele parecia vagar sem rumo pela neve. Tinha acabado de ser expulso de sua espaçosa mansão e de sua fábrica. Chetverikov percebeu que Morozov segurava um ícone, a única coisa que tinha conseguido salvar antes de ser expulso. "Nas mãos dos bolcheviques, os principais líderes da Moscou mercantil se tornavam uns pobres coitados", escreveu James L. West em seu livro *Moscou Mercantil*. "Em 1918, com o aumento do número de prisões de capitalistas ricos e de decretos de nacionalização, os antes orgulhosos capitães da indústria russa foram arrancados da vida encantada que conheciam e levados a extremos da experiência humana quase inimagináveis, na condição de prisioneiros, fugitivos, refugiados ou autoexilados."[9]

De sua parte, Eugenya foi incapaz de impedir a tomada do controle da empresa pelo governo. As empresas que não se ajustassem ou aquiescessem à nova realidade deixavam de existir. Além disso, Eugenya parece ter apostado que a permanência bolchevique teria vida curta. Como muitos de sua classe, ela via Lênin e seus colegas como uma solução temporária, um trampolim para algum outro regime que acabaria por devolver à Rússia sua glória. Não podia prever que ela e sua família ficariam pobres. De que outra maneira poderia justificar deixar os filhos e a pátria para trás logo após a revolução? Deixou a Rússia para se encontrar com seu novo marido, o italiano Marquis de la Valle Ricci, que estava então lotado no Japão. "Ela pegou um pouco de dinheiro, mas, naturalmente, era um dinheiro mais ou menos inútil", lembrou o neto, Boris. "Eles tinham uma grande quantia no banco Credit Lyonnais em Moscou. Mas quando se dirigiram a uma filial do banco no Japão e, posteriormente, na França, lhes disseram que tudo havia sido perdido devido à revolução."[10]

A violenta realidade era desanimadora. Para alguns, ela foi também eletrizante. Nos meses que se passaram, marginalizados, desalojados e desiludidos mobilizaram-se naquilo que se transformou no Exército Branco. Eles se consolidaram em localidades de todo o país, incluindo a região próxima a Pyatigorsk, no balneário para onde Vladimir e Valentina haviam fugido. Eram os russos não necessariamente a favor do retorno ao passado, mas que queriam um regime mais democrático e humanitário do que aquilo que os bolcheviques estavam mostrando. E eles estavam dispostos a lutar por isso.

Lênin cumpriu a promessa de acabar com a guerra contra a Alemanha, mas assinou um tratado que lhe custou caro, exigindo que a Rússia sacrificasse pedaços enormes de seu território, incluindo toda a Polônia. Também deu poder e igualdade ao povo, ou assim imaginava. Mas essas ações de nada serviram para acalmar os murmúrios da oposição. Lênin e Trótski, que estavam formando um novo Exército Vermelho, com milhares de oficiais treinados tirados do próprio Exército do czar, entenderam esse descontentamento. Uma guerra civil, estava claro, batia à porta.

Pyatigorsk ("cinco montanhas") era um refúgio. A cidade curiosa e chique no sul da Rússia era localizada em um exuberante vale verdejante cercado por uma cadeia de montanhas que o protegia. Durante mais de um século, as águas minerais que atravessam essa região no Cáucaso tinham restaurado a saúde e a psique dos russos. Agora, o local oferecia aos novos habitantes uma restauração de outra ordem: a cura de almas atormentadas pelas violentas revoltas que haviam eclodido nas cidades da Rússia. Vladimir e Valentina apreciavam a paisagem tranquila na *dactha* em que moravam agora. Seus novos vizinhos, entre os quais estavam o ex-ministro das Finanças Vladimir Kokovtso e a bailarina Mathilde Kshesinskaya, faziam o mesmo. Mas deviam saber que a serenidade que tinham descoberto seria passageira.

Os bolcheviques tomaram o poder em Pyatigorsk e seus arredores na primavera de 1918. Não impuseram suas duras represálias de imediato, e por isso a vida continuou relativamente pacífica. Valentina entretinha antigos nobres, bem como o recém-nomeado líder local, dando a ela e a Vladimir alguma renda tão necessária. Mais importante ainda, Valentina agradava oficias que não só gostavam de vê-la atuar, mas também apreciavam seu enorme encanto. Valentina, escreveu a terceira mulher de Vladimir, "estava acima de qualquer suspeita, pois apresentava concertos para o Exército Vermelho [ou seja, os bolcheviques]".[11]

Ainda assim, as notícias da agitação e do caos em outros lugares atingiram os moradores de Pyatigorsk e da região. Cada incidente de brutalidade relatado perfurava o calmo escudo protetor que envolvia a comunidade. Vladimir e Valentina, que residiam em Yessentuki, 15 quilômetros a oeste de Pyatigorsk, haviam perdido tudo o que não tinham levado com eles. Casa, móveis, roupas e lembranças desapareceram, passadas para as mãos de estranhos vorazes. O premiado puro-sangue de Vladimir, Pylyuga, descrito por um conhecido escritor russo como "um adorável cavalo cinza chumbo", foi espancado com porretes até a morte por uma multidão enfurecida. O episódio foi parte de uma matança sem sentido de animais em todo do país, justificada como atos de vingança contra seus gananciosos proprietários capitalistas.

Esse clima arrebatou Pyatigorsk em setembro de 1918, quando o governo implementou uma ordem que visava suprimir a crescente revolta em todo o país. Ela era direta e inequívoca, avisando que qualquer um seria alvejado "durante uma tentativa de contrarrevolução ou assassinato dirigido a líderes do proletariado". Além disso, qualquer fato poderia ser motivo para execuções, pertencer à elite dominante ou rezar contra os bolcheviques. O jornal do partido, *Izvestia* (*A Notícia*), informou que qualquer membro do Exército Vermelho que não seguisse a ordem seria punido. "O Comissariado Nacional de Assuntos Internos deve ser imediatamente informado sobre qualquer caso de indecisão sobre esse assunto. ... Não pode haver hesitações de modo algum na implementação do terror de massa."[12]

Vladimir teria representado um alvo particularmente atraente, não apenas por causa da riqueza que tivera. Era a *fonte* de sua riqueza o mais condenável. Lênin e seu partido responsabilizavam a bebida pela ruína do povo russo. Vladimir, portanto, teria sido considerado o pior tipo de capitalista. Era um fabricante de vodca, o que, por definição, fazia dele parte de uma classe de exploradores.

Detenções e buscas arbitrárias passaram a ser frequentes. Várias pessoas importantes foram presas, incluindo ex-generais, um ex-ministro de Comunicação do czar e um príncipe. Vladimir e Valentina ficaram apavorados quando membros do Exército Vermelho apareceram em sua porta. De acordo com as lembranças de Vladimir registradas por sua terceira mulher, eles haviam escondido no jardim o que lhes restava com algum valor, principalmente prata e algumas joias. O único item que não conseguiram esconder bem foi um valioso ícone religioso conhecido como Mandylion, uma relíquia grande e pesada que tinha pertencido ao pai de Vladimir. Era mantida em uma moldura de madeira decorada com ouro, diamantes e outras pedras preciosas.

Os bolcheviques reviraram tudo o que havia na *datcha*, remexendo gavetas, armários, mesas e guarda-louças. Vasculharam todos os cantos da casa e acabaram encontrando o Mandylion. Em pânico, Vladimir implorou que deixassem seu ícone querido em paz.

> O comissário encarregado da busca deu uma risada e disse: "Não precisamos desse lixo", depois do que ordenou seus subordinados que retirassem a *riza* [revestimento de tecido] dourada e jogou o ícone no chão, com tal força que a madeira quebrou ao meio. "Vá, pegue sua herança", disse ele. "Quanto ao ouro e às pedras preciosas, vamos encontrar um uso para eles."[13]

Era o desenrolar que as pessoas da região temiam. Vladimir e Valentina foram obrigados a se mudar várias vezes porque não podiam permanecer em segurança na vigiada casa de campo por muito tempo. Supunha-se que Vladimir estava agora na mira das autoridades locais, um homem a ser caçado e capturado. A polícia voltou várias vezes para fazer buscas nos aposentos do casal. Uma noite, durante uma busca, Vladimir se escondeu dos oficiais escalando uma árvore alta. Quando lhe perguntaram onde ele estava, Valentina respondeu que o havia posto para fora depois de uma briga. Após quatro dias escondido na árvore, durante os quais Valentina lhe levou comida às escondidas, Vladimir não aguentou mais. Recusava-se a se comportar como um covarde e começou a andar pela cidade novamente, frequentando restaurantes e outros locais públicos. Não demorou muito para que as autoridades se deparassem com Vladimir. Dessa vez, porém, eles não o pouparam. Smirnova-Maksheyeva registrou as memórias de seu marido: "Deram-lhe um documento que dizia: 'Vladimir Smirnov, criador de cavalos, capitalista que costumava vender vodca, inimigo do povo ...'. Depois de capturá-lo, eles o colocaram na prisão. Logo houve um julgamento no qual foi condenado à mais alta punição: a execução por fuzilamento."[14]

O veredicto era devastador. As condições nas prisões em toda a Rússia eram sabidamente miseráveis, buracos imundos abarrotados de corpos doentes ou desnutridos. Em uma inspeção de um presídio dirigido pela Cheka, em Moscou, em outubro de 1918, encontraram-se "celas superlotadas, sem água ou rações e com aquecimento grosseiramente inadequado e esgoto despejado no pátio. Quase metade dos 1.500 detentos estava cronicamente doente, 10% deles, com tifo. Foram encontrados cadáveres nas celas."[15]

Valentina fez o melhor que pôde para salvar Vladimir, ou pelo menos amenizar o golpe. Ela tinha laços com oficiais que admiravam sua atuação e se encantavam com seu charme. Essas relações foram extraordinariamente valiosas. E também eram bem conhecidas. Outras mulheres com entes queridos à mercê dos bolcheviques em Pyatigorsk procuraram pelos poderes de persuasão de Valentina. Uma delas, cujo marido estava atrás das grades, procurou a atriz por conselho de alguns de seus confidentes, implorando-lhe que conseguisse alguma notícia sobre a situação dele. "Ela [Valentina] tinha conexões e amigos na Cheka", lembrou a mulher. "Essas relações eram bem antigas, estabelecidas quando de suas apresentações no teatro."[16] Valentina perguntou a seus contatos sobre o marido da mulher, um homem da antiga elite. O que ela soube, porém, não era conclusivo. Valentina relatou à mulher que 28 reféns da prisão onde estava o marido dela haviam sido executados, mas não conseguiu descobrir se ele estava no grupo.

Valentina suplicou às autoridades locais para poupar a vida de seu marido. Ela procurou as esposas dos comissários e lhes deu o que havia restado de suas peles e joias. Ela pode até ter feito favores sexuais em troca da segurança do amado. Mas tudo o que essas articulações acabaram comprando, ou assim parecia, foi uma chance de se despedir de Vladimir. As recordações gravadas de Smirnova Maksheyeva revelam o que aconteceu em seguida.

"Vladimir e outros prisioneiros foram colocados em um grande caminhão com destino a Pyatigorsk. Os guardas tinham instruções para matá-los no caminho, no sopé do monte Mashuk. Vladimir, pensando na morte iminente, recorreu a uma antiga paixão em busca de consolo. Começou a cantar, em voz alta, incentivando seus companheiros condenados e os guardas a se juntar a ele. Os dois grupos logo estavam cantando em uníssono, e os guardas esqueceram as ordens. Estavam a vários quilômetros depois do monte Mashuk quando perceberam que tinham passado do destino. Já estava escurecendo e os soldados tinham que se alimentar. O oficial encarregado determinou que era tarde demais para voltar atrás. '*Vamos levá-los todos para Pyatigorsk, entregá-los à prisão, e então podem fazer o que quiserem com eles lá*', disse o oficial."

Esse incidente foi a primeira de várias vezes em que Vladimir enganaria a morte.

Pyatigorsk abrigava três presídios, e é impossível verificar em qual deles Vladimir ficou. Ele não especificou esse detalhe ao relembrar seu cativeiro anos mais tarde. E os arquivos de todas as instalações há muito tempo se perderam ou foram destruídos. Todos os três, porém, ofereciam igualmente altas doses de tormento e humilhação. Pelo menos em dois praticavam-se assassinatos impiedosos. Um deles, conhecido como "o buraco", era especialmente terrível no tratamento sombrio e desumano dado aos inimigos. É provável que Vladimir tenha permanecido detido ali por pelo menos algum tempo, uma vez que este costumava ser um local de detenção para presos recentes, bem como para aqueles que aguardavam a execução. O buraco, como muitas das prisões bolcheviques criadas sobre estruturas preexistentes de restaurantes, hotéis ou teatros, se localizava no porão de uma casa. A entrada para o buraco era uma abertura cavada até o quintal do imóvel. O pé-direito da sala era de cerca de três metros. Os vidros das poucas janelas gradeadas que davam para fora a partir do solo tinham sido quebrados, deixando em seu lugar um mofo implacável e um frio úmido. Não havia camas. Apenas algumas mesas, que eram controladas por detentos em pânico com o pensamento de ter que dormir no chão de cimento sujo e infestado de insetos. Às vezes, até 70 homens eram socados em uma cela ao mesmo tempo.[17]

O comandante dessa prisão tinha uma reputação perversa. Ele se regozijava com seu poder, chicoteando ou batendo nos prisioneiros cruel e espontaneamente. Um de seus passatempos favoritos era observar ex-generais e coronéis do czar vestindo roupas imundas limpar os banheiros usando apenas as mãos. Ele executou vários prisioneiros sem hesitar sequer por um momento. De acordo com um inquérito realizado anos mais tarde sobre os crimes cometidos pelos bolcheviques, o comandante do buraco "confessou que se sentia inspirado atirando nas pessoas, que esse era o sentido de sua vida".[18] Vladimir soube do fato em primeira mão.

Ele passava os dias em uma cela lotada, com cerca de 30 prisioneiros. O fedor era avassalador, a comida era podre. De vez em quando, guardas gritavam o nome de um detento para interrogá-lo, e ele muitas vezes nunca mais voltava. Um dia, chamaram o nome de Vladimir. Ele foi levado para o pátio externo ao redor da prisão, onde lhe disseram que ficasse contra um muro. Os soldados o encararam a poucos metros de distância, os rifles apontados para seu corpo. Vladimir esperou, na expectativa de ouvir o esperado estampido das armas. Mas ele nunca veio. Os soldados abaixaram as espingardas e riram. A execução simulada foi repetida cinco vezes, sempre terminando do mesmo modo. Segundo Smirnova-Maksheyeva, Vladimir ficou tão cansado do tormento que chegou a desejar a morte.

Esse tipo de teatro cruel era um conhecido método de tortura psicológica e pode também ter sido uma consequência imprevista dos pedidos de Valentina. É bastante possível que ela tenha conseguido convencer os comandantes de poupar a vida de Vladimir. Em contrapartida, porém, devem tê-lo mantido atrás das grades e o usado para seu sádico divertimento. Esse e outros métodos de tortura, conhecidos como Terror Vermelho, eram comuns durante essa época tumultuada, e muitas vezes lembravam as técnicas empregadas pela antiga polícia secreta do czar. De fato, muitos dos torturadores bolcheviques mais eficazes tinham passado algum tempo na prisão durante a repressão do czar. Gorki protestou contra a brutalidade bolchevique, chamando-a de "barbárie". Chegou a endereçar algumas afrontas diretamente a Lênin, um homem que antes ele havia admirado.[19]

Mas o derramamento de sangue continuou como se nunca fosse acabar. O inverno cobriu a região, embora não fosse o tipo de frio estrangulador que sufocava Moscou, Petrogrado e outras cidades mais ao norte. No entanto, o ar frio devia parecer gélido no interior das celas escuras e úmidas, como se congelasse naquele local os horrores diários ali vividos. E ele teria se mantido também, não fosse pelo bem-armado Exército Branco. Em seu auge, suas fileiras chegaram a 50 mil recrutas, embora isso ainda fosse pouco em comparação com os efetivos do Exército Vermelho. Seus líderes eram selecionados em grande parte de ex-militares do czar, enquanto a base era formada de rebeldes e de cossacos, que viam os bolcheviques como uma ameaça ao seu modo de vida independente.

Em janeiro de 1919, uma divisão de cossacos dominou as forças que protegiam a região de Pyatigorsk, libertando todos os prisioneiros e residentes. O jovem general que liderou a investida, Andrei Shkuro, lembrou-se da batalha relativamente sem sangue pelo controle do local: "Percebendo que estavam cercados, os bolcheviques fugiram de Yessentuki [o primeiro lugar onde Vladimir e Valentina moraram], onde foram facilmente capturados após um ataque de nossa tropa. Em 5 de janeiro, enviei o primeiro regimento de Volzhski para Pyatigorsk. Em 6 de janeiro, o regimento invadiu a cidade. ... O saque foi considerável: milhares de prisioneiros, metralhadoras e canhões. ... Fui recebido com entusiasmo pela população local, que tinha sofrido sob o regime bolchevique."[20]

Vladimir e outros libertos receberam passes que lhes permitiram deixar imediatamente a região – e a Rússia, se assim quisessem. Ele pegou Valentina e os dois se juntaram a uma longa procissão de refugiados que viajavam para Yekaterinodar, uma cidade no Sul da Rússia cujo nome é uma homenagem a Catarina a Grande. Renomeada Krasnodar em 1920 (a partir da palavra russa para vermelho), foi um reduto do Exército Branco e um centro para refugiados da guerra civil. Segundo o censo de 1919, Yekaterinodar experimentou um surto populacional, com um aumento de 34 mil habitantes. O rápido crescimento provocou muitos problemas logísticos, da escassez de alimentos e combustível à superlotação das casas e até um surto de tifo. Os problemas se intensificaram, ao ponto de a cidade, poucos meses depois da chegada de Vladimir e Valentina, fechar-se a não residentes.

A decisão de Vladimir de ir a Yekaterinodar e, eventualmente, deixar sua pátria era clara. Ele não tinha nenhuma esperança de resgatar o negócio do pai na Rússia, mesmo que quisesse. A essa altura, os bolcheviques haviam nacionalizado a grande maioria das indústrias de bebidas alcoólicas, e a Lei Seca ainda vigorava. Ele provavelmente não tinha ideia do que havia acontecido a seus irmãos: se Nikolai tinha sobrevivido à revolução, se Aleksei ainda residia em Moscou. Não podia sequer imaginar o que teria acontecido a sua ex-mulher e a seu filho. Deve ter imaginado que ainda moravam em Moscou e temido que tivessem tido uma sorte pior que a dele. Como Vladimir explicou, os riscos de ficar, dado seu passado e seu nome conhecido, eram de longe mais numerosos que a possibilidade de conseguir chegar a um refúgio seguro embora desconhecido.

É mais provável que Vladimir e Valentina não tenham perdido tempo depois de chegarem a Yekaterinodar, permanecendo apenas o suficiente para fazer planos para chegar à fronteira. Os trens eram a maneira mais rápida de chegar a Novorossisk, uma cidade portuária no mar Negro, mas estavam geralmente lotados com refugiados. Um tapete de malas cobria as plataformas das estações, o que tornava difícil se mover. Uma vez no trem, os passageiros ficavam de pé por longos períodos, incapazes de encontrar conforto em um banco ou no chão. Uma vez em Novorossisk, começava a espera por um navio que seguia para oeste. Poderia ser um navio de guerra dos Aliados ou um navio de carga russo, qualquer coisa em condições de navegar. O espaço era escasso, uma vez que milhares de refugiados desesperados tentavam agarrar um bilhete para fora da Rússia. Por conseguinte, bagagem não era permitida a bordo. Os passageiros podiam levar consigo apenas o que pudessem carregar de forma compacta, principalmente alguns itens pessoais, dinheiro e alimentos para a viagem até Constantinopla.

Estima-se que dois milhões de russos emigraram nos três anos seguintes à revolução.[21] Estrelas como o compositor Sergei Rachmaninov, a *prima ballerina* Anna Pavlova, o escritor Vladimir Nabokov e o ganhador do Prêmio Nobel Ivan Bunin estavam entre eles. Vladimir e Valentina também. Provavelmente ainda tinham dinheiro e conexões importantes suficientes para conseguir viajar em segurança. A rota típica do navio parava em cidades ao longo da Crimeia, incluindo Yalta, antes de atracar em Constantinopla. Essa cidade foi o primeiro lugar para onde milhares de russos fugiram antes de migrar mais para oeste, e foi para lá que Vladimir e Valentina fugiram. Quando desembarcaram, tinham apenas uma pequena fração de seus bens. Tinham chegado – e sobrevivido – sem saber como ganhariam a vida, aonde iriam, em quem podiam confiar. E isso abria possibilidades para um futuro que nenhum dois poderia prever.

23. Smirnov com "f"

As expressões dos recém-chegados a Constantinopla – 140 mil em um mês durante a evacuação do Exército Branco em novembro de 1920 – eram ao mesmo tempo de alívio e desorientação. Estavam aliviados por terem deixado para além do mar Negro os horrores ameaçadores que haviam enfrentado; e confusos ao se darem conta de que não tinham mais nada, não conheciam ninguém e não tinham ideia sobre o que fariam a seguir. Esses refugiados tiveram que se adaptar à língua local e aos novos costumes. Como um voluntário americano em Constantinopla observou: "É de dar pena. Há russos que eram coronéis e generais do Exército e agora estão vendendo jornais na rua, ganhando quase nada, tentando fazer o que podem para conseguir algo para comer. Mas eles não conseguem muito. Não sabem a língua, não têm nada para fazer; e sem negócios em Constantinopla, não há esperança para eles."[1]

Esse era o lugar que Vladimir e Valentina agora chamavam de lar. Diferentemente de muitos russos que viam Constantinopla como pouco mais que uma estação de passagem a caminho de cidades mais a oeste, Vladimir e Valentina decidiram ficar ali mesmo. Tinham conseguido trazer um pouco de dinheiro e alguns objetos de valor, mas não era o suficiente. Certamente não para um casal acostumado com uma vida de privilégios. Precisavam de tempo para gerar alguma renda e repor seus recursos – e sabiam como fazê-lo. Os dois gozavam de uma vantagem crucial que a maioria dos demais recém-chegados não tinha: nomes reconhecíveis e boa reputação.

Quase simultaneamente, Vladimir e Valentina buscaram revitalizar os negócios e as carreiras que conheciam melhor. Para Vladimir, era inquestionavelmente a fabricação de vodca. Mesmo após ter tentado se distanciar da marca e da indústria que tinha feito do pai um homem rico e famoso, percebeu que era sua única verdadeira vocação. Todas suas outras atividades, incluindo a criação e a corrida de cavalos, tinham sido prazeres aristocráticos, indulgências que agora não poderia bancar. Pareceu não se importar com o fato de ter vendido sua parte da empresa a Piotr, seu irmão mais velho. Ele tinha morrido e provavelmente ninguém sabia o que teria acontecido a seus outros dois irmãos sobreviventes, Nikolai e Aleksei. A marca Smirnov era sua herança e sua única esperança de sobrevivência.

Algum tempo depois de aportar, aventurou-se no coração de Constantinopla em busca de um espaço adequado para uma fábrica de vodca. E encontrou um. Teria de ser uma operação pequena, provavelmente produzindo sobretudo as vodcas, puras ou aromatizadas, pelas quais a família era conhecida. Vladimir ainda se lembrava de muitas das receitas que o pai havia inventado. Em 10 de janeiro de 1920, o consulado russo em Constantinopla lhe concedeu uma licença para abrir sua nova empresa. O certificado estava cheio de referências a uma Rússia que havia sido lançada na história, chamando Vladimir de filho de um mercador de primeira guilda e gerente de uma destilaria de vodca que uma dia forneceu para a corte imperial.[2] Na Turquia, tais referências ainda significavam alguma coisa dentro da inchada comunidade imigrante.

Valentina também estava trabalhando duro para se restabelecer. Constantinopla tinha uma próspera comunidade teatral, graças em parte a dezenas de agentes russos que se estabeleceram na cidade após a revolução. Com Vladimir como gerente, Valentina fundou um teatro cabaré chamado Parisiana. O nome com referência à França pretendia atrair a antiga aristocracia russa amante do país que sempre fora visto como a epítome do bom gosto e do requinte. A princípio, Valentina encontrou um público fiel e interessado formado pela "nata do Exército [russo]", segundo Piotr Isheyev, um antigo oficial militar de alta patente que foi morar na fábrica de vodca de Vladimir depois de escapar da revolução. No entanto, o empreendimento não durou muito. Tanto Vladimir quanto Valentina lutaram para manter as empresas, mas a clientela russa a quem sobretudo se destinavam estava empobrecida e se voltara para si mesma; não podia ou não queria gastar seus rublos restantes com bebida e diversão. Quanto aos turcos, eles simplesmente não se interessavam por aquilo que Vladimir e Valentina tinham a oferecer. "A fábrica não ia bem. Os turcos não tomam vodca", escreveu Isheyev, um homem de aparência distinta com suavidade no olhar. "E o Parisiana, que tinha florescido no início, por algum motivo tornou-se impopular."[3]

Isheyev e outras testemunhas escreveram sobre as infinitas dificuldades enfrentadas pelos refugiados russos em Constantinopla. Além da escassez de tudo, de moradia a comida, os russos se descobriram indesejados. A Turquia estava em meio a uma prolongada luta pela independência nacional, liderada por Mustafa Kemal Ataturk, o fundador da República da Turquia. O país não tinha capacidade ou incentivo para absorver exilados necessitados de outro país, e o governo temia que os rebeldes turcos pudessem recrutar ex-soldados russos para servir a seus objetivos. A cultura local também era estranha aos russos, culminando em um ambiente político, econômico e social muitas vezes hostil.

Vladimir e Valentina aceitaram essa triste realidade, mas estavam cansados de fugir. Fizeram um último esforço para conseguir algo com que se sustentar em Constantinopla. Valentina reprisou seu papel em *A bela Helena*, de Offenbach, em um teatro de verão chamado Buff. A produção sempre fora a favorita de seu público, e foi bem em Constantinopla também. O belíssimo figurino, a encenação original e música e coreografia inspiradas ajudaram a atrair um fluxo constante de pessoas entusiasmadas, de acordo com as memórias de vários russos autoexilados.

Esse sucesso, porém, teve um preço: despertou o interesse dos turcos – pelo menos dos coletores de impostos do governo. Quase dois anos depois da chegada à Turquia, os agentes fiscais aparecem uma manhã e lhes apresentaram uma enorme conta a pagar muito além das possibilidades do casal.[4] Não pagar o imposto significaria passar um período na cadeia. Mais uma vez, lamentavelmente, Vladimir e Valentina arrumaram as malas e atravessaram a fronteira com a Bulgária, um destino comum entre os russos depois de Constantinopla. Desembarcaram em Sófia, a capital, onde se encontraram com Isheyev, que havia fugido para lá com um pequeno grupo de atores alguns meses antes.

A Bulgária era um local muito mais hospitaleiro para russos emigrados. Os idiomas eram muito próximos um do outro, assim como as culturas. Ambos, russos e búlgaros, eram de origem eslava, o que criava um elo comum entre as duas nações e entre seus povos. O governo búlgaro também era acolhedor: utilizou recursos públicos para oferecer aos russos uma variedade de serviços sociais; e ofereceu certificados que permitiam aos russos assumir postos de trabalho estatais e viajar sem a necessidade da cidadania búlgara.

Vladimir aproveitou a atmosfera amigável. Com a ajuda de Isheyev e um punhado de investidores, criou outro posto avançado de vodca Smirnov. Isheyev iria administrá-lo, e Vladimir seria o próprio dono. "A fábrica ia bem", lembrou Isheyev. "Primeiro, havia partes do Exército Branco no país, e eles gostavam de vodca. E, com o tempo, os búlgaros começaram a gostar também."[5] Em pouco tempo, parece que Vladimir vendeu ou licenciou os direitos da marca, juntamente com os direitos às receitas das bebidas de sua família. "Um comprador apareceu propondo um bom preço pela fábrica", escreveu Isheyev. Não era nenhuma sorte grande, mas Vladimir estava feliz demais por embolsar qualquer lucro, mesmo que pequeno.

Valentina também ia bem, continuando a entreter as hordas de russos expatriados agora reassentados em Sófia. Sua fama como protagonista ainda era grande. Conseguia atrair pagantes a seus concertos, incluindo um diplomata polonês bem de vida de nome Ladislau Baronowski. Valentina e Baronowski tinham muito em comum, a começar pelas raízes polonesas. Não está claro exatamente quando e como a relação entre eles desabrochou. Na verdade, depreende-se que a princípio os três – Vladimir, Valentina e Baronowski – tinham fortes laços de amizade. Logo, no entanto, Valentina e Baronowski já não eram apenas amigos. De acordo com as memórias de Smirnova-Maksheyeva, Valentina não pôde resistir ao fascínio de um homem com dinheiro e posição, tornando seu romance não necessariamente apenas uma questão de amor. O mais provável é que seu desejo desesperado por recuperar uma sensação de segurança e acesso às coisas finas da vida, nenhum dos quais Vladimir podia mais lhe oferecer, tenha unido o casal.

O rompimento destruiu Vladimir. Valentina tinha sido a única mulher a quem ele tinha se dedicado. Com ela, formara um casal de ouro nos círculos internos do teatro russo. A moça tinha sido a paixão de sua vida. E ela havia trocado boa parte do que restava de sua fortuna, de peles a joias, para ajudar a garantir que Vladimir não perecesse nas mãos dos bolcheviques. Ele, por sua vez, a havia apoiado, assegurando-se que não lhe faltasse nada. O amor deles tinha sido verdadeiro, uma combinação genuína que ia além das trivialidades que compunham sua vida pública.

A profundidade dos sentimentos dos dois foi sublinhada pela ligação que permaneceu por muito tempo depois da separação. Após a venda da empresa de Vladimir em Sófia, o trio mudou-se novamente. Dessa vez, instalou-se em Lvov, então na Polônia. Baronowski tinha grande influência lá e foi capaz de ajudar Vladimir a se estabelecer, em 1923. Foi naquela cidade, hoje parte da Ucrânia, que Vladimir decidiu formalizar seus esforços para preservar a marca Smirnov. Sua ideia era plantar as sementes em tantas localidades quanto possível, com o objetivo de tornar a empresa de bebidas duradoura e cada vez maior. Seu novo negócio seria licenciar o nome Smirnov e suas receitas ao maior número de compradores no maior número de lugares.

Vladimir procurou no coração da Rússia e encontrou seu irmão Nikolai em Moscou. Escreveu-lhe pedindo uma procuração para criar a empresa sem ativos que seria responsável por revender os restos dos negócios de seu pai, principalmente a marca, a reputação, as condecorações e as receitas secretas. Provavelmente não fabricaria nada ela mesma. Vladimir e Nikolai seriam coproprietários dessa empresa, juntamente com Baronowski, Valentina e um advogado russo que conheceram em Moscou. Nikolai, ao que parece, não perdeu tempo em atender o pedido do irmão. Não teria sentido resistir. Nikolai não poderia reavivar o negócio da família, apesar do fim da Lei Seca na Rússia e da restauração do monopólio sobre a vodca mais tarde, em 1925. Haveria muitos obstáculos em seu caminho, e Nikolai não possuía habilidade ou ambição para mostrar desenvoltura no novo sistema estatal, especialmente durante um período de tamanha turbulência econômica. Ele também não podia contar com a ajuda do irmão mais novo, Aleksei, pois ele morrera de problemas cardíacos um ano antes. Talvez o mais assustador era que a antiga empresa Smirnov agora fazia parte de uma grande estatal chamada Vintorgpravlenie, mais conhecida simplesmente como Vintorg. Essa organização unia várias antigas empresas privadas, incluindo a de Smirnov, e produzia as mesmas bebidas que Smirnov havia fabricado. Utilizava até os mesmos rótulos – retirando o nome Smirnov e as referências aos títulos da antiga companhia.

Nikolai depositou sua fé em Vladimir e assinou os direitos com sua mão trêmula. Os dois últimos irmãos Smirnov, que tinham ambos vendido suas participações nas empresas da família anos antes, estavam unidos novamente pelo patrimônio compartilhado. A carta, datada de 18 de junho de 1923, dava fé dos diferentes destinos que haviam se abatido sobre os dois. Estava assinada: "Cidadão Nikolai Pietróvich Smirnov."[6]

A nova empresa nasceu em Lvov. Seu nome, Société Pierre Smirnoff Fils, registrado em francês, pode ter sido a primeira vez em que a marca era oficialmente escrita ao modo da Europa Ocidental, com dois *f*s. Os proprietários eram também diretores da empresa. Na sua primeira transação, a empresa se associou a um pequeno produtor local que planejava produzir cerca de 500 garrafas de bebidas Smirnov por dia.[7] Vladimir então vendeu outras licenças a grupos de Praga e Paris. Não se sabe que renda esses negócios geraram para Vladmir e seus sócios, ou o volume de bebida produzida e vendida com a marca.

Apesar do sucesso, Vladimir foi profundamente infeliz durante sua estada em Lvov. Valentina provavelmente voltou para a Bulgária com Baronowski, deixando-o sozinho. Ele tinha alguns amigos dos velhos tempos e um punhado de novos conhecidos, mas a vida era agora muito diferente para ele – não importavam seus esforços para recriar o que tinha antes. Ele e muitos outros russos perceberam que a esperança de voltar à pátria estava se apagando. Milhares tinham escolhido retornar, mas sabiam que a Rússia nunca poderia voltar a ser o que era antes. Petrogrado tinha sido rebatizada de Leningrado em 1924, após a morte de Lênin. O líder bolchevique deixara uma carta-testamento declarando explicitamente que Stálin fosse removido de sua posição como secretário-geral do Partido Comunista. A diretiva ignorou, e o punho de ferro de Stálin se fortaleceu. No nível pessoal, Vladimir soube que seu filho, agora com 23 anos de idade, e Aleksandra, sua ex-mulher, ainda viviam em Moscou, no apartamento de oito quartos e um banheiro que ele havia comprado para eles. Mas, agora, também ali viviam outras sete famílias.[8]

Vladimir começou a olhar para frente diligentemente, pensando na melhor chance de construir um futuro real e duradouro para si. Seus pensamentos o levaram ao lugar que adorava havia tanto tempo, uma espécie de segunda casa para grande parte da antiga aristocracia russa. Muitas das pessoas que conhecera durante seus anos mais felizes já estavam lá, estabelecendo pequenas colônias russas autossuficientes com igrejas, escolas, restaurantes, salas de música e teatros. Vladimir requereu um passaporte ao governo polonês, fez as malas e pulou em um trem. Estava a caminho da França.

A França, e Paris em particular, era como uma pequena Rússia nos anos 20. Seu estilo elegante, as sofisticadas cenas de arte e literatura e, em última análise, sua disponibilidade para aceitar mais de 150 mil russos tornaram a cidade um destino sedutor. Paris oferecia o benefício adicional de ter algo que lembrava São Petersburgo. Uma vasta gama de russos eminentes, promissores e comuns se transferiu para a capital francesa. Os compositores Igor Stravinski e Sergei Prokofiev, o cantor de ópera Fiódor Shalyapin e os pintores Aleksander Benois e Marc Chagall – todos emigraram para Paris. Membros da família do último czar, inclusive seu cunhado, o duque Aleksandr Mikhailovich, e o grão-duque Dmitri Pavlovich Romanov, que participou do assassinato de Rasputin, agora residiam na França. Ilustres comerciantes e capitalistas ricos gravitavam por lá também, como alguns membros da dinastia têxtil Ryabushinski, o industrial Sergei Tretyakov e o magnata têxtil Sergei Shchukin, um grande colecionador da arte impressionista francesa. As mais de 250 magníficas obras de Shchukin, entre as quais algumas de Matisse, Monet, Picasso e Gauguin, foram expropriadas pelo Estado russo quando ele fugiu do país.*

Essas grandes estrelas se juntaram a um grande número de emigrantes mais típicos, menos conhecidos. Eles não queriam os holofotes de Paris.

---

* Durante o governo de Stálin, essas pinturas ficaram escondidas porque o líder soviético as via como decadentes. Somente após sua morte, em 1950, elas puderam ser vistas pelo público.

Desapareceram no alvoroço natural da cidade, fazendo biscates como motoristas de táxi, costureiras, ou operários de fábricas. Estavam apenas tentando sobreviver. Como eles, Vladimir havia chegado à França cheio de esperança em busca de um lar. Embora provavelmente estivesse melhor do que muitos de seus irmãos oprimidos, estava mais próximo deles do que dos endinheirados.

Quando chegou a Paris, Vladimir, agora com 50 anos, tinha envelhecido muito. Ainda era extremamente bonito, mas sua aparência havia ganhado o peso da experiência, deixando-o sob uma permanente névoa de perda e cansaço. Conforme mostram algumas fotos da época, ele tinha tirado o bigode de pontas recurvadas, sua marca registrada, o que deixou seu rosto liso e agora mais arredondado com aspecto um pouco amarelado. A espessa cabeleira ondulada cor de areia estava mais rala e grisalha nas têmporas. Seus olhos claros, antes transbordantes de poder e vaidade aristocráticos, tinham amadurecido também. Pareciam agora transmitir apenas saudade e lamento.

Não está claro por que a estada de Vladimir em Paris foi curta. Falava a língua fluentemente e conhecia bem a cultura local, mas tinha um empreendimento já estabelecido na região. A vodca Smirnov estava sendo produzida em uma fábrica ali perto, e estava vendendo, embora não se saiba que quantidade. Vladimir pode ter achado que precisava cultivar novas oportunidades em outros lugares. Ou talvez ele simplesmente preferisse ficar longe da cidade grande. Depois de algum tempo, deixou um amigo seu da Rússia responsável pela pequena operação em Paris e se dirigiu ao sul, para Nice.

Nice só perdia para Paris em número de russos emigrados. Assim como a capital do país, também tinha uma pequena Rússia, uma comunidade-bolha repleta de restaurantes, mercearias, uma biblioteca e até um cemitério. Sabe-se que Matisse pintava imigrantes russos durante suas visitas regulares à cidade. Havia lá uma magnífica catedral ortodoxa russa, cheia de paroquianos. Parte dessa infraestrutura existia graças às décadas de visitas de nobres ricos que, antes da revolução, passavam temporadas inteiras no balneário.

Agora, naturalmente, a população russa de Nice tinha duas faces. Uma pequena minoria dos moradores conseguira escapar com boa parte de seus recursos e pôde manter vidas luxuosas em opulentos palacetes. Tinham relações amistosas com os ricos que vinham de Nova York, Londres, Paris e Amsterdã, iam a cabarés caros, assistiam à bailarina Isadora Duncan e podiam comer nos melhores restaurantes.

Para a grande maioria dos exilados, porém, o ar cheirava mais a peixe, álcool e roupa no varal. Suas vidas eram simples mas onerosas, sobrecarregadas pelo desemprego, pela pobreza e pelo desespero, excitados por aquilo que foram e que poderiam nunca mais voltar a ser. Uma testemunha escreveu: "Você pode distinguir um russo ... sem palavras. Eles usam roupas surradas, botas baixas, chapéu desbotado e – a principal característica – revelam tristeza no olhar, nos gestos e no modo de andar."[9]

Pouco depois de chegar a Nice, Vladimir conheceu Tatiana Maksheyeva, que se tornaria sua terceira mulher. Provavelmente estava mesmo à procura de uma companheira acima de qualquer coisa, alguém para preencher o vazio deixado por Valentina e pela perda de contato com o filho e com os irmãos. Mulher atraente, embora não tão carismática quanto Valentina, Tatiana crescera em São Petersburgo e recebera uma educação de primeira classe no Instituto Yekaterininski, um colégio particular para meninas. Seus pais haviam sido, como os Smirnov, membros da classe social mais abastada.

Tatiana, uma de oito filhos, deixou a Rússia antes da eclosão da Primeira Guerra Mundial. Seu primeiro marido estava doente e foi aconselhado por razões de saúde a se mudar para a costa do Mediterrâneo, de modo que o casal primeiro se mudou para a Turquia e depois para Nice. A sequência de eventos – guerra, revolução e guerra civil – fez com que ela não voltasse para a Rússia. Tatiana ansiava por voltar a sua terra natal, mas concluiu que lá não haveria nada além de miséria à sua espera. Durante anos, nem sequer soube do paradeiro de sua família, muito menos de seu destino.

Sozinha em Nice após a morte do marido, Tatiana provavelmente queria encontrar uma alma gêmea, um russo que a mantivesse de algum modo conectada com suas raízes. Era 15 anos mais jovem que Vladimir e nada parecida com as outras mulheres que haviam predominado na vida dele. Tatiana parecia ser uma esposa bem mais independente e menos exigente. Em vez de cobiçar diamantes e peles, era uma amante da literatura. Por toda a vida havia sido uma escritora prolífica de poesia e histórias amorosas. Também ganhava a própria vida, em lugar de depender da renda do marido. Com o pouco dinheiro que guardara, comprou uma lojinha de antiguidades com um apartamento desbotado de dois quartos no andar superior, onde os recém-casados morariam. De acordo com sua sobrinha, Alfonsina Frantsevna Mekhedinskaya, ela fazia e vendia bonecas e chapéus russos. Em suas memórias, Tatiana descreveu aquele momento sucintamente: "Em 1925, nós nos conhecemos, nos apaixonamos e nos casamos."[10]

Os dois conseguiram se virar. Vladimir arrecadava rendimentos magros das concessões de vodca Smirnoff que conseguia vender. E Tatiana trazia um pouco de dinheiro de sua loja. Era o suficiente para enviar dinheiro em cartas a parentes, lembra Alfonsina, que diz que sua família não poderia ter sobrevivido sem a generosidade de Tatiana e Vladimir. O casal se isolou espontaneamente e passou a se relacionar apenas com amigos e conhecidos dos velhos tempos. Um deles era, surpreendentemente, Valentina. Ela se mudara para Nice pouco depois de Vladimir e estava se apresentando lá. Baronowski, ainda ocupado com suas funções diplomáticas, muitas vezes estava fora. Com o tempo, Tatiana, Vladimir e Valentina desenvolveram uma boa e reconfortante amizade. Tatiana recordou assim a interação com a ex-amante de Vladimir:

> Apesar do relacionamento com Baronowski e do fato de ele a sustentar, [Valentina] ainda era apaixonada por Vladimir. Uma vez, ela apareceu inesperadamente e pediu minha permissão para nos visitar, dizendo-se movida apenas pela amizade com Vladimir e pela conexão que os dois tinham devido ao que viveram juntos durante a revolução. Como eu não sou ciumenta por natureza, recebi-a calorosamente e a convidei para nos visitar. Quando Baronowski ia visitar Nice, eles vinham juntos. Nunca tive que lamentar me encontrar com Valentina. Ela sempre foi boa, alegre e genuína ao lidar comigo. Às vezes se queixava de Baronowski – na maioria das vezes, de que

ele lhe mandava pouco dinheiro e com pouquíssima frequência. Ela então chorava, e meu marido e eu a consolávamos. No minuto seguinte, começava a rir por alguma bobagem. Vladimir a tratava como a uma irmã. Ele nunca falava do passado, exceto do fato de que graças a ela ele pôde deixar a URSS e escapar da morte.[11]

As afeições não eram tão calorosas com outra mulher do passado de Vladimir. Eugenya também foi morar em Nice. Tinha ficado amarga e desesperada, incapaz de se adaptar a uma vida sem riqueza. Antes ela era bem conhecida dos trabalhadores do setor de serviços turísticos em Nice. Podia entrar no lobby de seu hotel favorito com seu baú e camareira a reboque, e o gerente a cumprimentaria quase como à realeza. Instalada em sua suíte habitual com vista para o Mediterrâneo, ela podia chamar o serviço de quarto e fazer planos para visitar o grupo habitual de socialites.

Agora, porém, Eugenya provavelmente nunca visitava o lugar que havia frequentado. Já não podia pagar nem mesmo um jantar lá. Vivia de caridade e com o dinheiro fornecido pela filha, Tatiana, que fazia pequenos serviços. Mas o dinheiro nunca era muito. "[Tatiana] nunca tolerou a ideia de trabalhar em uma fábrica ou qualquer tipo de emprego de nove às cinco, porque amava a liberdade", disse seu filho, Boris. "Foi criada com independência e luxo, muito mimada: uma vida grandiosa. Nunca quis realmente se render e trabalhar."[12] De sua parte, Eugenya nunca tentou ganhar a vida. Quando seu terceiro marido, o diplomata italiano, morreu e ela teve uma chance de melhorar sua situação, usou o pouco dinheiro que ele deixou de um jeito bem típico seu: saiu de férias pela Itália.

Eugenya ficou ainda mais perturbada quando soube que Vladimir reivindicara o direito à marca Smirnov. Atormentava-lhe que ele e Nikolai lucrassem com um negócio que o irmão mais velho deles tinha deixado para ela. Ela era a proprietária legal, alegava. Tentou provar seu direito fazendo várias tentativas de contato com ex-funcionários da fábrica Smirnov em Moscou, na esperança de que pudessem ter acesso a documentos legais que deixassem claro quem possuía a marca e os direitos de patente. Mas os esforços não tiveram frutos. Eugenya se ressentiu. Segundo seu neto, Boris, Eugenya e Vladimir nunca tocaram diretamente no assunto um com o outro. Tinham posições opostas sobre a empresa e mantinham uma espécie de luta silenciosa. "Eu não acho [que eles tenham alguma vez falado no assunto] porque, conhecendo minha avó, enfurecida como estava, eu ficaria surpreso apenas em saber que lhe teria passado pela cabeça entrar em contato com ele. Não posso garantir isso, mas, até onde sei, isso simplesmente não é possível. ... Tanto para minha mãe quanto para minha avó, ele era um pária. Tinha traído a família."[13]

Boris diz que sua mãe, Tatiana, em nome de Eugenya, uma vez tentou apresentar uma queixa contra Vladimir na câmara de comércio local. A falta de provas, no entanto, frustrou seus planos. "Na verdade, havia muito pouco que se pudesse fazer, porque ela não tinha dinheiro algum e, naturalmente, mantinha poucas ligações com as pessoas que poderiam ajudá-la a ir a Moscou. Evidentemente, isso era difícil para ela."[14]

Pouco a pouco, Eugenya caiu na pobreza, isolando-se das pessoas e do mundo em que ela um dia brilhara. Morava em um modesto asilo, sustentada por filha e netos, que também tinham emigrado. Recebia assistência de algumas instituições de caridade russas criadas por exilados ricos para ajudar os refugiados menos afortunados. Era uma experiência de humildade e humilhação para a ex-aristocrata.

Vladimir também estava por baixo. A empresa rateava – a França não foi tomada pelo gosto do destilado incolor, preferindo seus próprios vinhos e conhaques; e não parecia que o resto da Europa tivesse sede de vodca também. Por volta de 1930, Vladimir provavelmente recebia pouco ou nenhum dinheiro das várias licenças que tinha vendido. Com poucas opções, voltou-se para o canto, sua única outra habilidade. Desde que seu pai o enviara à China, não cantava para comer. A música tinha sido um feliz passatempo para ele, mas agora era seu trabalho. Para piorar, tinha que se apresentar em um figurino que remetia aos dias de antes de Pedro o Grande. Mandou um cartão ao seu velho amigo, Isheyev, que então havia imigrado para os Estados Unidos. Vladimir ironizou sua situação, gabando-se com uma foto de si mesmo em traje boiardo. "Você vê", escreveu. "Estou cantando!"

Vladimir começava a ficar sem opções. Sua conta bancária se esgotava, e ele tinha poucas perspectivas de recuperá-la. Para maior preocupação, começou a sentir-se gravemente doente. Logo diagnosticado com uma enfermidade debilitante não especificada, Vladimir precisaria de várias operações e significativa assistência médica. Sua luta agora era mais do que apenas financeira. A doença lhe exigiria toda sua energia restante e uma boa dose de sorte. Estava morrendo. Se a fortuna não lhe visitasse, o legado que seu pai passara a vida inteira construindo, o legado a que Vladimir tinha se agarrado quando estourou a revolução, morreria com ele.

24. O fim é um começo

Em 1933, Vladimir vivia em estado quase constante de agonia. Sua condição física se deteriorava. Duas complicadas cirurgias pouco tinham ajudado a deter o progresso da doença ou a aliviar a dor. Os medicamentos destinados a minimizar o desconforto foram ineficientes e, pior, acarretaram efeitos colaterais que o debilitaram ainda mais. "Ele passava longos períodos de tempo no hospital", lembra Smirnova-Maksheyeva.[1] "Quando os médicos deixavam, eu o levava para casa, mas ele estava sempre em um regime rigoroso." Confrontado pelo que ele acreditava ser o inevitável, Vladimir fez uma difícil escolha. Parou de tomar os remédios e de ir ao médico. Ele ficaria longe das camas de hospitais e contaria somente com produtos fitoterápicos para aliviar a dor. Depois de tudo aquilo por que tinha passado, Vladimir não queria viver dopado os dias que lhe restassem. Principalmente, porém, não queria deixar mulher e amigos em abjeta pobreza. Ele ainda se sentia responsável por sustentá-los e estava determinado a conseguir mais dinheiro. Em uma carta a um exilado russo, Vladimir explicou suas considerações: "Eu estava doente de um jeito que não desejo a ninguém. Enfrentei duas cirurgias sérias. Agora, depois de quatro anos entre a vida e a morte, finalmente estou recuperado. Agora só bebo ervas e larguei os médicos e os medicamentos. E me sinto bem."[2]

A decisão pode ter reduzido o prognóstico de vida de Vladimir, mas também o deixou mais lúcido e com bastante energia em seu castigado corpo de 58 anos de idade para uma última tentativa de fazer renascer a marca Smirnoff. Os destilados da família tinham sido uma das poucas bebidas pré-bolcheviques exportadas para o mercado internacional: certamente havia uma demanda inexplorada em algum lugar.

Vladimir lançou a sua rede. Colocou vários anúncios no *Poslednie Novosti* (*Últimas Notícias*), um jornal em russo muito lido em toda a França pela comunidade de exilados. Um pequeno anúncio sem enfeites, que buscava empresários para abrir estabelecimentos da marca Smirnoff na Suíça, Holanda, Itália, Pérsia, Bélgica e Inglaterra, não dava ideia do floreio e do alarde que um dia acompanharam os altivos anúncios do fornecedor protegido do czar. Era tão insípido e despretensioso quanto os prédios de cimento cinza que Stálin construiu durante a era soviética. As únicas duas características que fugiam à regra eram: primeiro, o anúncio fazia referência às antigas condecorações da empresa, incluindo os quatro brasões e o relacionamento especial com a corte imperial; em segundo lugar, Vladimir, o autoproclamado chefe da empresa reformada, exigia que qualquer pessoa que pretendesse fabricar vodca Smirnoff imitasse rigorosamente as práticas de destilação e as estratégias de marketing que haviam transformado o pequeno negócio do pai em uma potência. Ele podia estar desesperado, mas não estava disposto a sacrificar a reputação conquistada a duras penas e os segredos por trás do nome Smirnoff. "Os contratantes têm de prestar especial atenção aos produtos de alta qualidade, destilá-los em máquinas de carvão vegetal e manter o formato da garrafa e o design do rótulo", dizia o anúncio.[3]

O segundo anúncio era mais típico de Smirnov em seu apogeu no fim do século XIX, destacando os elogios à empresa e sua hegemonia, com o uso de fontes grandes e letras maiúsculas em negrito.

> DEMANDA EM TODA PARTE: em bons RESTAURANTES e boas LOJAS, nossas VODCAS E *NALIVKAS* RUSSAS DE MOSCOU conhecidas no mundo todo, premiadas com QUATRO BRASÕES NACIONAIS DA RÚSSIA E PRÊMIOS MAIS ALTOS,
> a QUALIDADE é MAIOR que a de qualquer CONCORRENTE: a VODCA nº 40 DO CZAR – VINHO DE MESA nº 21, ZUBROVKA nº 19...
>
> A Administração da Casa de Comércio Filhos de Piotr Smirnov oferece o licenciamento ou venda da empresa na Alemanha, Inglaterra, Suécia e Pérsia. Para mais informações, dirigir-se exclusivamente ao Chefe da Administração V.P. Smirnov, rua Lamartine, 52, Nice, França. A empresa não tem agentes.

A isca estava lançada, mas, infelizmente, ninguém a mordeu. Para Vladimir, a esperança de uma retomada desaparecia rapidamente. É provável que ele soubesse que os Smirnov restantes na Rússia eram fantasmas vivos.

Como tantos outros antes ricos e influentes que ficaram para trás, eles tentavam permanecer invisíveis, temerosos de que suas identidades inflamassem mais ódio e punições. O próprio filho de Vladimir, Vladimir, não tinha nenhuma filiação com a antiga profissão do pai e tinha convenientemente se misturado à nova paisagem. Serviu no Exército Vermelho durante dois anos e, em seguida, frequentou o agora prestigiado Instituto de Economia Nacional Plekhanov, especializado em metalurgia. A casa da Ponte de Ferro, onde o *père* de Vladimir tinha crescido, era agora a sede do Instituto Erisman de Pesquisa sobre Higiene, uma entidade científica para pesquisa focada em estudos avançados da produtividade do trabalhador. Ironicamente, o instituto tinha o nome do mesmo químico que conduziu, na década de 1890, os testes de toxicidade de vodca que incluíram a de Piotr Smirnov.

Os Smirnov e seu patrimônio da vodca estavam a caminho da obscuridade. Então, em uma estranha reviravolta do destino, um empresário americano nascido na Rússia, que morava a milhares de quilômetros, do outro lado do Oceano Atlântico, entrou em cena.

RUDOLPH P. KUNETT TINHA APENAS 27 ANOS quando chegou a Nova York. Ele não possuía um tostão e estava em um mundo longe de suas raízes agrícolas e da vida confortável que tivera um dia. Ele nasceu Rudolph Kunettchenski, em Trostianetz, Rússia, hoje parte da Ucrânia. Seu pai era dono de uma grande fazenda e de uma destilaria que se acreditava (em 1912) ser a maior refinadora e misturadora de bebidas alcoólicas no mundo. Boa parte da colheita de grãos da família Kunettchenski era vendida aos Smirnov.

Kunett era um tipo acadêmico, acreditando que as melhores oportunidades surgiam de uma educação sólida. Estudou filosofia na Universidade de Odessa e fez doutorado na Universidade de Berlim. Quando irrompeu a revolução, ele estava na Dinamarca, trabalhando para a Cruz Vermelha. A missão salvou-o de ter que enfrentar uma dolorosa escolha para muitos russos antivermelhos – esperar passar a tempestade desencadeada pelos bolcheviques ou embarcar em uma perigosa viagem até a fronteira. Kunett apenas optou por não retornar.

Ele ingressou nos Estados Unidos, como milhares de outros russos, em busca de um recomeço novo e fecundo. A chegada de Kunett em 1920 coincidiu com a inauguração da própria experiência americana com a Lei Seca. Ela estava em pleno vigor, dando origem a uma subcultura de contrabandistas, bares e álcool ruim, cenário semelhante ao que a Rússia vivenciara durante a era antiálcool. A situação impedia Kunnet de contemplar uma carreira na indústria de bebidas, mas ele prontamente encontrou outras oportunidades. Trabalhou como vendedor para a Standard Oil Company e, mais tarde, conseguiu um emprego em Nova York na Helena Rubinstein Inc., onde, no momento oportuno, tornou-se gerente geral da empresas de cosméticos.[5]

Kunett pode não ter conhecido bem os Smirnov, mas certamente conhecia alguns membros da família e a forte ligação deles com seu pai. Além disso, conhecia bem a vodca deles, pois ele mesmo fora um consumidor contumaz. "Na Rússia, na Polônia, na Bulgária e na Sérvia, todos bebem vodca", explicou Kunett em uma entrevista publicada décadas mais tarde. "Até completar 21 anos e sair de Odessa para ir para a universidade na Alemanha, eu não sabia da existência de outra bebida."[6]

De alguma forma, Kunett ficou sabendo da oferta de Vladimir ou dos anúncios publicados na França em 1933, o mesmo ano em que a Lei Seca terminou oficialmente nos Estados Unidos. A combinação dos dois eventos aparentemente desconectados despertou o interesse de Kunett e lhe deu o que achou ser uma ideia genial: se pudesse trazer as bebidas Smirnoff para os Estados Unidos, ele poderia apresentá-las aos consumidores, criar uma demanda para elas e fazer fortuna. Kunett era possivelmente uma das poucas pessoas nos Estados Unidos que conheciam alguma coisa sobre a produção de vodca. Ao mesmo tempo, é claro, a maioria dos americanos preferia bourbon ou cerveja. Poucos tinham provado vodca, fosse pura ou misturada.

Kunett organizou-se para ir à França, onde Vladimir ficou encantado com o encontro com seu compatriota. A familiaridade lhes deu um raro e profundo nível de bem-estar e confiança. Com poucas opções, Vladimir ficou mais do que satisfeito em fazer um acordo rápido. Depois de alguma negociação, os dois chegaram a um acordo: por 54 mil francos, foram vendidos a Kunett "o direito e a licença exclusivos de fabricar e vender, no território dos Estados Unidos da América, e nos territórios sob sua posse, ... todas as bebidas alcoólicas e demais produtos da empresa, juntamente com o direito exclusivo de usar o nome da empresa, suas marcas registradas e seus rótulos, conforme usados e dispostos pela empresa, bem como o direito exclusivo de reproduzir e utilizar os diferentes modelos de garrafas até hoje em utilização pela empresa e por seus licenciados na França".[7] Kunett também concordou em fabricar todos os produtos utilizando as fórmulas e os processos exatamente conforme apresentados por Vladimir. Os rótulos mencionariam Filhos de Pierre Smirnoff e usariam o subtítulo "Empresa de Pierre Smirnoff, indicada no passado pela corte imperial da Rússia". O negócio foi finalizado em 21 de agosto de 1933. Vladimir, que continuava a tentar vender a marca em outros países, assinou os documentos em seu nome e no de Nikolai. Os outros três proprietários, incluindo Valentina, assinaram os papéis pessoalmente.

Logo após a revogação da Lei Seca, em março de 1934, Kunett abriu a primeira fábrica de vodca dos Estados Unidos. Ela ficava em um grande edifício de dois andares perto do centro de Bethel, Connecticut, uma modorrenta cidade do Sul da Nova Inglaterra a apenas 100 quilômetros de Nova York. A localização era perfeita para a empresa nascente. Ficava ao lado dos trilhos da ferrovia, de onde as caixas de vodca podiam ser facilmente carregadas nos trens para serem transportadas. Kunett imediatamente começou a divulgar o novo produto, exercitando o mesmo empenho no marketing que tinha feito dele uma potência na indústria dos cosméticos. Preparou-se um histórico da empresa para a imprensa americana, ressaltando sua grande tradição. "O nome Smirnoff era conhecido de ponta a ponta do império russo, e seu produto, chamado de Smirnovka, era um artigo doméstico obrigatório igualmente nas casas dos camponeses e no castelo imperial", escreveu o *Danbury News-Times*, em 1934, citando os vários prêmios da empresa, os emblemas de Estado e seu relacionamento com os últimos três czares.[8]

Kunett também era ousado na propaganda. Os anúncios destacavam os quatro brasões, a distinção como fornecedor da corte imperial e um slogan interessante: "Criando uma nova moda em coquetéis, ... VODKA

Smirnoff." Cada garrafa, anunciou-se, custava 1,75 dólar e vinha com um livreto de receitas de drinques misturados. Kunett também enfatizou o bom negócio que era a vodca fabricada nos Estados Unidos em comparação com os produtos importados, que custavam até 4 dólares a garrafa por causa das tarifas.[9]

O novo evangelista da Smirnoff mantinha Vladimir informado sobre cada passo, escrevendo para ele sobre a empresa e seus associados em Nova York e Bethel. Queria ter certeza de que Vladimir tivesse um papel ativo no futuro da fábrica, por isso convidou-o para a presidência do conselho e a visitar os Estados Unidos para conhecer todos os envolvidos no empreendimento. Kunett, na condição de presidente da Smirnoff nos Estados Unidos, escreveu a Vladimir em 1934: "Eu adoraria conectá-lo com meus colegas. Dessa forma, você terá relações não só comigo pessoalmente, mas com a empresa também e, portanto, com meus colegas. ... Eu adoraria se você pudesse estabelecer relações com eles. Assim, no caso de minha morte, a conexão não será perdida."[10]

Claramente, Kunett valorizava o toque pessoal de Vladimir em sua empresa principiante, presumindo que ele legitimava a promoção da vodca como um produto originalmente russo, e não uma simples imitação. Sempre que tinha chance, exibia a ligação familiar de seu produto, publicando declarações de Vladimir em que atestava a autenticidade da vodca e seu sabor superior. Em uma dessas declarações, Vladimir disse estar confiante de que a empresa conquistaria os céticos consumidores americanos. "Com [seu] talento para coquetéis e outros drinques com misturas, você vai descobrir na vodca a base ideal. Devido a sua transparência e ausência de sabores artificiais, ela combina harmoniosamente com vermute, licor de romã, licores amargos, sucos de frutas e outros ingredientes. E é bom saber que a vodca Smirnoff faz com que você se sinta bem depois de eventos sociais. Ela é incomparavelmente pura."[11]

Havia algum tempo que Vladimir não era tratado com tal respeito e deferência. Os sócios de outras licenças eram relapsos com ele. Esqueciam-se de relatar vendas, não enviavam dinheiro corretamente e administravam com incompetência sem lhe dar explicações. Vladimir queixava-se de que o seu representante em Paris, por exemplo, era particularmente pouco profissional, enganando-o em matéria de dinheiro e prejudicando o funcionamento da franquia. Kunett, porém, era diferente. Ele mantinha o vínculo que tivera com os Smirnov durante seus anos de maior poder. Ele vinha de uma época em que todas os paramentos da velha Rússia faziam diferença, de títulos sociais a estatura financeira. Os Smirnov tinham sido cidadãos importantes; seus produtos, universalmente populares. Era natural que Kunett demonstrasse tamanha reverência.

Vladimir deve ter se sentido como antigamente. Ele escreveu a Kunett expressando sua gratidão. Na carta, transbordava em emoções, agradecia a Kunett por sua bondade e aceitava o convite para ser presidente do conselho.[12] Vladimir agora se comprometia em ir aos Estados Unidos. Queria inspecionar a fábrica e ainda instruir Kunett a respeito das inovações do pai na fabricação de vodca. Ele também queria experimentar as bebidas que Kunett estava fabricando, acreditando que "o sabor da bebida é o mais importante em nosso negócio".[13] A viagem, porém, parece não ter se materializado. A saúde de Vladimir deu uma guinada para pior e nunca se recuperou. Nas primeiras horas da manhã de 25 de agosto de 1934, aos 59 anos, o terceiro filho do rei da vodca morreu em seu apartamento em cima da loja de antiguidades. Fazia quase exatamente um ano que firmara o acordo com Kunett, levando o nome Smirnoff para os Estados Unidos.

Sua morte, ao contrário da de seu pai e irmãos, passou praticamente despercebida. É pouco provável que os parentes na Rússia sequer tenham tomado conhecimento. Não houve menção a ele nos jornais, que eram então dominados pela propaganda de Stálin. Apenas os russos que moravam na França receberam a notícia através de um breve anúncio no jornal dos exilados. O fim de Vladimir veio como um sussurro, sem cerimônia, sem alarde, sem prestígio. Sua sepultura simples em um cemitério russo ortodoxo de Nice era comunitária; sua lápide continha dizeres genéricos. Era uma prova de como sua vida havia se afastado daquela da antes poderosa dinastia Smirnov. Ele não seria enterrado com eles e nada identificaria especificamente seu derradeiro local de descanso por quase 60 anos.

Foi um fim triste e estranho para um homem que teve uma vida escandalosa e extravagante, mas Vladimir, embora provavelmente não soubesse, tinha completado um ciclo. Pouco antes de sua morte, o filho de um servoignorante-que-virou-um-rico-capitalista plantara a semente que lhe devolveria sua identidade. Por causa da perseverança de Vladimir, Piotr Arsênievich Smirnov também teria de volta seu legado. Em uma das últimas cartas de Vladimir a Kunett, ele revelou sua emoção sincera e entusiasmo verdadeiro com a perspectiva de manter viva a obra do pai. "Sua empresa me é muito querida", escreveu ele, "porque vejo nela a reconstrução de nossa velha empresa Smirnov ... Olho para você com grande esperança. Estou seguro de seu sucesso."

Vladimir não poderia imaginar como estava certo.

Epílogo

O SUCESSO NÃO VEIO RAPIDAMENTE. Kunett, um vendedor persistente, promoveu a vodca Smirnoff de todas as maneiras que conhecia. Ele supervisionava a produção da fábrica usando quase sempre um avental para não sujar o terno. O problema, porém, era que convencer os americanos a abandonar suas bebidas preferidas – cerveja, gim e uísque – por uma alternativa russa desconhecida era mais difícil que Kunett imaginara. No primeiro ano do negócio, vendeu apenas 1.200 caixas, cada uma com 12 garrafas. No quinto ano, tinha aumentado as vendas para cerca de 5 mil caixas, o que correspondia a toda a vodca produzida nos Estados Unidos. Mas isso não era nem de perto uma quantia suficiente.[1] Em 1939, Kunett estava à beira da falência.

Kunett praticamente não teve escolha senão procurar a melhor oferta para a marca, esperando encontrar não apenas um comprador, mas um sócio. Kunett ainda acreditava que a Smirnoff podia ganhar os americanos. Ele tinha poucos adeptos, entretanto, até encontrar John Martin, um inglês simpático de óculos que administrava a G.F. Heublein & Bros., uma empresa familiar em Hartford, Connecticut, não longe dali. Martin tinha começado como produtor de bebidas pré-misturadas e, devido aos efeitos prolongados da Lei Seca, também lutava para manter a empresa, contando com o molho de carne A-1, seu único produto comestível de destaque, para compor a maior parte de sua renda. Kunett propôs vender sua empresa por 50 mil dólares, lembrou Martin em uma entrevista. Martin recusou, mas ficou intrigado. Via algo promissor e potencialmente lucrativo em uma bebida destilada sem sabor. Fez várias contrapropostas à oferta de Kunett, finalmente concordando em comprar o equipamento da fábrica e o nome Smirnoff por 14 mil dólares. Kunett seria o presidente da nova subsidiária da Smirnoff e ganharia 5% de *royalties* sobre cada caixa de vodca vendida durante toda a década seguinte.[2] Analistas financeiros e funcionários da empresa consideraram a compra uma insensatez, apelidando o acordo de Loucura de Martin.

Em dois anos, no entanto, as vendas de vodca Smirnoff cresceram para mais de 22.660 caixas. A Carolina do Sul era um mercado especialmente frutífero, sobretudo porque um distribuidor de Columbia propôs um slogan engenhoso e bastante efetivo: "Uísque branco Smirnoff: sem cheiro, sem gosto". Aparentemente, o distribuidor se inspirou na tampa que a Heublein usou nos primeiros lotes de vodca vendidos para o estado. Ela identificava o produto como "uísque" porque a companhia não tinha nada mais parecido com "vodca".[3] Quando a Segunda Guerra Mundial estourou, a escalada lenta mas firme da bebida fo paralisada, já que toda a produção de álcool foi drasticamente reduzida, e Martin entrou para o Exército americano. Foi apenas em 1946 que a vodca Smirnoff realmente saiu da obscuridade no país.

Segundo conta Martin, ele e seu velho amigo Jack Morgan merecem o crédito pela façanha. Morgan era o dono do restaurante Cock'n Bull no Sunset Boulevard, em Los Angeles, um bar muito frequentado pelos novos atores de Hollywood. Os dois amigos se conheceram em Nova York, quando Morgan tentava vender caixas de cerveja de gengibre e Martin tentava fomentar a demanda por vodca. De acordo com Martin, eles tiveram a ideia de um novo coquetel combinando vodca Smirnoff com cerveja de gengibre e limão galego. Servido em uma caneca de cobre gravada, o drinque foi batizado de Moscow Mule. "Imagino que [o nome] tivesse a ver com o coice", disse Martin.[4]

Para promover o coquetel, Martin usou uma estratégia de marketing boca a boca semelhante à que, conforme consta, o homem que deu nome à vodca, Piotr Arsênievich Smirnov, usara décadas antes na Rússia. Diz-se na empresa que Martin voou para Los Angeles com um dos primeiros modelos da máquina fotográfica Polaroid. Ele entrava em bares e tirava duas fotos do garçom servindo o Moscow Mule. Então dava uma das fotos como lembrança ao garçom e levava a outra a um novo bar, relatando ao garçom de lá a promoção da vodca Smirnoff e do novo coquetel pelo concorrente. O estratagema funcionou. As vendas de Smirnoff decolaram, ultrapassando 1 milhão de caixas anuais em 1955.*

* No auge da Guerra Fria, a popularidade do Moscou Miele minguou. No verão de 2008, contudo, a Diageo, a maior empresa de destilados do mundo, reintroduziu o coquetel no mercado com uma campanha publicitária multimilionária.

A Heublein lançou então uma série de campanhas agressivas que mostravam aos consumidores americanos como misturar vodca com várias outras bebidas, de sucos a chás ou caldo de carne. Os refinados anúncios impressos das três décadas seguintes também eram de chamar a atenção, apresentando um desfile de celebridades de primeira linha como Woody Allen, Groucho Marx, Eva Gabor, Vincent Price e Marcel Marceau. Em 1962, a Smirnoff começou uma longa parceria de alto nível com os filmes de James Bond. No primeiro da série, *007 contra o satânico dr. No*, Sean Connery bebe o famoso vodca-martíni "batido, não mexido" preparado com Smirnoff. Desde então, garrafas de Smirnoff apareceram em 21 dos 22 filmes da série.

Tais jogadas de marketing transformaram a vodca Smirnoff de um artigo estrangeiro pouco conhecido em uma marca poderosa, que passou a vender mais que qualquer outro destilado *premium* nos Estados Unidos. Mais que isso, ajudaram a fazer com que a vodca superasse o gim e o uísque e se tornasse a bebida alcoólica de maior vendagem no país, posição que mantém desde os anos 1970. "Você sabe, os americanos eram *des*informados sobre a Rússia, mas eram *mal-informados* sobre vodca", explicou Kunett em 1955 em uma entrevista para a *New Yorker*.[5] Uma vez reeducados, os americanos passaram a consumir vodca num crescente ininterrupto. Hoje, mais de 23 milhões de caixas de nove litros de vodca Smirnoff são vendidas por ano em cerca de 130 países. Quase 150 anos depois de sua fundação, ela é a bebida *premium* mais vendida no mundo, superando a segunda, o rum Bacardi, em aproximadamente 4 milhões de caixas.[6] Quanto à marca em si, um estudo de 2008 estimou seu valor em 4,7 bilhões de dólares.[7]

Enquanto a Smirnoff crescia no Ocidente, a realidade política do Estado soviético sob Josef Stálin teve seu preço para os Smirnov e outras famílias em situação semelhante. Os destinos conhecidos dos descendentes da família variaram conforme a proximidade com o arruinado império da vodca e da antiga aristocracia. Arsêni, filho de Piotr Pietróvich e neto do patriarca da família, por exemplo, sofreu desgraçadamente. De acordo com uma entrevista no início da década de 1990 concedida pelo filho Piotr,[8]

Arsêni trabalhou como limpador de rua após a revolução. Foi preso e condenado à morte pelo pelotão de fuzilamento nos anos 1920 por causa do passado capitalista de sua família. Mas sua mulher o salvou da execução dando às autoridades tudo o que o casal tinha. Ainda assim, a vida continuou cruel. Depois de se divorciar, alguns anos mais tarde, mudou-se para a região do rio Volga e trabalhou como zelador de cemitério. Tentou fugir da Rússia, mas foi pego e apanhou de soldados do Exército Vermelho. Mais tarde, casou-se novamente e teve três filhos. Em 1943, morreu e foi enterrado apenas com a roupa de baixo; o resto havia sido vendido para comprar comida.

O filho de Vladimir, Vladimir Vladimirovich, também enfrentou dificuldades sob o regime soviético. Ele deu continuidade à excelente educação que seu pai havia iniciado, formando-se com ótimas notas no prestigiado Instituto Plekhanov. Falava vários idiomas, inclusive inglês e francês. Antes da Segunda Guerra Mundial, trabalhou como professor graduado de metalurgia física no Instituto de Máquinas e Ferramentas de Moscou. De acordo com documentos de arquivo,[9] Vladimir foi preso em 10 de setembro de 1941. A casa que dividia com a mãe, Aleksandra, a mulher e duas filhas foi revistada. Vladimir foi acusado e condenado por ter "atitudes antissoviéticas e por ter expressado descontentamento com a ordem social existente da URSS".[10] Em seu interrogatório, durante o qual negou as acusações contra ele, ressaltou-se o fato de que ele pertencia a uma família de comerciantes de primeira guilda.

Por seus crimes, Vladimir foi condenado a cinco anos em um campo de trabalho correcional. As autoridades tinham esperança de que ele pudesse se reabilitar de suas atitudes antissoviéticas para, então, voltar à sociedade de uma maneira mais produtiva. A mãe dele, Aleksandra, apresentou um protesto mencionando a inocência do filho, o sustento das filhas e sua saúde fraca e idade avançada como razões para reabrir o caso. A justiça foi lenta, mas, depois de cinco anos na prisão e quase 15 depois de sua detenção, Vladimir foi absolvido das acusações em 1956 por "falta de provas".[11] Ele deixou Moscou e se mudou para Tver, onde deu aulas em um instituto politécnico local. Morreu em 1969 aos 77 anos de idade, apenas oito anos depois de sua mãe.

A outra Aleksandra, a filha rebelde de Smirnov que se casou com Borisovski, morreu em 1950. Na ocasião, vivia na pobreza em um quartinho escuro de um apartamento comunitário.[12] Seu filho, Vadim, se saiu melhor como músico bem-sucedido que fundou uma escola soviética para o ensino de viola. Quanto a Eugenya, passou os últimos anos de vida em uma modesta casa de repouso em Nice. Em 1961, três anos antes de morrer aos 92 anos, passou para o nome da filha Tatiana sua reivindicação pela posse das propriedades de Smirnov. De acordo com o neto de Eugenya, Boris, a avó ainda tinha esperanças de que um dia pudesse restabelecer seus direitos. "Minha avó deu plenos poderes [por procuração] para que minha mãe fizesse tudo o que pudesse para provar que ela era a única proprietária de todos os bens [de Smirnov]", disse Boris.[13]

Membros do lado de Bakhrushin da família tiveram destinos igualmente variados. Seus descendentes tornaram-se médicos, cientistas e professores conhecidos. Piotr Bakhrushin trabalhou em um hospital psiquiátrico em Moscou. Outros, entretanto, não tiveram tal sorte. Nina Bakhrushina, uma professora de língua estrangeira, casou-se com um químico proeminente, mas o casal foi exilado para a Sibéria depois que um aluno dele o acusou de conduta antipatriótica.[14]

É improvável que qualquer Smirnov que tenha permanecido na Rússia, com a possível exceção de Nikolai, até sua morte, tenha tomado conhecimento dos esforços de Vladimir para reavivar o negócio da família na Europa ou de seu acordo com Rudolph Kunett. Anos mais tarde, porém, com o crescimento do prestígio e da notoriedade da marca Smirnoff, a família ficou curiosa, assim como outros descendentes de dinastias mercantis antes proeminentes. Eles queriam saber sobre suas raízes e tentaram recompor o patrimônio esquecido ou escondido. Oleg Sergeievich Smirnov, filho de Sergei e advogado aposentado em Moscou, liderou os esforços dos Smirnov nos anos 1970. Indignado com o modo como o nome de seu avô estava sendo usado no Ocidente, ele passou o pente fino em resmas e resmas de informação de arquivo, formando uma monografia de três volumes sobre a história do negócio do patriarca e sua extensa família. Ele descobriu parentes que não conhecia e um gigante empresarial internacional a que não compreendia inteiramente. A grande questão, Oleg começou a ponderar, era se os Smirnov poderiam recuperá-lo.

A PRIMEIRA OFENSIVA FOI LANÇADA no início dos anos 1980 em Colônia, Alemanha. A Plodymex, uma empresa de exportação de destilados russo-alemã oriental, processou um importador alemão de Smirnoff, alegando que o rótulo da vodca, que continha textos em fonte cirílica e imagens dos prêmios que Smirnov havia conquistado um século antes, confundia os consumidores sobre sua origem russa. Baseado na pesquisa de Oleg, o demandante mais tarde argumentou que Vladimir não tinha o direito para vender a marca registrada e o direito de patente a Kunett em 1933 porque ele já tinha vendido sua parte no negócio para o irmão dele, Piotr, em 1905. A acusação era potencialmente explosiva. O futuro – e o passado – da Smirnoff podia depender do que Vladimir havia feito quase cinco décadas antes, ou seja, das próprias ações que salvaram o legado do pai.

As duas empresas resolveram o caso em Colônia. A Heublein concordou em alterar os rótulos e remover a fonte cirílica e as referências à Rússia e a Moscou e deixaria claro que a vodca que estava vendendo não era manufaturada na Rússia. Essa determinação, que afetava apenas o comércio na Alemanha, estava longe de dar fim à questão. Havia uma centelha de esperança nessa batalha, e talvez valesse a pena brigar. Além disso, a Rússia estava à beira de uma mudança dramática, da mesma maneira que quando Smirnov lançou seu empreendimento no século XIX. Mikhail Gorbachev chegava ao poder.

Em 1985, a Rússia estava em um período de profunda estagnação econômica, política e social. Assim como o czar Alexandre II depois da dolorosa lição da Guerra da Crimeia, Gorbachev percebeu que alguns aspectos-chave do comunismo eram antiquados e ineficazes em um mundo globalmente integrado. Problemas que iam de corrupção a alcoolismo e apatia contribuíam para o acentuado declínio da produção e da produtividade industrial. Ele prometeu introduzir extensa reforma através da *perestroika* (reestruturação) e da *glasnost* (abertura). Essas iniciativas, esperava Gorbachev, incitariam o empreendedorismo, a inovação tecnológica e o desenvolvimento corporativo.

A primeira grande campanha de Gorbachev, contudo, não mirou diretamente a economia. Mirou o alcoolismo. A vodca ainda era parte essencial da vida na Rússia e, como Witte e outros que o antecederam, Gorbachev associava a embriaguez à má situação econômica e moral do país. Imaginou que, ainda que o Estado arcasse com a perda dos milhões de rublos gerados pelo monopólio da vodca, se a bebedeira pudesse ser controlada, outros assuntos poderiam ser mais facilmente solucionados. O governo de Gorbachev anunciou em 1985 um "amplo programa para a prevenção e a superação da embriaguez e do alcoolismo".[15] A produção e a venda de vodca e outras bebidas alcoólicas estavam agora limitadas. Esforços foram feitos para encorajar a moderação. Os russos reagiram exatamente do mesmo modo de sempre: com raiva e descontentamento. Longas filas se formaram do lado de fora das lojas de bebidas. Estimou-se que alguns moscovitas gastavam uma média de até 90 horas por ano esperando para comprar álcool.[16] Os preços da vodca e outros destilados dispararam, e logo surgiu um mercado negro de bebida alcoólica. No fim, o ímpeto de Gorbachev pela sobriedade falhou. As restrições foram minimizadas depois de apenas poucos anos.

Outras iniciativas tiveram impacto mais duradouro. Gorbachev queria transformar o antigo sistema soviético centralizado em uma economia mais robusta, voltada para o mercado. Ele acreditava, como Alexandre II, que a modernização da infraestrutura financeira da nação aliviaria as pressões sociais existentes. Ele observou que "só o mercado, em conjunto com a orientação humanística da sociedade, poderá satisfazer as necessidades das pessoas, assegurar a distribuição justa da riqueza, salvaguardar os direitos e as garantias sociais e consolidar valores tais como liberdade e democracia".[17] A retórica de Gorbachev era tão inovadora quanto suas reformas. A propriedade privada de negócios e cooperativas voltados ao lucro foi não só legalizada mas encorajada. A lei também permitiu o estabelecimento de corporações. Maior liberdade de expressão, mídia mais independente e um processo político mais democrático também eram elementos fundamentais dos planos de Gorbachev.

Essas políticas, embora saudadas pelo Ocidente, demoraram muito a chegar à maioria dos russos e eram muito limitadas para serem efetivas. Gorbachev enfrentou a difícil tarefa de equilibrar as raízes comunistas e a devoção ao socialismo com conceitos de capitalismo e democracia do século XX. Além disso, o esforço para mudar a economia colidiu de frente com o preconceito inveterado da sociedade russa contra o estilo ocidental de capitalismo e as instituições estrangeiras. A economia não melhorou. E a vida cotidiana da maioria dos russos ia de mal a pior, conforme se intensificava a escassez de comida e outros artigos essenciais. Gorbachev foi substituído em 1991 por Boris Yeltsin, mais radical, mas quase ninguém duvida de que foram as arrojadas reformas de Gorbachev que levaram ao colapso da União Soviética no final daquele ano. Quanto aos Smirnov, Gorbachev e suas políticas também trouxeram a abertura de que precisavam.

Em 1985, ano em que Gorbachev tomou posse, os Smirnov fizeram uma reunião da família na casa do irmão de Oleg, Viktor. Primos descendentes de vários dos filhos de Smirnov compareceram. Alguns nunca tinham se visto. Durante o encontro, de acordo com um livro escrito mais tarde por membros da família, alguns parentes começaram a discutir a chance de restabelecer a dinastia Smirnov.[18] Gorbachev prometeu ser mais hospitaleiro com empreendimentos privados, e a Rússia provavelmente veria com bons olhos a oportunidade de recuperar uma de suas marcas mais célebres. Entretanto, por cinco anos, os Smirnov fizeram pouco progresso a esse respeito. Primeiro, Oleg morreu em 1986. Segundo, a debilidade das reformas econômicas e legais de Gorbachev tornava difícil a formulação de um plano coeso de ataque.

Em 1991, as possibilidades ficaram mais claras. Boris Smirnov, ex-oficial da KGB e bisneto do filho mais novo de Smirnov, Aleksei, tomou a frente do processo e registrou as marcas da família na Rússia: "Casa de Comércio de Piotr Smirnov e descendentes em Moscou" e "P.A. Smirnov e descendentes em Moscou". Um mês depois, a nova dona da Heublein, a União Internacional do Destiladores e Vinhateiros (IDV, sigla para International Destillers and Vintners), agora uma subsidiária da gigante britânica das bebidas, a Diageo, deu entrada nos documentos para a marca Smirnoff. Ambos se preparavam para a revogação do monopólio da vodca na Rússia, que aconteceu em 1992, no governo de Yeltsin. O escritório de registro de patentes da Rússia rejeitou o pedido da IDV para vender vodca Smirnoff e deu a autorização a Boris Smirnov.[19]

Essa decisão marcou o início do que se tornaria uma longa luta legal internacional pelo controle do nome Smirnoff. Os processos se baseavam sobretudo nos mesmos argumentos usados no caso alemão: se os consumidores estavam sendo enganados sobre a origem da vodca e se Vladimir tinha vendido legalmente o nome da sua família e os direitos de patente depois da revolução. Boris e Andrei Smirnov, um parente, começaram a fabricar vodca em Krymsk, uma cidadezinha no sul da Rússia. Arrendaram a casa da Ponte de Ferro em Moscou e restauraram parte da antiga residência com suas características originais do século XIX para ser a sede do negócio. A esperança deles era resgatar a tradição de Piotr Smirnov, o lucro e tudo o mais. No princípio, parecia que podiam conseguir. Um tribunal russo em 1995 invalidou a marca da IDV e barrou a reivindicação da companhia de que sua vodca tinha relação com o fundador original da Smirnoff.

A IDV recorreu da sentença, mas um confronto ainda maior despontava no horizonte. Boris queria ter acesso a outros mercados além da Rússia. Ele tinha intenções para o lucrativo mercado americano. Firmou então uma parceria com o neto de Eugenya, que vivia na França e também se chamava Boris, para tentar provar que o Smirnov francês tinha direito legal à marca registrada porque Eugenya o tinha passado para a mãe dele. Em seguida, o Boris russo fundou a Companhia Russo-Americana de Bebidas com um sócio americano e processou a Diageo em um tribunal do estado americano de Delaware por fraude contra o consumidor. Eles alegavam que o rótulo da Smirnoff, que continha uma coroa, um escudo, mantos vermelhos da corte imperial russa, os brasões nacionais e a referência ao título de fornecedor do czar, fazia com que as pessoas pensassem que a Smirnoff americana era a mesma fornecida aos czares antes da revolução. Além disso, Boris argumentava que ele e seus sócios deveriam receber quase 1,3 bilhão de dólares ou cerca de 2% dos lucros que imaginava terem sido gerados pela vodca Smirnoff desde 1939.[20]

A Diageo contestou judicialmente que tinha comprado a marca de boa-fé, salvando-a da extinção quase certa, e gastara mais de 700 milhões de dólares para promovê-la desde 1939.[21] Tudo o que Boris e seus aliados estavam tentando fazer, a companhia argumentava, era se aproveitar do investimento avultado da Diageo e de décadas de trabalho duro. Além do mais, um cisma dividira os descendentes de Smirnov. Mais de 30 deles questionaram os argumentos de Boris durante uma entrevista coletiva em Moscou, e o acusaram de ameaçar o bom nome da família.[22]

Em 1999, um tribunal dos Estados Unidos pôs um fim às reivindicações de Boris, e um tribunal de recursos confirmou a decisão dois anos depois. Um grupo de jurados britânicos que discutiu o assunto concluiu o mesmo. Foi nessa época, também, que o sócio de Boris, Andrei, vendeu a metade dele no negócio para o grupo Alfa, o gigante – e privado – consórcio russo. Boris ficou furioso e não reconheceu os novos acionistas. Quando, no ano 2000, um dos novos diretores chegou ao escritório na casa da Ponte de Ferro, nem Boris nem os guardas o deixaram entrar. Representantes da Alfa voltaram mais tarde, dessa vez acompanhados de um batalhão de choque armado usando máscaras pretas. Transmitido pela televisão russa, o incidente parecia saído de um filme de ação. A polícia arrombava portas e quebrava janelas enquanto trabalhadores lá dentro jogavam garrafas de vodca sobre eles. De acordo com os registros da imprensa, Boris recusou-se a sair durante toda a refrega, até mesmo depois de a esposa ser atingida na cabeça.

Outros processos sobre a verdadeira propriedade da marca foram abertos até 2006, quando finalmente a Diageo e a Alfa fizeram um acordo. Os dois grupos formaram uma *joint venture* para vender e distribuir bebida na Rússia, inclusive vodca Smirnoff e uma coleção de outras bebidas da Diageo. A Diageo pagou ao Alfa 50 milhões de dólares e obteve 75% da propriedade do empreendimento.[23]

A VODCA TEM AINDA HOJE lugar central na sociedade russa. Vladimir Putin considerou ressuscitar o monopólio da vodca em 2005, não tanto para diminuir o consumo, mas para combater a natureza destrutiva da produção ilegal de baixa qualidade. Recentes estimativas oficiais sugerem que entre um e dois terços da vodca vendida na Rússia pode vir de produtores ilegais. Em uma época em que a densidade populacional do país está em declínio e a expectativa de vida também está decaindo, constatar o preço econômico e humano cobrado pelo álcool aos cidadãos russos é ainda mais desalentador. Cerca de 33 mil russos morreram em 2006 por intoxicação alcoólica, de acordo com os dados oficiais mais recentes, e muitos mais sucumbiram a doenças relacionadas ao consumo de bebida.[24] Ainda assim, a proposta de Putin de um novo monopólio para substituir os elevados impostos fracassou em 2007, assegurando que a busca por uma solução duradoura para esse problema de mais de um século irá continuar. Como era durante o tempo dos czares, a atual paisagem econômica, política e social da Rússia não pôde escapar à grande sombra da vodca.

Uma conclusão veio, de certo modo, para pelo menos um dos Smirnov. Vladimir Pietróvich Smirnov, o filho responsável por zelar pela herança familiar ao longo da revolução e para além dela, recebeu sua dose de justiça e paz. Em 1993, suas netas foram a Nice procurar sua sepultura sem identificação e ergueram uma lápide no local. O epitáfio diz: *Em homenagem a Vladimir Pietróvich Smirnov 1875-1934. Um fabricante de vodca, cidadão da Rússia.* Era, finalmente, como deveria ter sido.

Notas

Prólogo (p.13 a 24)

1. "Pokhorony P.A. Smirnova", *Moskovskiy Listok*, 3 dez 1898.
2. Idem.
3. Há poucas provas independentes ou primárias que detalhem os primeiros anos de vida de Smirnov. Esta reconstituição foi feita a partir de informações disponíveis sobre a vida dos servos ou daquelas fornecidas por Vladimir Grechukhin, diretor do Museu Etnográfico, em Myshkin, que abriga um pequeno museu dedicado a Smirnov.
4. David Christian, *Living Water: Vodka and Russian Society on the Eve of Emancipation*. Nova York, Oxford University Press, 1990, p.27.
5. Ibid., p.45.
6. Arquivo Público da Província de Yaroslavl, subsidiária de Uglich, Reserva 1, Inventário 1, Pasta 2604, p.21.
7. Ibid., Reserva 56, Inventário 1, Pasta 1053, 11/Inventário 1, Pasta 1076, p.25.
8. Arquivo Histórico Central de Moscou, Reserva 3, Inventário 3, Pasta 419 (daqui em diante referido por AHCM).
9. *Vestnik finansov, promyshlennosti I torgovli, Ukazatel pravitelstvennyh rasporyazheny po ministerstvu finansov. 1899. Otchyoty kreditnyh uchrezhdeniy, torgovyh I promyshlennyh predpriyatiy*. São Petersburgo, Tipografiya Ministerstva Finansov V. Kirschbauma, 1899, p.755.
10. AHCM, Reserva 142, Inventário 5, Pasta 809, p.2 e 34-49.
11. "Pokhorony P.A. Smirnova", *Moskovskiy Listok*, 3 dez 1898.
12. Patricia Herlihy, *The Alcoholic Empire: Vodka and Politics in Late Imperial Russia*. Nova York, Oxford University Press, 2002, p.7.
13. A.P. Tchekhov, *Obras completas*. Moscou-Leningrado, Editora Estatal de Literatura Artística, 1932, vol.11, p.194-5.
14. Herlihy, *Alcoholic Empire*, p.113.
15. William E. Johnson, *The Liquor Problem in Russia*.Westerville, The American Issue Publishing, 1915, p.154-7.
16. *Albom uchastnikov vserossiyskoy promyshlennoy i Khudozhestvennoy Vystavski v Nizhnem Novgorode 1896 g*. São Petersburgo, Tipografiya Ministerstva Putey Soobshcheniya, 1896, Parte 2, Dept. "zh", p.47-8.
17. A idade de Mariya foi calculada através dos registros da igreja na ocasião de sua morte. Não se encontrou qualquer registro de seu nascimento.

18. Arquivo Público Central de Moscou, Reserva 142, Inventário 5, Pasta 809, p.76-7 (daqui em diante referido por APCM).

1. Boas-vindas (p.27 a 40)

1. Roderick E. McGrew, *Russia and the Cholera 1823-1832*. Madison, University of Wisconsin Press, 1965, p.51-2.
2. P. Karatygin, *Cholera of 1830-31*. São Petersburgo, M.M. Stasyulevich, 1887, p.13.
3. McGrew, op.cit., p.51-2.
4. F.A. Brocgauz e I.A. Efron, *Entsyklopedicheskiy slovar*, vol.T.XXVA (50). São Petersburgo, I.A. Efrona, 1898, p.841.
5. *Cholera of 1830. Rasskaz avtora Afoni-Bogatyrya*. Moscou, 1875, p.6.
6. McGrew, op.cit., p.111.
7. Ibid., p.111-3.
8. M.Sh. Shafeyev, L.M. Zorina, I.K. Khasanova et al., *Especially Dangerous Diseases: Epidemiology and Prophylaxis*. Kazan, KGMU, 2001, p.26.
9. Os detalhes da vida na aldeia de Smirnov foram tirados de museus regionais e arquivos com a ajuda de Vladimir Grechukhin. Eles refletem as informações mais difundidas sobre os costumes do local na época.
10. Arquivo Público da Província de Yaroslavl, subsidiária de Uglich, Reserva 43, Inventário 1, Pasta 904, p.321.
11. "Litso russkoy natsionalnosti". *Vlast*, 26 set 2005.
12. Arquivo Público da Província de Yaroslavl, subsidiária de Uglich, Reserva 43, Inventário 1, Pasta 904, p.395-a, 336-a e 346.
13. V.A. Pushkin e B.A. Kostin, *As a Reason of Unified Love to Motherland*. Moscou, Molodaya Gvardia, 1998, p.101, http://militera.lib.ru/bio/pushkin_kostin/index.html.
14. A.A. Galagan, *Istoriya predprinimatelstva rossiyskogo: Ot kuptsa do bankira*. Moscou, Os'-89, 1997, p.61.
15. Arquivo Público da Província de Yaroslavl, subsidiária de Uglich, Reserva 1, Inventário 1, Pasta 2604. p.20.
16. Ibid., p.23.
17. Ibid., p.22.
18. William L. Blackwell, *The Industrialization of Russia*. Arlington Heights, Harlan Davidson, 1982, p.20-3.
19. A história das empresas de Grigori foi retirada do Arquivo do Governo de Uglich.
20. Arquivo Público da Província de Yaroslavl, subsidiária de Uglich, Reserva 1, Inventário 1, Pasta 2672, p.37-8.
21. *Russkiye Vedomosti*, n.105, 9 mai 1873, p.1.
22. O momento da chegada de Ivan a Moscou foi depreendido de sua nota fúnebre.

2. Moscou (p.41 a 56)

1. A viagem a Moscou foi recriada a partir de registros disponíveis e de histórias de servos que faziam o mesmo caminho para o trabalho sazonal.
2. A.G. Rashin, "Population of Russia over 100 years (1811-1913)", in *Statistical Essays*, ed. S.F. Strumilin. Moscou, 1956, p.124-5.
3. German Shtrumph, 1871, citado em http://saturday.ng.ru/time/2000-04-08/1_cloakamaxima.html, *Subbotnik* 25 (72), 30 jun 2001.
4. Orlando Figes, *Natasha's Dance: A Cultural History of Russia*. Nova York, Henry Holt, 2002, p.27-36.
5. Ibid., p.36.
6. Ibid., p.144.

3. A terra da escuridão (p.57 a 73)

1. AHCM, Reserva 2, Inventário 1, Pasta 5665, p.4.
2. *Federalnaya arkhivnaya sluzhba Rossii. Vserossiyskiy nauchnoissledovatelskiy institut dokumentovedeniya i arkhivnogo dela.Genealogicheskaya informatsiya v gosudarstvennyh arkhivah Rossii.* Spravochnoye posobiye (Moscou, 1996), p.126.
3. Dostoievski, F.M., "Dnevnik pisatelya za 1876 god", in *Obras completas em 30 volumes*. Leningrado, Nauka, 1981, vol.23, p.158.
4. Idem.
5. Nadezhda von Mekk to P.I. Tchaikovski, Belair, 2 mar 1887, *Perepiska s N.F. Mekk*, vol.3, 1882-90. Moscou-Leningrado, Academia, 1936, p.467.
6. Reconstrução baseada em documentos.
7. A cena foi criada para demonstrar um diálogo típico da época.
8. AHCM, Reserva 2, Inventário 1, Pasta 5665, p.4.
9. V.A. Fyodorov, *The Peasants' Sobriety Movement in 1858-1860s*, vol.2, *The Revolutionary Situation in Russia 1859-1861*. Moscou, 1962, p.110.
10. William E. Johnson, *The Liquor Problem in Russia*. Westerville, American Issue Publishing Company, 1915, p.117.
11. Idem.
12. David Christian, *Living Water: Vodka and Russian Society on the Eve of Emancipation*. Nova York, Oxford University Press, 1990, p.300-2.
13. Ibid., p.311.
14. Ibid., p.302-3.
15. Fyodorov, *The Peasants' Sobriety Movement in 1858-1859*, p.122.
16. AHCM, Reserva 1264, Inventário 1, Pasta 29, p.4.
17. Ibid., Pasta 34.
18. Thomas Owen, *Russian Corporate Capitalism from Peter the Great to Perestroika*. Nova York, Oxford University Press, 1995, p.20.

19. N.V. Davydov, *Descriptions of Moscow in the 1850s and 1860s*. Moscou, Moskovskiy rabochiy, 1964, p.22.
20. S.I. Chuprynin, *Moskva i moskvichi v tvorchestve Petra Dmitriyevicha Boborykina // Boborykin P.D., Kitay-gorod*. Moscou, 1985, p.6.

4. O fabricante de vodca (p.74 a 84)

1. *Moskovskiye Vedomosti*, 9 jan 1863, p.3.
2. Igor Kurukin e Yelena Nikulina, *The Tsar's Pub business: Essays of Alcohol Politics and Traditions in Russia*. Moscou, Publishing House AST, 2005, p.129.
3. David Christian, *Living Water: Vodka and Russian Society on the Eve of Emancipation*. Nova York, Oxford University Press, 1990, p.377-8.
4. I.G. Pryzhov, *History of Beggary, Pub-keeping and Hysterics in Russia*, Fonte on-line: http://pryzhov.narod.ru/kabak.html.
5. I.G. Pryzhov, *Istoriya kabakov v Rossii v svyazi s istoriyey russkogo naroda*. São Petersburgo-Moscou, M.O. Volf, 1868, p.318-9.
6. Ben Eklof, *Russia's Great Reforms, 1855-1881*. Bloomington, Indiana University Press, 1994, p.200.
7. *Sekrety i nastavleniya vodochnomu torgovtsu po raznopitiyu i vodochnym skladam i sushchestvuyushchiye zakonopolozheniya po semu predmetu*. Moscou, 1876, p.67.
8. James L. West e Iurri A. Petrov, *Merchant Moscow: Images of Russia's Vanished Bourgeoisie*. Princeton, Princeton University Press, 1998, p.46.
9. S.V. Bakhrushin, ed. *History of Moscow in Six Volumes*. Moscou, Izdatelstvo Akademii nauk SSSR, 1952-59, vol.4, p.673.
10. Ibid., p.721-22.
11. V.V. Skurlov e A.N. Ivanov, *Postavshchiki vysochaishego dvora*. São Petersburgo, 2002, p.10-38.
12. Ibid., p.4-8.
13. Arquivo Histórico Nacional da Rússia, Reserva 472, Inventário 23 (253/1269), Pasta 9, p.29-36 (daqui em diante referido por AHNR).

5. "Peçam vodca Smirnov" (p.85 a 96)

1. "K 150-letiyu firmy 'Petra Smirnova Synovya' (Iz vospominaniy i rasskazov moyego pokoynogo muzha V.P. Smirnova, umershago v 1934 godu)" Rodniye perezvony, n.202, 1969, Bruzzels, p.10.
2. James L. West e Iurri A. Petrov, *Merchant Moscow: Images of Russia's Vanished Bourgeoisie*. Princeton, Princeton University Press, 1998, p.63.
3. O nome de Smirnov nunca aparece nos registros de presença de eventos nem nas memórias de outros mercadores de sua época.

4. AHNR, Reserva 472, Inventário 23 (253/1269), Pasta 9, p.29-36.
5. Statisticheskiye etudy / *Biblioteka dlya chteniya*, São Petersburgo, out/nov 1864, p.31.
6. L.Ye. Shepelev, *Tituly, Mundiry, Ordena v Rossiyskoy Imperii*. Moscou, Nauka Publishing House, 1991, p.112-42.
7. Alfred J. Rieber, *Merchants and Entrepreneurs in Imperial Russia*. Chapel Hill, University of North Carolina Press, 1982, p.124.
8. AHCM, Reserva 3, Inventário 2, Pasta 405, contracapa, p.1.
9. V. Gilyarovskiy, *Moscow and Muskovites*. Moscou, Poligrafresursy, 1999, http://www.booksite.ru/fulltext/gui/lya/rov/sky/4/index.htm.
10. N.N. Zhukov, *Iz zapisnyh knizhek*. Moscou, Sovetskaya Rossiya, 1976, p.131-2.
11. *Ukazatel russkogo otdela venskoy vsemirnoy vystavski 1873 goda*. São Petersburgo, 1873, p.50.
12. O custo médio por garrafa foi calculado a partir de preços do varejo listados por participantes da Exposição Russa de 1870.
13. AHCM, Reserva 203, Inventário 764, Pasta 173, p.293-4.

6. Viagem a Viena (p.97 a 107)

1. São raros os documentos a respeito dos preparativos e da viagem em si. Essa descrição é uma encenação provável baseada em arquivos, originais e relatos da família.
2. Ye. Trigo, *The business: A Literary Political Magazine*. São Petersburgo, The Publishing House of V. Toushnov, 1873, p.107.
3. *New York Times*, 30 mai 1873.
4. Ye. Trigo, *The Business: A Literary Political Magazine*, p.119.
5. S. Razgonov, *Honor Before Profit: A Documentary Story about Piotr Arsenievich Smirnov, a Serf who Became a Prince of Russian Vodka and a Hereditary Noble*. Moscou, Inkombuk, 2000, p.59.
6. Ye. Trigo, *The Business*, p.107.
7. *Russkiye Vedomosti*, n.105, 19 mai 1873, p.1.
8. *New York Times*, 10 ago 1873.
9. *Grazhdanin*, 12 nov 1873, p.1229.

7. Mariya (p.108 a 122)

1. Memórias de Vladimir Smirnov registradas por sua mulher, Tatiana Smirnova-Maksheyeva, obtidas no Arquivo Bakhmeteff de Cultura Russa e do Leste Europeu da Universidade de Columbia, tradução fornecida por Bella Gregorian (daqui em diante referido por memórias de Vladimir Smirnov).
2. *Svod uzakoneniy o zhenskih institutah vedomstva uchrezhdeniy imperatritsy Marii*. São Petersburgo, Gosudarstvennaya Tipografiya, 1903, p.9.

3. Arquivo Histórico do Estado de Moscou, Reserva 3, Inventário 3, Pasta 419.
4. "K 150-letiyu firmy 'Petra Smirnova Synovya' (Iz vospominaniy i rasskazov moyego pokoynogo muzha V.P. Smirnova, umershago v 1934 godu)", *Rodniye perezvony*, n.202, Bruzzels, p.11.
5. AHCM, Reserva 46, Inventário 6, Pasta 26, p.21.
6. "K 150-letiyu firmy 'Petra Smirnova Synovya' (Iz vospominaniy i rasskazov moyego pokoynogo muzha V.P. Smirnova, umershago v 1934 godu)" Rodniye perezvony, n.202, 1969, Bruzzels, p.11.
7. James L. West e Iurri A. Petrov, *Merchant Moscow: Images of Russia's Vanished Bourgeoisie*. Princeton, NJ, Princeton University Press, 1998, p.142.
8. Pavel A. Buryshkin, *Moskva kupecheskaya*. Nova York, Chekhov Publishing, 1954), http: //museum.micex.ru / annals / 02?start=31.
9. *New York Times*, 9 jul 1876, p.2.
10. *Albom uchastnikov Vserossiyskoy Promyshlennoy i Khudozhestvennoy Vystavski v Nizhnem Novgorode 1896 g*. São Petersburgo, Tipografiya Ministerstva Putey Soobshcheniya, 1896, Parte 2, Dept. "g", p.47.
11. *Rabocheye Dvizhenie v Rossii v XIX veke*. Moscou-Leningrado, Gosudarstvennoe izdatelstvo politicheskoy literatury, 1951, vol.2, Parte 2, p.644-76.
12. A. Sakharov, L. Milov, P. Zyryanov, e A. Bokhanov, *History of Russia from the Beginning of the 18th Century until the End of the 19th Century*. Moscou, AST, 2001.
13. N. Flerovsky, *The Working Class Condition in Russia*. São Petersburgo, 1869.
14. *Rabocheye Dvizhenie v Rossii v XIX veke*, vol.2, Parte 2, p.302-3.
15. K 150-letiyu firmy 'Petra Smirnova Synovya', p.10-1.
16. Moskovskiy fabrichniy okrug. Otchyot za 1884 g.fabrichnogo inspektora moskovskogo okruga professora I.I. Yanzhula. São Petersburgo, 1886. Apêndices, Tabelas 1, 7, 9.
17. "K 150-letiyu firmy 'Petra Smirnova Synovya' (Iz vospominaniy i rasskazov moyego pokoynogo muzha V.P. Smirnova, umershago v 1934 godu)" Rodniye perezvony, n.202, 1969, Bruzzels, p.10.
18. Ibid., p.11-2. A anedota vem de uma tradução das memórias de Vladimir Smirnov no Arquivo Bakhmeteff na Universidade de Columbia, Nova York.

8. As guerras da vodca (p.123 a 136)

1. Edvard Radzinskiy, *Alexander II: The Last Great Tsar*. Nova York, Free Press, 2005, p.xi.
2. Ibid., p.410.
3. Ibid., p.426.
4. *Otchyot o vserossiyskoy vystavke 1882 goda v Moskve pod redaktsiyey V.P. Bezobrazova*. São Petersburgo, V. Bezobrazov i kompaniya, 1883, vol.3, class 44 (Napitki), p.17.
5. William E. Johnson, *The Liquor Problem in Russia*. Westerville, The American Issue Publishing , 1915, p.142.

6. R.E.F. Smith e David Christian, *Bread and Salt: A Social and Economic History of Food and Drink in Russia*. Cambridge, Cambridge University Press, 1984, p.304.
7. Ibid., p.301.
8. *Vestnik Yevropy, Piteynoye delo i kabatskiy vopros v Rossii*. São Petersburgo, set. 1876, livro 9, p.215.
9. *Trudy syezda Vinokurennyh zavodchikov i spirtopromyshlennikov, sostoyavshegosya v Moskve v iyune 1892 goda*, vol.2 Prilozheniya. São Petersburgo, V. Kirschbaum, 1893, p.312.
10. *Otchyot o vserossiyskoy vystavke 1882 goda v Moskve*, vol.3, Class 37, p.21.
11. A conclusão sobre a mudança em anúncios comerciais vem de uma análise de seis grandes jornais de Moscou.
12. *Novoe Russkoye Slovo*, n.16346, 30 mar 1958, p.7.
13. *Moscow Gazette*, 25 dez 1882. Esse anúncio foi retirado do Arquivo da Vodca Smirnoff no Centro Davis para Estudos Russos da Biblioteca Fung da Universidade de Harvard.
14. *Russkiy Courier*, 1885, n.179, p.4.
15. *Novosti Dnya*, 1885, n.37, p.4.
16. Ibid., 1884, n.300, p.4.
17. Idem.
18. *Trudy syezda*, vol.2, ap., p.317.
19. A.P. Tchekhov, *Obras Completas*. Moscou-Leningrado, Editora Estatal de Literatura Artística, 1932, vol.11, p.194-95.
20. *Oskolki*, n.15, 14 abr 1884, p.5.
21. *Mezhdunarodniy istoricheskiy zhurnal*, n.7, jan/fev 2000. Pervaya monografiya, N.Kh. Bunge: sudba reformatora. Glava III: Ministr-liberal, 3. Kosvenniye nalogi i gerboviye sbory, http://history.machaon.ru/all/number_07/pervajmo/bunge/part3/p3/index.html.
22. Smith e Christian, *Bread and Salt*, p.309.

9. O rei da vodca (p.137 a 143)

1. AHNR, Reserva 472, Inventário 38 (415/1935), Pasta 42, p.1.
2. Ibid., p.2.
3. AHCM, Reserva 16, Inventário 27, Pasta 905.
4. Os projetos de Smirnov foram obtidos junto à agência de patrimônio histórico de Moscou.
5. Memórias de Vladimir Smirnov.
6. AHCM, Reserva 149, Inventário 1, Pasta 17, 7-8, p.21
7. AHNR, Pasta 472, Inventário 38 (415/1935), Pasta 42, p.5-6.
8. *Moskovskiy Listok*, n.352, 1886.

10. Da procura à preservação (p.144 a 157)

1. *Ukazatel fabrik i zavodov Yevropeyskoy Rossii i Tsarstva Polskogo. Sostavil po ofitsialnym svedeniyam departamenta torgovli i manufaktur P.A. Orlov. Izdaniye vtoroye, ispravlennoye I znachitelno dopolnennoye*. São Petersburgo, R. Golike's Publishing House, 1887, p.563.
2. *Istoriya predprinimatelstva v Rossii*. Fonte on-line: http://www.rus-lib.ru/book/35/52/343-416.html.
3. *Alkogolism i borba s nim. Osoboye prilozheniye k Trudam komissii po voprosu alkogolizma, pod redaktsiyey M.N. Nizhegorodtseva*, n.1, Izdaniye obschestva "Rossiyskogo obschestva okhraneniya narodnogo zdraviya". São Petersburgo, editora P.P. Soykin, 1909, p.49.
4. Patricia Herlihy, *The alcoholic empire: Vodka and politics in late Imperial Russia*. Nova York, Oxford University Press, 2002, p.113-4.
5. *Alkogolism i borba s nim*, 58.
6. Boris M. Segal, *Russian drinking: Use and abuse of alcohol in pre-revolutionary Russia*. New Brunswick, Rutgers Center of Alcohol Studies. 1987, p.158.
7. AHCM, Reserva 3, Inventário 3, Pasta 419.
8. AHNR, Reserva 472, Inventário 23 (253/1269), Pasta 9, p.29-36 (2)
9. *Novoye Russkoye Slovo*, 30 mar 1958, p.5.
10. Arquivo Histórico do Estado de Moscou, Reserva 3, Inventário 3, Pasta 419.
11. G.N. Ulyanova, *Blagotvoritelnost moskovskih predprini-mateley: 1860-1914 gg*. Moscou, Izdatelstvo obyedineniya "Mosgorarhiv", 1999, p.164.
12. *Kratkaya Yevreyskaya Entsiklopedia*, vol.5, Kolonki 472-83.
13. Anedota fornecida por Anton Valdin, um genealogista que trabalhou com descendentes de Smirnov. Ela também aparece em *The Vodka King*, um livro escrito por descendentes de Smirnov e publicado em 1999.
14. M.I. Fridman, *Vinnaya Monopoliya v Rossii*. Moscou, Obschestvo kuptsov i promyshlennikov Rossii, 2005, p.159.
15. Ibid., p.152.
16. *Trudy syezda Vinokurennyh zavodchikov i spirtopromyshlennikov*. São Petersburgo, V. Kirshbaum, 1893, vol.2, p.314.
17. *Perviy godovoy otchyot Moskovskoy gorodskoy sanitarnoy stantsii pri Gigiyenicheskom Institute Imperatorskogo Moskovskogo universiteta. Mar. 1891–Mai 1892*, Pod redaktsiyey F.F. Erismana. Moscou, Gorodskaya tipografiya, 1892, p.79.
18. *Trudy syezda*, vol.2, app., p.318.
19. Idem.
20. Fridman, *Vinnaya Monopoliya*, p.144.
21. Ibid., p.145.
22. *Otechestvennaya istoriya*, n.4. Moscou, Nauka, 1993, p.111.
23. Orlando Figes, *A People's Tragedy: A History of the Russian Revolution*. Nova York, Penguin, 1997, p.160.

11. Capitalismo monopolista (p.158 a 173)

1. Constantine Pleshakov, *The Tsar's Last Armada: The Epic Journey to the Battle of Tsushima*. Nova York, Basic Books, 2003, p.14.
2. *Russkiy rubl. Dva veka istorii. XIX-XX vv*. Moscou, Progress-Akademiya, 1994, 116-7, Arquivo Público de Arte e Literatura da Rússia, Reserva 1208, Inventário 24, p.1-4.
3. Theodore H. Von Laue, *Sergey Witte and the Industrialization of Russia*. Nova York, Columbia University Press, 1963, p.50.
4. Sidney Harcave, *The Memoirs of Count Witte*. Armonk, M.E. Sharpe, 1990, p.187.
5. William E. Johnson, *The Liquor Problem in Russia*. Westerville, The American Issue Publishing , 1915, p.120.
6. L.I. Zaitseva, *Chast I: Kazyonnaya vinnaya monopoliya (1894-1914) / S.Yu. Witte i Rossiya*. Moscou, institut economiki RAN, 2000, p.36-7.
7. K.V. Smirnova, G.V. Chinyaeva, V.O. Smirnov, M.I. Gogolashvili, *Vodochniy korol Piotr Arsenievich Smirnov I yego potomki*. Moscou, OAO Izdatelstvo "Raduga", 1999, p.24; carta de 6 fev 1896.
8. AHCM, Reserva 16, Inventário 235, Pasta 4361.
9. *Spravochnaya kniga o litsah Sankt-Peterburgskogo kupechestva i drugih zvaniy na 1894 god*, São Petersburgo, 1895, "2-aya guildiya", 549; *Adresnaya kniga g. Sankt-Peterburga na 1893 god*, Dept. 3, 256; na 1895 god, Dept. 2, col. 1268; Dept. 3, 372; *Ves Petersburg* na 1894 god, São Petersburgo, A.S. Suvorin, Dept. 3, 217.
10. Arquivo Público de Práticas Antigas da Rússia, Reserva 1468, Inventário 1, Pasta 496, n.57.
11. Procuração de Smirnov a Piotr Pietróvich, da pesquisa de Oleg Smirnov, PSC009149.
12. L.Ye. Shepelev, *Aktsionerniye companii v Rossii*. Leningrado, Nauka, 1973, p.134-5.
13. APCM, Reserva 16, Inventário 237, Pasta 19, p.47.
14. Memórias de Vladimir Smirnov.
15. Idem.
16. Idem.
17. Kira Smirnova relatou essa história durante entrevistas em Moscou, em jul 2005 e em out 2007.
18. Memórias de Vladimir Smirnov.
19. Idem.
20. Índice de expositores da Rússia no evento, *Vsemirnaya kolumbova vystavka 1893 goda v Chicago. Ukazatel russkogo otdela*. São Petersburgo, Yevdokimov, 1893, p.52.
21. *Albom uchastnikov Vserossiyskoy Promyshlennoy Khudozhestvennoy Vystavski v Nizhnem Novgorode 1896 g*. São Petersburgo, Tipografiya Ministerstva Putey Soobshcheniya, 1896, Parte 2, Dept. "g" 47.
22. *Moskovskiy Listok*, 17 out 1894, 2, col.4.
23. *New York Times*, 4 nov 1894, p.1.
24. Harcave, *Memoirs of Count Witte*, p.213.
25. R.E.F. Smith e David Christian, *Bread and Salt: A Social and Economic History of Food and Drink in Russia*. Cambridge, Cambridge University Press, 1984, p.315.

26. *Prilozheniye k otchetu glavnogo upravleniya neokladnyh sborov I kazyonnoy prodazhi pitey za 1895 god*. São Petersburgo, Yevdokimov, 1897, p.155.
27. Johnson, *Liquor Problem in Russia*, p.120.
28. David Christian, *Living Water: Vodka and Russian Society on the Eve of Emancipation*. Nova York, Oxford University Press, 1990, p.381.
29. Patricia Herlihy, *The Alcoholic Empire: Vodka and Politics in Late Imperial Russia*. Nova York, Oxford University Press, 2002, p.15.
30. *Vserossiyskaya khudozhestvenno-promyshlennaya vystavka 1896 goda v Nizhnem Novgorode*. São Petersburgo, German Goppe, 1896, p.199.
31. Zaitseva, *Chast I: Kazyonnaya vinnaya monopoliya*, p.57-9.

12. O czar e as três mil garrafas cintilantes (p.174 a 180)

1. James L. West e Iurri A. Petrov, *Merchant Moscow*. Princeton on University Press, 1988, p.38.
2. Theodore H. Von Laue, *Sergey Witte and the Industrialization of Russia*. Nova York, Columbia University Press, 1963, p.131.
3. *Nizhniy Novgorod 1896, Yarmarka. Vystavka. Putevoditel Nizhnego Novgoroda*, Nizhegorodskiy gumanitarniy tsentr, 1996, de *Vserosskiyskaya vystavka 1896 v Nizhnem Novgorode*, p.24.
4. *Izvestiya vserossiyskoy promyshlenno-khudozhestvennoy vystavki*, 12 jul 1896, p.3.
5. *Novosti dnya*, n.4705, 14 jul, p.2.
6. *Albom uchastnikov Vserossiyskoy Promyshlennoy Khudozhest-vennoy Vystavski v Nizhnem Novgorode 1896 g*. São Petersburgo, Tipografiya Ministerstva Putey Soobshcheniya, 1896, Parte 2, Dept. "g", p.47.
7. Ensaio sobre as atividades do Ministério da corte imperial para celebrações relacionadas à sagrada coroação das majestades imperiais em 1896, vol.3, p.292.
8. Von Laue, *Sergey Witte and the Industrialization of Russia*, p.132.
9. *Moskovskiy Listok*, 26 ago 1896, p.3.
10. Sergey Shumilkin, *Nizhegorodskaya yarmarka*. Nizhniy Novgorod, Ponedelnik. Volgo-Vyatskoye knizhnoye izdatelstvo, 1996, p.174.

13. Crepúsculo (p.181 a 193)

1. AHCM, Reserva 16, Inventário 235, Pasta 4361, p.8.
2. N.A. Varentsov, *Rossiya v memuarah*. Moscou, NLO, 1999, p.133.
3. Idem.
4. Arquivo Público de Práticas Antigas da Rússia, Reserva 1468, Inventário 1, Pasta 496. Carta de Borisovskiy de 6 abr 1896.
5. Ibid., carta de 8 abr, 3h.
6. Ibid., carta de 19 abr, 1h.

7. Arquivo Público de Práticas Antigas da Rússia, Reserva 1468, Inventário 1, Pasta 497, n.100, 3 jun, 17h.
8. Ibid., n.87, 22 mai, 23h.
9. Idem.
10. Arquivo Público de Práticas Antigas da Rússia, Reserva 1468, Inventário 1, Pasta 496, n.21, 19 abr, 1h.
11. Ibid., n.55, 25 abr, 10h.
12. Arquivo Público de Práticas Antigas da Rússia, Reserva 1468 Inventário 1, Pasta 497, n.172, 20 jun.
13. Ibid., Reserva 1468, Inventário 1, n.21, Pasta 497, n.24, 1º mai, 23h45.
14. A descrição foi baseada em uma entrevista pessoal com Varvara Nikolaiévna Petukhova concedida em 12 nov 2005. Ela conheceu a igreja, que já não existe mais.
15. "P.A. Smirnov (skorbniy list)", *Moskovskiy Listok*, 30 nov 1898.
16. *Trudy tehnicheskogo komiteta glavnogo upravleniya neokladnyh sborov i kazyonnoy prodazhi pitey*, vol.14, 1901. São Petersburgo, 1903, p.100-2; e Krshizhanovskiy V. Yu. Starshiy laborant tsentralnoy himicheskoy laboratorii ministerstva finansov v g. Odesse; *Chistota kazyonnyh pitey, priyomy ih izgotovleniya i kachestvo osnovnyh materialov (syryo i rektifikatsionniye spirty, drevesniy ugol i prochee) pri etom primenyayuschihsya*. Tver, 1906, p.94-102.
17. Ibid., *Trudy technicheskogo*, p.102.
18. Ibid., p.100.
19. Vera Grigorieva, *Vodka izvestnaya i neizvestnaya: XIV-XX veka*, de AHNR. São Petersburgo, Reserva 476, Inventário 1, Pasta 2239, vol.7, p.20-2, 40-1, 60-73, 78.
20. *Vserossiyskaya khudozhestvenno-promyshlennaya vystavka 1896 goda v Nizhnem Novgorde*. São Petersburgo, German Goppe, 1896, 198-200; também, *Albom uchastnikov Vserosskiyskoy Promyshlennoy i Khudozhestvennoy Vystavski v Nizhnem Novgorode 1896g*. São Petersburgo, Tipografiya Ministerstva Putey Soobshcheniya, 1896, Parte 2, Dept. "g", p.47.
21. AHCM, Reserva 51, Inventário 5, Pasta 122.
22. Idem.
23. "Sobre a mudança de regulamentação da empresa de P.A. Smirnov, da fábrica de vodca e armazéns de destilados e do vinho russo e importado em Moscou", *Sobraniye Uzakoneniy i Rasporyazheniy Pravitelstva*, 4096, publicado por um senador, 16 set 1897, n.1292.
24. APCM, Reserva 16, Inventário 237, Pasta 19, p.17.
25. Arquivo Público de Práticas Antigas da Rússia, Reserva 1468, Inventário 1, Pasta 497, 3 dez 1897.
26. Ibid., Reserva 1239, Inventário 3, Pasta 25310.
27. Vladimir Gakov, *Forbes* (edição russa), mai 2005, p.172.
28. Jo Ann Ruckman, *The Moscow Business Elite*. DeKalb, Northern Illinois University Press, 1984, p.18.
29. APCM, Reserva 142, Inventário 5, Pasta 728, p.67-71 (tradução do Arquivo da Vodca Smirnoff na Coleção Centro Davis da Universidade de Harvard na Biblioteca Fung).

14. Dois cadáveres (p.194 a 197)

1. Memórias de Vladimir Smirnov.
2. APCM, Reserva 142, Inventário 5, Pasta 728, p.67-71.
3. Ibid., Pasta 809, p.5.
4. Ibid., Pasta 809, p.76-7.
5. *Moskovskiy Listok*, 10 mai 1899, p.3.

15. Século novo, nova realidade (p.201 a 208)

1. Gregory Freeze, ed. *Russia: A History*. Nova York, Oxford University Press, 1997, p.206.
2. David Floyd, *Russia in Revolt: 1905: the First Crack in Tsarist Power* MacDonald, 1968, p.37.
3. *Vestnik finansov, promyshlennosti i torgovli. Ukazatel pravitelstvennyh rasporyazheniy po ministerstvu finansov. 1899. Otchyoty kreditnyh uchrezhdeniy, torgovyh i promyshlennyh predpriyatiy*. São Petersburgo, V. Kirschbaum, 1899, p.756.
4. Ibid., p.755.
5. Andrey Kokorev e Vladimir Rouga, *Moskva povsednevnaya*. Moscou, OLMA-Press, 2005, p.39.
6. K.V. Smirnova e T.I. Voznesenskaya, "Semeinaya Khronika podmoskovnoy Shelkovki Smirnovyh", *Russkaya Usadba* n.12 [28]. Moscou, Zhiraf, 2006, 239.
7. *Vestnik finansov, promyshlennosti i torgovli*, p.755.
8. *Magazine Iskry*, Moscou, 1901, n.25, 6, in A. Kokorev e V. Rouga, *Moskva povsednevnaya*, 2005, p.39.
9. *Vestnik finansov, promyshlennosti i torgovli*. São Petersburgo, V. Kirschbaum, 1901, p.741.
10. APCM, Reserva 16, Inventário 237, Pasta 19, Revista da Administração do Governo de Moscou, p.1-4.
11. Memórias de Vladimir Smirnov.
12. APCM, Reserva 16, Inventário 237, Pasta 19, p.1-4.
13. Essa informação vem da extensa pesquisa feita pelo filho de Sergei, Oleg, nos anos 1970.

16. Louco monopólio (p.209 a 219)

1. A. Kokorev e V. Rouga, *Moskva povsednevnaya*. Moscou: OLMA-Press, 2005, p.39.
2. *Moskovskiy Listok*, 5 set 1900, p.3.
3. Ibid., 2 set 1901, p.1.
4. Ibid., ap., 5 jul 1901, p.4.
5. Ibid., 16 jul 1901, p.1.
6. "K 150-letiyu firmy 'Petra Smirnova Synovya' (Iz vospominaniy i rasskazov moyego pokynogo muzha V.P. Smirnova, umershago v 1934 godu)" Rodniye perezvony, n.202, 1969, Bruzzels, p.11.

7. Ibid., p.13-4.
8. Ibid., p.14.
9. *Vestnik finansov, promyshlennosti i torgovli. Ukazatel pravitelstvennyh rasporyazheniy po ministerstvu finansov, 1902. Otchyoty kreditnyh uchrezhdeniy, torgovyh i promyshlennyh predpriyatiy*. São Petersburgo, V. Kirschbaum, 1902. 1339.
10. "Za nedelyu", *Revista Iskry*, n.25, 1901, p.13.
11. Patricia Herlihy, *The alcoholic empire: Vodka and politics in late Imperial Russia*. Nova York, Oxford University Press, 2002, p.6.
12. Kate Transchel, *Under the influence: Working-class drinking, temperance, and cultural revolution in Russia, 1895-1932*. Pittsburgh, University of Pittsburgh Press, 2006, p.32.
13. "Russian liquor reform", *New York Times*, 2 fev 1902.
14. David Christian, *Living water: Vodka and Russian society on the eve of emancipation*. Nova York, Oxford University Press, 1990, p.390.
15. William E. Johnson, *The liquor problem in Russia*. Westerville, The American Issue Publishing, 1915.
16. *Kratkiy ocherk pyatidesyatiletiya aktsiznoy sistemy vzimaniya nalogov s krepkih napitkov i pyatidesyatiletiya deyatelnosti uchrezhdeniy zaveduyuschih neokladnymi sborami*. São Petersburgo, V. Kirschbaum, 1913, p.38.
17. K.V. Smirnova, G.V. Chinyaeva, V.O. Smirnov, e M.I. Gogolashvili, *Vodochniy korol Piotr Arsênievich Smirnov i yego potomki*. Moscou, OAO Izdatelstvo "Raduga", 1999, p.198-201.
18. APCM, Reserva 16, Inventário 237, Pasta 19, p.4.
19. Ibid., p.1-4.
20. Arquivo da Vodca Smirnoff na Coleção Centro Davis da Universidade de Harvard na Biblioteca Fung, pesquisa de Oleg Smirnov, PSC009272–PSC009274, p.136-8.
21. Ibid., PSC009276-PSC009283, p.140-7.

17. De mal a estranho (p.220 a 227)

1. Arquivo Público Central de Moscou (APCM), Reserva 16, Inventário 237, p.24-5.
2. Ibid., p.24.
3. Ibid., p.37 (documento de 24 out 1903).
4. Idem.
5. Ibid., p.17 (prova apresentada por V. Smirnov com relação à tutela de N.P. Smirnov).
6. Ibid., p.16.
7. Ibid., p.32-4.
8. Ibid., p.17 (prova fornecida por V. Smirnov sobre a tutela de N.P. Smirnov).
9. Ibid., p.23-4.
10. Ibid., p.8 (carta de Vladimir e Piotr Smirnov para o governador-geral de Moscou, jun 1903).
11. Ibid., p.18.

12. Ibid., p.20, 22.
13. Ibid., p.20.
14. Ibid., p.35 (depoimento de Trukhanova em 21 out 1903).
15. Ibid., p.37.
16. Ibid., p.47.
17. Ibid., p.68.
18. *Moskovskiy Listok*, 31 jul 1903, 3, in AHCM, Reserva 131, Inventário 5, Pasta 926.
19. Idem.
20. Idem.
21. Ibid., 31 jul 1903, p.2.
22. Theodore Von Laue, *Sergey Witte and the Industrialization of Russia*. Nova York, Columbia University Press, 1963, p.258.

18. Guerra, insurreições e, por fim, restou um (p.228 a 237)

1. Gregory Freeze, ed., *Russia: A History*. Nova York, Oxford University Press, 1997, p.212.
2. Boris M. Segal, *Russian Drinking:Use and Abuse of Alcohol in Pre-Revolutionary Russia*. New Brunswick, NJ, Rutgers Center of Alcohol Studies, 1987, p.104.
3. Stephen White, *Russia Goes Dry: Alcohol, State, and Society*. Cambridge University Press, 1996, p.20-1.
4. Transchel, *Under the Influence: Working-class Drinking, Temperance, and Cultural Revolution in Russia, 1895-1932*. Pittsburgh, University of Pittsburgh Press, 2006, p.36.
5. *Russkoye Slovo*, 7 nov 1905.
6. David Floyd, *Russia in Revolt: 1905: The First Crack in Tsarist Power*. Macdonald, 1969, p.61.
7. Máximo Gorki, *Obras completas em 30 Volumes*, Moscou, GIKhL, 1949-56, vol.7, http://home.mts-nn.ru/~gorky/TEXTS/OCHST/PRIM/9jan_pr.htm.
8. Irving Werstein, *Ten Days in November: The Russian Revolution*. Filadélfia, Macrae Smith, 1967, p.76.
9. Memórias de Vladimir Smirnov.
10. Idem.
11. Idem.
12. Jo Ann Ruckman, *The Moscow Business Elite*. DeKalb, Northern Illinois Press, 1984, p.66-7.
13. *Russkoye Slovo*, 17 nov 1905, http://starosti.ru/archive.php?m=11&y=1905.
14. Memórias de Vladimir Smirnov.
15. S.P. Urusov, *Kniga o loshadi*. São Petersburgo, Russkoye knizhnoye tovarischestvo "Deyatel", 1911, 480, http://www.cnshb.ru/AKDiL/0005/base/480.shtm.
16. *Spisok chastnyh konskih zavodov v Rossii*. São Petersburgo, Yu.Ya. Rimana, 1904, p.374.
17. Arquivo Público Central de Moscou (APCM), Reserva 16, Inventário 237, Pasta 19, p.56.

18. O pagamento de 500 mil rublos é uma suposição baseada na quantia que Vladimir recebeu oficialmente por sua participação nos negócios da família, embora possa ter sido mais alto. Além disso, o acordo foi alterado em abril de 1905 e estendido para oito anos.
19. AHCM, Reserva 87, Inventário 2, Pasta 1037, p.27-32 (pesquisa de Oleg Smirnov: PSC009083).
20. Ibid. (pesquisa de Oleg Smirnov: PSC 009084).
21. Ibid. (pesquisa de Oleg Smirnov: PSC 009085).
22. Richard Pipes, *A Concise History of the Russian Revolution*. Nova York, Knopf, 1995, p.43.

19. Vida e morte, amor e morte (p.238 a 249)

1. I.R. Takala, *Veselie Rusi. Istoriya alkogolnoy problemy v Rossii*. São Petersburgo, Zhurnal Neva, 2002, p.166.
2. *Kratkiy ocherk pyatidesyatiletiya aktsiznoy sistemy vzimaniya nalogov s krepkih napitkov i pyatidesyatiletiya deyatelnosti uchrezhdeniy zaveduyuschih neokladnymi sborami*. São Petersburgo, V. Kirschbaum, 1913, p.38.
3. Kate Transchel, *Under the Influence: Working-class Drinking, Temperance, and Cultural Revolution in Russia, 1895-1932*. Pittsburgh, University of Pittsburgh Press, 2006, p.62.
4. "Russian war on vodka", *New York Times*, 16 fev 1908.
5. Boris M. Segal, *Russian Drinking: Use and Abuse of Alcohol in Pre-Revolutionary Russia*. New Brunswick, Rutgers Center of Alcohol Studies, 1987, p.334.
6. *Vestnik vinnoy, pivovarennoy promyshlennosti i torgovli*, Moscou, n.26, 20 ago 1911, p.5.
7. Ibid., n.32, 25 fev 1912, p.3.
8. Ibid., n.0, 22 mai 1910, p.5.
9. AHCM, Reserva 126, Inventário 2, Pasta 84, p.216-7.
10. *Novosti Utra i Vechera*, 20 abr 1907, p.3.
11. Russkoye slovo, 17 nov 1907, p.1.
12. Memórias de Vladimir Smirnov.
13. Arquivo Público Central de Moscou (APCM), Reserva 16, Inventário 237, Pasta 19, p.67-73.
14. Ibid., p.67-8.
15. S.P. Urusov, *Kniga o loshadi*. São Petersburgo, Russkoye knizhnoye tovarischestvo "Deyatel", 1911, 480, http://www.cnshb.ru/AKDiL/0005/base/480.shtm.
16. Grigoriy Yaron *O lyubimom zhanre*. Moscou, Iskusstvo, 1960, 29.
17. M. Yankovskiy, *Sovetskiy teatr operetty: Ocherk istorii*. Moscou, Iskusstvo, 1962, p.32.
18. Cardápio de festa e lista de entretenimento de Vladimir. 1 nov 1910, Arquivo da Vodca Smirnoff na Coleção Centro Davis da Universidade de Harvard na Biblioteca Fung.
19. P.P. Isheyev, *Oskolki proshlogo, Vospominaniya 1889-1959*. Nova York, p.142.

20. Yaron, *O lyubimom zhanre*, p.40.
21. A. Mendelson, *Itogi prinuditelnoy trezvosti i noviye formy pyanstva. Doklad Protivoalkogolnomu Soveshchaniyu Obshchestva Russkih Vrachey v pamyat N. I.Pirogova v Moskve*. Petrogrado, Gosudarstvennaya tipografiya, 1916, 3.
22. Patricia Herlihy, *The Alcoholic Empire: Vodka and Politics inLate Imperial Russia*. Nova York, Oxford University Press, 2002, p.116.
23. L.N. Tolstoi. *Complete Works*, 3ª série, Cartas, vol.80. Moscou, GIKhL, 1955, p.291-2.
24. Transchel, *Under the Influence*, p.63.
25. Baseado nas memórias de P. Isheyev, um amigo do casal.

20. De repente, o caos (p.250 a 261)

1. *Moscow Gazette*, 27 abr 1910. Artigo e tradução obtidos no Arquivo da Vodca Smirnoff na Coleção Centro Davis da Universidade de Harvard na Biblioteca Fung.
2. *Bulletin of Wine, Vodka, Beer, Eating-house Industry and Grocers*, Ano 1, n.10, 22 mai 1910, Arquivo da Vodca Smirnoff na Coleção Centro Davis da Universidade de Harvard na Biblioteca Fung.
3. *Novoye Vremya*, São Petersburgo, n.13124, 1912, p.3.
4. Ibid., n.13113, 1912, p.5.
5. Patricia Herlihy, *The Alcoholic Empire: Vodka and Politics in Late Imperial Russia*. Nova York, Oxford University Press, 2002, p.8.
6. Ibid., p.117.
7. Testemunho de Boris Aleksandrovich Smirnov de 12 fev 1998, p.163-4, Arquivo da Vodca Smirnoff na Coleção Centro Davis da Universidade de Harvard na Biblioteca Fung.
8. Ibid., 11 fev 1998, p.69.
9. Pesquisa compilada por Oleg Smirnov obtida do Arquivo da Vodca Smirnoff da Universidade de Harvard. Documento n.PSC009365.
10. L.K. Yezioranskiy, *Fabrichno-zavodskiye predpriyatiya Rossiyskoy Imperii pod nablyudeniyem Redaktsionnogo Komiteta, sostoyashchego iz chlenov Soveta Syezdov Predstaviteley Promyshlennosti i Torgovli*, São Petersburgo, 1909, No7092.
11. *Bulletin of Wine, Vodka, Beer*, Ano 11, n.28, 29 out 1911.
12. Casa de Comércio P.A. Smirnov (Moscou) para Administração de Polícia, 1ª div., distrito Pyatnitskaya, 1911, Arquivo da Vodca Smirnoff, n.EC000754.
13. R. Atzhanov, "Povest pro postavshchikov", *Ogonyok*, Moscou, n.8, 25 fev 2002, http://www.ogoniok.com/archive/2002/4734/08-61-61.
14. *Spisok fabrik i zavodov Rossiyskoy Imperii so vklyucheniyem Sibiri, Sredney Azii i Kavkaza. Sostavleno po ofitsialnym svedeniyam otdela Promyshlennosti Ministerstva Torgovli i Promyshlennosti pod red. V.E. Varzara*. São Petersburgo, V. Kirschbaum, 1912, pt. 2, 205.
15. *Moskovskiy Listok*, 1 set 1912, 201, 4.
16. Pesquisa de Oleg Smirnov, Harvard. Documento n.PSC008996.

17. APCM, Reserva 83, Inventário 2, Pasta 1037, p.78-9.
18. Idem.
19. D.A. Zasosov e V.I. Pyzin, *Povsednevnaya zhizn Peterburga na rubezhe XIX-XX vekov*. Moscou, Molodaya gvardiya, 2003.
20. Arquivo Nacional da Federação Russa, Reserva 102, Inventário 67, Pasta 42, pt. 1, p.51, 54.
21. *Peterburgskaya Gazeta*, 21 mar 1912, p.4.
22. *Moskovskiy Listok*, 21 mar 1912, p.3.
23. Boris M. Segal, *Russian Drinking: Use and Abuse of Alcohol in Pre-Revolutionary Russia*. New Brunswick, Rutgers Center of Alcohol Studies, 1987, p.118.
24. William E. Johnson, *The Liquor Problem in Russia*. Westerville, The American Issue Publishing , 1915, p.191.

21. Revolução (p.262 a 272)

1. Irving Werstein, *Ten Days in November: The Russian Revolution*. Filadélfia, Macrae Smith, 1967, p.114.
2. A. Kokorev e V. Rouga, *Voina i moskvichi. Ocherki gorodskogo byta 1914-1917 gg*. Moscou, Olma Media Grupp, 2008, p.142.
3. *New York Times*, 25 jul 1915.
4. William E. Johnson, *The Liquor Problem in Russia*. Westerville, The American Issue Publishing, 1915, p.207.
5. *New York Times*, 25 jul 1915.
6. Patricia Herlihy, *The Alcoholic Empire: Vodka and Politics in Late Imperial Russia*. Nova York, Oxford University Press, 2002, p.67.
7. A descrição da contribuição dos Smirnov durante a guerra vem de pesquisas realizadas por Anton Valdin.
8. *Spisok fabrik i zavodov Rossiyskoy Imperii so vklyucheniyem Sibiri, Sredney Azii i Kavkaza. Sostavleno po ofitsialnym svedeniyam otdela Promyshlennosti Ministerstva Torgovil i Promyshlennosti pod red. V.E. Varzara*. São Petersburgo, V. Kirschbaum, 1912, Parte 2, p.92.
9. Documento n.EC 000711 do Arquivo da Vodca Smirnoff na Coleção Centro Davis da Univesidade de Harvard na Biblioteca Fung.
10. Robert Goldston, *The Russian Revolution*. Nova York, Bobbs-Merrill, 1966, p.92.
11. Boris M. Segal, *Russian Drinking: Use and Abuse of Alcohol in Pre-Revolutionary Russia*. New Brunswick, Rutgers Center of Alcohol Studies. 1987, p.120.
12. Werstein, *Ten Days in November*, p.128-9.
13. *Moskovskiy Listok*, 30 out 1915, p.3.
14. Werstein, *Ten Days in November*, p.122.
15. E. Radzinskiy, Stálin. Moscou, AST, 2006, p.99.
16. Werstein, *Ten Days in November*, p.156.
17. Memórias de Vladimir Smirnov.

22. Fuga (p.273 a 286)

1. J.N. Westwood, *Russia 1917-1964: A History of Modern Russia from the 1917 Revolution to the Fall of Krushchev*. Nova York, Harper & Row, 1966, p.51.
2. Testemunho, Boris Aleksandrovich Smirnoff, 12 fev 1998, p.160.
3. Kate Transchel, *Under the Influence: Working-class Drinking, Temperance, and Cultural Revolution in Russia, 1895-1932*. Pittsburgh, University of Pittsburgh Press, 2006, p.75.
4. "Nesvoyevremenniye mysli. Zametki o russkoy revolyutsii i culture", http://antology.igrunov.ru/authors/gorky/mysli.html.
5. Testemunho, Boris Aleksandrovich Smirnoff, 11 fev 1998, p.123.
6. K.V. Smirnova, G.V. Chinyaeva, V.O. Smirnov, e M.I. Gogolashvili, *Vodochniy korol Piotr Arsênievich Smirnov i yego potomki*. Moscou: OAO Izdatelstvo "Raduga", 1999, p.159.
7. Orlando Figes, *Natasha's Dance: A Cultural History of Russia*. Nova York, Henry Holt, 2002, p.437.
8. Documento n.TH001151, tradução do Arquivo da Vodca Smirnoff na Coleção Centro Davis da Univesidade de Harvard na Biblioteca Fung.
9. James L. West e Iurri Petrov, *Merchant Moscow: Images of Russia's Vanished Bourgeoisie*. Princeton, Princeton University Press, 1998, p.176.
10. Testemunho, Boris Aleksandrovich Smirnoff, 12 fev 1998, p.161-3.
11. Memórias de Vladimir Smirnov.
12. *Izvestiya*, 4 set 1918.
13. Memórias de Vladimir Smirnov.
14. Idem.
15. Orlando Figes, *A People's Tragedy: A History of the Russian Revolution*. Nova York, Viking, 1996, p.645.
16. Arquivo Nacional da Federação Russa, P-470, Inventário 1, Pasta 1, p.19-20.
17. *Krasniy terror v gody grazhdanskoy voiny. Po materialam Osoboy sledstvennoy komissii po rassledovaniyu zlodeyaniy bolshevikov. Delo No1. Osobaya komissiya po rassledovaniyu zlodeyaniy bolshevikov, sostoyaschaya pri glavnokomanduyuschem vooruzhennimy silami na Yuge Rossii. Akt rassledovaniya po delu ob areste i ubiystve zalozhnikov v Pyatigorske v oktyabre 1918 goda. Pod red. Doktorov istoricheskih nauk Yu. G. Feltishinskogo i G.I. Chernyavskogo*, Arquivo Nacional da Federação Russa, P-470, Inventário 1, Pasta 2, p.230-2.
18. Idem.
19. Figes, *People's Tragedy*, p.648.
20. A.G. Shkuro, *Zapiski belogo partizana*, ch. 19, http://militera.lib.ru/memo/russian/shkuro_ag/19.html.
21. Westwood, *Russia 1917-1964*, p.51.

23. Smirnov com "f" (p.287 a 299)

1. Carta ao editor, *New York Times*, 23 set 1921.
2. Documento e tradução do Arquivo da Vodca Smirnoff na Coleção Centro Davis da Univesidade de Harvard na Biblioteca Fung.

3. P.P. Isheyev. *Oskolki proshlogo, Vospominaniya 1889-1959*, p.139.
4. Ibid., p.140.
5. Idem.
6. K.V. Smirnova et al., *Vodochniy korol Piotr Arsenievich Smirnov i yego potomki*. Moscou, OAO Izdatelstvo "Raduga", p.77.
7. Documentos n.PSC009001 e PSC009008 da pesquisa de Oleg Smirnov.
8. K.V. Smirnova et al., *Vodochniy korol Piotr Arsênievich Smirnov i yego potomki*. Moscou, OAO Izdatelstvo "Raduga", p.134.
9. K.K. Parchevskiy, *Po russkim uglam*. Moscou, Nasledniki K.K. Parchevskogo. Institut vseobschey istorii RAN, 2002, p.176.
10. Memórias de Vladimir Smirnov.
11. Idem.
12. Testemunho, Boris Aleksandrovich Smirnoff, 11 fev 1998, p.122.
13. Ibid., p.91.
14. Ibid., 12 fev 1998, p.180.

24. O fim é um começo (p.300 a 307)

1. Memórias de Vladimir Smirnov.
2. K.V. Smirnova et al., *Vodochniy korol Piotr Arsenievich Smirnov i yego potomki*. Moscou: OAO Izdatelstvo "Raduga", p.204-5.
3. *Posledniye Novosti*, Paris, 10 dez 1933, p.6.
4. Ibid., 24 dez 1933, p.5.
5. Obituário de Rudolph P. Kunett, *New York Times*, 6 mai 1979; "Rudolph Kunett of Heublein Dies", *Hartford Courant*, 5 mai 1979.
6. Richard Lemon, "The talk of the town", *New Yorker*, 24 set 1955.
7. Acordo entre Vladimir Smirnov e Rudolph Kunett, 21 ago 1933, 1, Anexo E, Arquivo da Vodca Smirnoff na Coleção Centro Davis da Universidade de Harvard na Biblioteca Fung.
8. "Russian Vodka Now Made Here", *Danbury News-Times*, 19 abr 1934.
9. Anúncio do Arquivo da Vodca Smirnoff na Coleção Centro Davis da Universidade de Harvard na Biblioteca Fung.
10. K.V. Smirnova et al., *Vodochniy korol*, p.202-3.
11. "Russian vodka now made here", *Danbury News-Times*, 19 abr 1934.
12. K.V. Smirnova et al., *Vodochniy korol*, p.204-5.
13. Idem.

Epílogo (p.309 a 319)

1. http://www.brandrepublic.com/News/159590/Superbrands-case-studies-Smirnoff.
2. "Smirnoff White Whiskey–No Smell, No Taste", *New York Times*, 19 fev 1995.

3. Idem.
4. John Martin, entrevista, vídeo Smirnoff Heritage, n.d.
5. Richard Lemon, "Little Water", *New Yorker*, 24 set 1955.
6. http://www.diageo.com/en-row/ourbrands/ourglobalbrands/smirnoff, Impact Databank mar. 2007, ranking of leading premium spirits brands.
7. Millward Brown's Top 100 Most Powerful Brands 2008, 23, http://www.millwardbrown.com/Sites/optimor/Media/Pdfs/en/BrandZ/BrandZ-2008-Report.pdf.
8. Entrevista a Anton Valdin.
9. Documentos de arquivo traduzidos, obtidos no Centro Davis para Estudos Russos, arquivo da coleção da Vodca Smirnoff na Biblioteca Fung, Universidade de Harvard.
10. Resolução sobre a apresentação de acusações contra Smirnov, Vladimir Vladimirovich, 18 set 1941, em Moscou.
11. Protest in the case of V.V. Smirnov, 31 ago 1956.
12. K.V. Smirnova et al., *Vodochniy korol Piotr Arsenievich Smirnov i yego potomki*. Moscou, OAO Izdatelstvo "Raduga", p.128.
13. Testemunho, Boris Aleksandrovich Smirnov, 12 fev 1998, p.194.
14. N.A. Filatkina, *Pokolennaya rospis moskovskoy vetvi Alekseya Fyodorovicha Bakhrushina*. Moscou, 1997, p.262.
15. Stephen White, *Russia Goes Dry: Alcohol, State, and Society*. Cambridge, Cambridge University Press, 1996, p.71.
16. Ibid., p.140.
17. Thomas C. Owen, *Russian Corporate Capitalism from Peter the Great to Perestroika*. Nova York, Oxford University Press, 1995, p.84.
18. K.V. Smirnova et al., *Vodochniy korol*, p.155.
19. A. Sokovnin, "Konflikt vokrug tovarnogo znaka Smirnoff", *Kommersant*, n.49 (517), 19 mar 1994, http://kommersant.ru/doc.aspx?fromsearch=dfae45ba-5df9-45f6-ad94-51b2c302aae9&docsid=73940.
20. *Delovaya pressa* 8, 20 mai 1999, http://www.businesspress.ru/newspaper/article_mId_44_aId_17227.html.
21. Decisão do Tribunal de Recursos para a terceira circunscrição do assunto da sociedade comum "Casa de Comércio dos descendentes de Peter Smirnoff, Fornecedor oficial da corte imperial" e a companhia russo-americana de destilados UDV North America e Companhia Pierre Smirnoff, 14 set 2001.
22. S. Muravyov e F. Pogodin, "Borisa na tsarstvo", *Vlast* 2 (161), 30 jan 1996, http://www.kommersant.ru/doc.aspx?DocsID=11970.
23. "Diageo and A-1, an Alfa Group company, create strategic partnership for expansion in Russia", press release da Diageo, 27 fev 2006.
24. Anuário Estatístico da Rússia, 2007. http://www.gks.ru/bgd/regl/B07_13/IssWWW.exe/Stg/d01/04-27.htm.

Bibliografia selecionada

Blackwell, William L. *The Industrialization of Russia: An Historical Perspective.* Arlington Heights, Harlan Davidson, 1970.

Borodkin, L.I. (org.). *Ekonomicheskaya istoriya*, "Vekselniye kursy, svyazanniye s Rossiyey, 1814-1914 gg". *Obozrenie* / n.11. Moscou, Izdatelstvo Moskovskogo Universiteta, 2005, p.84-7.

Christian, David. *Living Water: Vodka and Russian Society on the Eve of Emancipation.* Nova York, Oxford University Press, 1990.

Daniels, Robert V. *Red October: The Bolshevik Revolution of 1917.* Nova York, Charles Scribner's Sons, 1967.

Dole, Nathan H. *The Life of Lyof N. Tolstoi.* Nova York, Charles Scribner's Sons, 1923.

Eklof, Ben, John Bushnell e Larissa Zakharova. *Russia's Great Reforms, 1855-1881.* Bloomington, Indiana University Press, 1994.

Erisman, F.F. *The First Year Report of the Moscow Hygiene Station at the Hygiene Institute of the Emperor's Moscow University.* Moscou, Gorodskaya Tipografiya, 1892.

Figes, Orlando. *Natasha's Dance: A Cultural History of Russia.* Nova York, Henry Holt, 2002.

________. *A People's Tragedy: A History of the Russian Revolution.* Nova York, Penguin, 1996.

Floyd, David. *Russia in Revolt: 1905: The First Crack in Tsarist Power.* Macdonald, 1969.

Freeze, Gregory. *Russia: A History.* Nova York, Oxford University Press, 1997.

Fridman, M.I. *Wine Monopoly in Russia.* Moscou, Obshchestvo kuptsov i promyshlennikov Rossii, 2005.

Galagan, A.A. *History of Russian Entrepreneurship: From a Merchant to a Banker.* Moscou, Os'-89, 1997.

Goldston, Robert. *The Russian Revolution.* Nova York, Bobbs-Merrill, 1966.

Grigorieva, V.Z. *Known and Unknown Vodka: 14th-20th Centuries.* Moscou, Enneagon Press, 2007.

Gilyarovskiy, V. *Moscow and Muscovites.* Moscou, Poligrafresursy, 1999.

Harcave, Sidney. *The Memoirs of Count Witte.* Armonk, M.E. Sharpe, 1990.

Herlihy, Patricia. *The Alcoholic Empire: Vodka and Politics in Late Imperial Russia.* Nova York, Oxford University Press, 2002.

Isheyev, P.P. *Shards of the Past.* Nova York, 1959.

Johnson, William E. *The Liquor Problem in Russia.* Westerville, The American Issue Publishing , 1915.

Kokorev, A. e V. Rouga. *Everyday Moscow.* Moscou, OLMA-Press, 2005.

Krshizhanovskiy, V.Yu. *Purity of the State's Alcohol.* Tver, Tipo-Litografiya N.M. Rodionova, 1906.

Kurukin, I. e E. Nikulina. *The Tsar's Pub Business: Essays on Alcohol Politics and Traditions in Russia*. Moscou, AST, 2005.

McGrew, Roderick E. *Russia and the Cholera: 1823-1832*. Madison, University of Wisconsin Press, 1965.

Owen, Thomas C. *Russian Corporate Capitalism From Peter the Great to Perestroika*. Nova York, Oxford University Press, 1995.

Pipes, Richard. *A Concise History of the Russian Revolution*. Nova York, Knopf, 1995.

Pokhlebkin, William. *A History of Vodka*. Londres, Verso, 1991.

Radzinskiy, Edvard. *Alexander II, the Last Great Tsar*. Nova York, Free Press, 2006.

Rashin, A.G. *Population of Russia During 100 years (1811-1913): Statistical Essays*. Moscou, Gosudarstvennoe statisticheskoe izdatelstvo, 1956.

Razgonov, S. *Honor Above Profit: A Story About Piotr Arsenievich Smirnov*. Moscou, Inkombuk, 2000.

Rieber, Alfred J. *Merchants and Entrepreneurs in Imperial Russia*. Chapel Hill, University of North Carolina Press, 1982.

Ruckman, Jo Ann. *The Moscow Business Elite*. DeKalb, Northern Illinois University Press, 1984.

Savelyeva, O. *Living History of Russian Advertising*. Moscou, Gella-print, 2004.

Segal, Boris M. *Russian Drinking: Use and Abuse of Alcohol in Pre-Revolutionary Russia*. New Brunswick, Rutgers Center of Alcohol Studies, 1987.

Skurlov, V.V. e A.N. Ivanov. *Purveyors of the Highest Court*. São Petersburgo, 2002.

Slonov, I.A. *From the Moscow Trading Life*. Moscou, Tipografiya Russkogo tovarishchestva pechatnogo i izdatelskogo dela, 1914.

Smirnova, K.V., G.V. Chinyaeva, V.O. Smirnov e M.I. Gogolashvili. *The Vodka King Piotr Arsenievich Smirnov and his Descendants*. Moscou, OAO Izdatelstvo "Raduga", 1999.

Smith, Robert e David Christian. *Bread and Salt: A Social and Economic History of Food and Drink in Russia*. Cambridge, Cambridge University Press, 1984.

Takala, I. *Joy of Russia: History of the Alcohol Problem in Russia*. São Petersburgo, Zhurnal Neva, 2002.

Transchel, Kate. *Under the Influence: Working-class Drinking, Temperance, and Cultural Revolution in Russia, 1895-1932*. Pittsburgh, University of Pittsburgh Press, 2006.

Troyat, Henri. *Daily Life in Russia under the Last Tsar*. Stanford, Stanford University Press, 1959.

Ulyanova, G.N. *Sponsorship of Moscow Entrepreneurs: 1860-1914*. Moscou, Izdatelstvo obyedineniya "Mosgorarhiv", 1999.

Villari, Luigi. *Russia: Russia of Today*. Boston, J.B. Millet, 1910. Oriental Series, vol.3.

Von Laue, Theodore H. *Sergey Witte and the Industrialization of Russia*. Nova York, Columbia University Press, 1963.

Von Jurgen, Schneider (Hrsg). *Wahrungen der Welt: Europaische und nordamerikanische Devisenkurse 1777-1914*. Stuttgart, Steiner 1., Teilbd. 1., 1991, p.320-5.

Werstein, Irving. *Ten Days in November: The Russian Revolution*. Filadélfia, Macrae Smith, 1967.

West, James L. e Iurii A. Petrov. *Merchant Moscow: Images of Russia's Vanished Bourgeoisie*. Princeton, Princeton University Press, 1998.

Westwood, J.N. *Russia 1917-1964: A History of Modern Russia from the 1917 Revolution to the Fall of Krushchev*. Nova York, Harper & Row, 1966.

White, Stephen. *Russia Goes Dry: Alcohol, State and Society*. Nova York, Cambridge University Press, 1996.

Williamson, Samuel H. "Six ways to compute the relative value of a U.S. dollar amount, 1774 to present", *Measuring Worth*, 2008. http://www.measuringworth.com/uscompare/

Yanzhul, I.I. *From the Memoirs and Correspondence of the Factory Inspector*. São Petersburgo, AO Brocgauz-Efron, 1907.

Yaron, G. *About the Favorite Genre*. Moscou, Iskusstvo, 1960.

Zaitseva, L.I. *S.Yu. Witte i Rossiya*. Moscou, Institut Economiki RAN, 2000.

Zhukov, N.N. *From the Notes*. Moscou, Sovetskaya Rossiya, 1976.

Agradecimentos

Escrevi este livro porque era preciso. Não tive escolha. Quando este pequeno pedaço da Rússia do século XIX me agarrou, fui tomada. Muitas outras pessoas, porém, podiam escolher e se juntaram a mim mesmo assim. Serei sempre grata a elas. Meu habilidoso editor, Ben Loehnen, ofereceu-me apoio inabalável desde o primeiro momento. Demonstrou um instinto requintado diante de todos os assuntos e, ainda mais espantoso, conseguiu manter minha neurose sob controle. Ele também vem a ser um sujeito muito agradável. Obrigada a Matt Inman, por responder prontamente as minhas muitas perguntas, e a Richard Ljoenes, pelo talento artístico incomparável. Meu impassível agente, David Black, merece boa parcela de crédito por sua opinião, sua lealdade e incansável busca da excelência editorial. Um autor não poderia ter melhor defensor.

A pesquisa associada a este livro foi um empreendimento grandioso. Muitos bibliotecários maravilhosos nos Estados Unidos e na Rússia ofereceram orientação essencial ao longo do processo, inclusive Carol Leadenham e Molly Molloy, do Instituto Hoover; Tanya Chebotarev, do Arquivo Bakhmeteff da Universidade de Columbia; Allan Urbanic, da Universidade da Califórnia, Berkeley; e Sue Sypko, da Biblioteca Fung, de Harvard. Também sou grata a funcionários do Arquivo Histórico Central de Moscou e do Arquivo Público da Província de Yaroslavl, filial de Uglich. A ajuda de especialistas de várias áreas foi importante na compreensão das várias complexidades desta história. Na Rússia, gostaria de agradecer a Olga Bimman, Valentin Skurlov, Vladimir Grechukhin, Andrei Kuzmitchev, Olga Savelyeva, Mikhail Zolotarev e Andrei Kokorev. Nos Estados Unidos, Patricia Herlihy merece menção especial por sua arca do tesouro de cultura, por me permitir importuná-la e por sua alma generosa. Kate Transchel, Thomas Owen, Stefan Hedlund e Anita Friedman também prestaram assistência indispensável.

Dado o tema, descendentes da família Smirnov compreensivelmente hesitaram em participar deste livro. No entanto, quero expressar meu sincero agradecimento a Kira Smirnova e Tatiana Fomina por superar suas apreensões e compartilhar algumas de suas histórias. O livro ficou mais rico com elas. Devo reconhecer a ajuda e a gentileza de Vadim Maksheyev e Alfonsina Mekhedinskaya, parentes de Tatiana Smirnova-Maksheyeva. Sou também grata ao pessoal da Diageo pela ajuda.

Algumas pessoas, cujas contribuições foram bem além do que se poderia esperar, merecem particular reconhecimento. Anton Valdin, exímio pesquisador e genealogista em Moscou, foi sempre generoso com seus documentos, seu tempo e seu imenso conhecimento. Alina Polonskaya também trabalhou incansável e habilidosamente em prol deste projeto, desencavando muitas informações preciosas. E, por fim, Tatiana Glezer, a pessoa sem a qual este livro não teria sido possível. Sinto-me abençoada por ter achado uma pesquisadora tão inteligente e completa. Sua perseverança, integridade e instinto natural a tornaram a parceira ideal para este desafio. Ela começou como pesquisadora a milhares de quilômetros de distância. Agora, tenho a honra de chamá-la de querida amiga.

Também tenho uma enorme dívida de gratidão com os que estiveram mais perto e que suportaram quatro anos desta odisseia. Meus amigos, bens valiosos, me animaram durante meus bloqueios de criatividade. Não tenho como mencioná-los todos, mas eles sabem quem são. Leah Spiro acreditou nesta ideia desde o início. Betsy Corcoran deu conselhos inestimáveis e me encorajou a continuar. Alison Ross colocou sua incrível capacidade intelectual à disposição. Julia Flynn Siler deu, generosamente, ideias perspicazes para este louco processo.

Finalmente, não posso terminar sem prestar homenagem a minha notável família. Eles são meus heróis, e eu, a heroína deles. Dedico-lhes este livro, pelo apoio incondicional, inspiração e amor. Minha irmã Lisa leu cada palavra que escrevi, criticando e elogiando conforme o que o material merecesse. Ela foi um ingrediente muito necessário neste processo, lembrando-me com rigidez e suavidade de que qualquer coisa é possível. Meu irmão também sempre me incentivou. Sou grata aos extraordinários genes da minha mãe para a escrita e ao entusiasmo de meu pai, puro e poderoso, fazendo-me superar minhas próprias e enormes dúvidas. Seu bom humor fez com que me lembrasse de rir quando eu mais precisava, coisa que me faz sentir especialmente grata. Ao meu marido maravilhoso, Michael, que abnegadamente concordou em fazer as malas dos nossos dois filhos e ir para a Rússia comigo, um obrigada nem de longe seria o bastante. Ele apoiou este projeto dedicadamente em todos os sentidos possíveis, provando de incontáveis maneiras como foi sábia a decisão de me casar com ele tantos anos atrás. E às joias da minha vida, meus filhos, que prefeririam que a mãe deles escrevesse um livro infantil sobre animais com ilustrações coloridas, obrigada pela paciência, pela flexibilidade e pelos abraços amorosos. Vocês fizeram tudo isso valer a pena.

Índice remissivo

(Os parentescos da família Smirnov se relacionam a Piotr Arsênievich, salvo quando especificado.)

Este livro foi composto por Mari Taboada em Dante Pro 11,5/15,5
e impresso em papel pólen soft 70g/m² e cartão triplex 250g/m²
por Geográfica Editora em outubro de 2010.